HISTOIRE
DES **SECRETS**

HISTOIRE DES SECRETS

de la guerre du feu à l'Internet

Édith et François-Bernard Huyghe

HAZAN

© 2000, Éditions Hazan
Conception et réalisation : Maya Masson
Correction des épreuves : Philippe de la Genardière
Photogravure : Graphique Productions, Chambéry
Impression : Grafedit, Azzano S. Paolo (BG)
ISBN : 2 85025 719 2
Printed in Italy

SOMMAIRE

INTRODUCTION

Le Masque de fer, la mafia, le centième nom de Dieu qui ne sera révélé qu'à la fin des temps, l'assassin de Kennedy, les pyramides, l'omelette de la Mère Poulard et le code d'une carte de crédit ont un point commun : le secret. La notion est large. Mais qu'est-ce qu'un secret ? Le mot s'emploie abusivement pour désigner tout ce qui est mal connu, difficile à comprendre ou à imiter. Ou encore ce que n'a pas expliqué la science, voire ce qui n'est pas encore révélé au public. Or, tout ce qui est inconnu, tout ce qui nous échappe, tout ce qui excède notre intelligence ou notre science n'est pas pour autant secret. Le vrai secret est une connaissance que son détenteur rend délibérément inaccessible.

Pas de secret sans gardien. Ceci implique un enjeu, un pouvoir latent, une richesse. Le secret est souvent menacé et parfois maintenu à grand effort ou à grand risque. Sa définition suppose au moins trois éléments. Il faut d'abord un objet au secret : une information, un document, un produit, une technique. Il faut aussi un détenteur qui entend en conserver l'exclusivité ou en empêcher la divulgation. Puis il faut que quelqu'un, individu ou groupe, soupçonne l'importance du secret et veuille se l'approprier. Ou du moins qu'il existe un tel risque. Le secret est toujours un secret pour quelqu'un et contre quelqu'un. Y compris ceux que chacun se cache à soi-même et dont nous entretient la psychanalyse.

En grec, le secret se dit *aporritos* : ce qui doit être séparé de la parole, indicible, mais *aporritos* signifie aussi « horrible ». Et le latin, qui nous a donné le mot français « secret », le fait dériver du verbe *secernere*, qui exprime l'idée de séparation. C'est donc ce qui est hors de la connaissance ou de la vie ordinaire, quelque chose d'obscur, souvent inquiétant mais peut-être nécessaire.

L'objet du secret varie : ce peut être un mot (un sésame), une phrase énonçant un fait (« X a tué Y »), ou un ensemble de connaissances complexes (une théorie scientifique, la structure d'organismes de l'État). Le secret peut porter sur des choses, indices, documents, échantillons, mais aussi sur un presque rien impalpable : un secret d'enfant n'existe que pour être confié. Le secret peut aussi bien recouvrir le passé (ce qu'a fait A), ou le futur (ce que complote B) ou encore un présent intemporel (une technique qui se répète à volonté).

Le secret, suivant le cas, interdit de connaître, de prouver, de diffuser ou de reproduire l'information qu'il protège, voire de la modifier, comme lorsqu'un mot de passe empêche le sabotage de données informatiques. Pour ce qui est de son détenteur, le secret peut être entre les mains du pouvoir politique, religieux, économique ; il peut être le refuge du simple citoyen. Même ambiguïté quant aux moyens : ils peuvent ressortir au silence, à la dissimulation et à la mise en scène ou à des signes convenus, ou enfin mobiliser tout un appareil de menaces, de surveillance et de barrières. Le secret peut être totalement clandestin. Plus que son contenu, c'est son existence même qui est ignorée. Dans d'autres cas il n'est pas invisible, mais inaccessible, protégé, renfermé. Quelquefois même il s'affiche et devient signe d'un pouvoir qu'il renforce plus qu'il ne le recouvre. Chacun en connaît l'importance, mais tous en ignorent la nature.

Dans tous les cas, le secret établit des frontières entre l'apparence et la réalité, le licite et l'interdit, les défenseurs et les ennemis, les initiés et les profanes. Il est placé sous le double signe du conflit et de la quête : défendu et désiré.

Lutte et attraction

Il arrive que le secret masque ce qu'un homme ou un groupe fait, son identité, ce qu'il veut faire échapper au regard d'autrui ou au châtiment de la loi, ce qui le protège d'un dommage. De son aveu ou de sa découverte résulteraient un préjudice, un scandale ou une crise. Chaque culture trace une frontière entre les secrets délictueux qu'il faut mettre à jour et punir et ceux qu'il faut bien tolérer pour rendre la vie commune possible. Il n'existe de sociétés totalement transparentes que dans nos cauchemars.

Plus subtilement, plus dangereusement parfois, le secret peut servir une offensive, un complot, un piège. Cacher ce que l'on fera, taire ce qu'il adviendra, c'est camoufler une arme, dissimuler une force qui se déchaînera. Là encore, le secret est lié à une violence potentielle, à une part sombre, à une peur.

En comparaison de ces secrets terribles dont la divulgation produirait un conflit entre deux parties (l'homme et l'opinion, le coupable et la loi, les belligérants, les comploteurs et leurs adversaires), des secrets plus spécialisés, ceux des arts et des techniques semblent moins inquiétants. Par eux, on acquiert des capacités particulières ; réaliser des performances inaccessibles aux autres, et donc en retirer des effets concrets (la fabrication d'objets) ou symboliques (un rite qui agréera au dieu, une formule puissante). Il est naturel que les possesseurs de tels privilèges tentent de se les réserver par intérêt ou par crainte. La frontière n'est pas si rigide entre le technique, le pratique et l'ésotérique. Voici que resurgit la peur d'un désordre : certaines connaissances ne doivent pas tomber entre toutes les mains, sinon il en résulterait de redoutables contagions. Elles ne peuvent être acquises ni n'importe comment, ni par n'importe qui. Les impurs ou les inaptes en feraient mauvais usage. Il faudra donc en passer par des purifications, des préparations, des rites, des codes, des mystères pour que la connaissance ne soit pas mal interprétée ou détournée de ses vrais fins. C'est le principe de tout ésotérisme.

Certains de nos secrets répondent donc au dessein de tromper pour frapper, d'autres au besoin de dissimuler une honte, d'autres enfin au désir de se réserver un bien rare, de préserver un pouvoir…, mais à ces secrets rationnels s'en ajoutent d'autres, fruit de notre mésinformation ou de notre sur-interprétation, ou encore de la séduction du secret. Bref, des secrets surajoutés.

Obstinés à découvrir du sens ou du symbole là où il n'y en a pas, nous recouvrons d'un voile de mystère la transmission des connaissances ou recourons à des explications mythiques pour rendre intelligible le monde qui nous entoure. Un monde sans secret nous apparaîtrait sans doute vide de sens. « Toute la Nature n'est qu'un chiffre et secrète escriture du grand nom de Dieu et de ses merveilles », écrivait Blaise de Vignère, un cryptologue mystique du XVIe siècle. Au secret délibéré destiné à tromper les hommes, se mêle souvent celui que nous attribuons aux dieux ou à l'Univers, les correspondances et révélations occultes dont nous ne pouvons nous empêcher de supposer l'existence parce qu'elles nous laissent croire que si l'essentiel nous est dissimulé, c'est que tout est lisible.

Dans un registre plus banal, la faculté de trouver une signification cachée aux événements les plus hasardeux contribue à la production de secrets imaginaires. Dans *Les Voyages de Gulliver,* Swift raconte que dans le royaume de Tribnia on s'est fait une spécialité de découvrir des complots en interprétant les propos les plus innocents : en cherchant un double sens aux mots ordinaires d'une simple lettre, en imaginant une logique significative dans la disposition des phrases ou de leurs premières lettres, par acrostiches ou anagrammes on finit toujours par révéler un propos occulte et un dessein inavouable. Comme le dit Gulliver : « Vous lisez dans une lettre écrite à un ami : Votre frère Thomas a des hémorroïdes ; l'habile déchiffreur trouvera dans l'assemblage de ces mots indifférents une phrase qui fera entendre que tout est prêt pour une sédition. » Sur le même thème, Umberto Eco a imaginé dans *Le Pendule de Foucault* comment un esprit délirant reconstruisait l'histoire entière de quelques siècles, où il décelait les traces de l'action cohérente de diverses sociétés secrètes, et tout cela à partir d'un malentendu original sur un document tout à fait innocent.

Les exemples réels de cette rage de voir des secrets partout ne sont pas moins nombreux. Et, là encore, les nouvelles technologies n'ont pas chassé l'irrationnel, bien au contraire. Internet est le refuge rêvé des découvreurs de secrets en tout genre, qui opposent fièrement au discours officiel ou à une supposée censure gouvernementale les résultats de leurs enquêtes. Celles-ci portent sur mille sujets, dont la science aztèque, les vraies causes des accidents aériens ou des créatures étranges dont la CIA cacherait l'existence. Bref, l'idée que « la vérité est ailleurs », comme le dit une série télévisée, n'est pas près de régresser même si, ou parce que les sources d'information ont prodigieusement augmenté. Mais, herméneutes ou légèrement paranoïaques, mystiques ou ridicules, tous ces interprètes des choses cachées le confirment par leur fièvre d'interprétation : là où il y a secret, vrai ou supposé, il y a frontière, barrière, donc conflit, tant le secret se caractérise par son contraire : le viol, la révélation. Il est éphémère, relatif, disputé. Les histoires des secrets dont nous parlerons dans ce livre seront donc celles de luttes par l'intelligence ou par la force. Parler du secret, c'est parler stratégie.

C'est aussi parler d'un phénomène universel. Il n'existe pas de société sans secret. Parfois, la loi ou la coutume en font une obligation générale : chacun est censé se taire et ne pas nommer ce dont il soupçonne l'existence. Il se peut même que le tabou porte sur la seule divulgation publique d'une connaissance que chacun pourrait avoir acquise individuellement. De l'intimité de la correspondance, que protège la loi, au blasphème que punit le dieu, il existe mille formes de censure et de silence imposé. Des connaissances hermétiques au complot en passant par le secret industriel, les variantes sont multiples. Mais, il n'y a pas d'exemple d'un monde où tout se sache et rien ne se cache.

Dans certaines tribus, c'est le nom propre à l'individu qu'il faut taire : laisser connaître ce nom à quelqu'un c'est lui donner un pouvoir sur soi. Secret et sacré peuvent être inséparables. Au « les dieux aiment l'occulte » des brahmanes répond l'idée exprimée dans le *Zohar* des kabbalistes juifs : « Le monde ne subsiste que par le secret. Si le secret est nécessaire dans les choses profanes, à plus forte raison est-il nécessaire dans le mystère des mystères de l'Ancien des temps qui n'est pas même confié aux anges supérieurs. »

Des régimes politiques ont requis le secret généralisé, dissimulant leurs crimes, leurs desseins, leur nature. Dans le livre d'Orwell, *1984*, Big Brother sait tout de chacun, surveille tout, contrôle tout y compris la langue que l'on emploie ou la mémoire que l'on a du passé. Le dictateur suprême est donc le seul à posséder un secret et à en concentrer toute la puissance en ses mains. Mais secret de tous ou secret unique, il subsiste toujours une zone cachée.

Transmission et séparation

Les cultures se définissent autant par ce qu'elles cachent que par ce qu'elles transmettent. Notre société, que l'on dit de l'information, l'illustre surabondamment. Elle ne mériterait pas moins le nom de société du secret tant celui-ci y tient de place. Il est devenu une des principales richesses, à travers les procédés techniques ou les bases de données sensibles et une des ressources les plus menacées. C'est un enjeu politique entre le citoyen et l'État, entre États, entre grandes sociétés. Avec l'informatique, codes, clefs, verrous, mots de passe, archives fermées, systèmes d'alerte, documents classés prolifèrent. Le monde numérique et le monde des réseaux comme Internet s'apparentent au secret par leur forme. Ils paraissent invisibles, impalpables, nulle part localisés, mais aussi par leur contenu : ils établissent une carte compliquée des savoirs autorisés ou refusés, des degrés de publicité, disponibilité, surveillance, confidentialité de traces conservées et répertoriées. D'avoir délégué à des machines et à des logiciels ces fonctions dites de sécurité et de contrôle n'a fait que rendre plus évidente l'existence d'un domaine séparé

Autant que l'histoire de nos connaissances, une histoire des secrets resterait à écrire. Elle traiterait du rôle des ignorances et des mystères, de la place de l'intimité et de la surveillance dans la vie quotidienne, des pouvoirs occultes et complots, des desseins et actions politiques dissimulés, des crimes inconnus, du retard et des obstacles dans la diffusion des connaissances, des censures, etc. Une telle histoire est bien évidemment impossible à écrire pour deux raisons. La première est la difficulté de parler de ce qui ne laisse guère de traces, de documents fiables ou de témoins impartiaux. La seconde serait le risque de céder à l'obsession du complot, des puissances obscures, à l'interprétation délirante, au penchant commun à trouver des explications par des forces secrètes.

Entre les secrets inexistants, les secrets inaccessibles, les secrets rêvés, et ceux qui sont trop particuliers, trop éphémères ou au contraire trop complexes et trop généraux, les chemins sont étroits. Ici, il ne sera question que de secrets avérés, maintenant bien connus et d'une importance historique prouvée. Ceux qui illustrent le mieux les moyens de constitution et de protection du secret mais aussi de sa transmission, et de sa mort.

Matières et objets les plus familiers ou les plus exotiques, les plus récents comme les plus anciens, fournissent des exemples. Certains furent longtemps porteurs de mystères, celui de leur origine, de leur fabrication, de leur utilisation. Pour les dévoiler, il a fallu des aventures : explorations, guerres, espionnage. Et ils ont suscité des révolutions. Quand Byzance a su cultiver le ver à soie, les Portugais dessiner la forme du cap de Bonne-Espérance ou Gutenberg imprimer des caractères mobiles sur une feuille de papier, ces révélations ont modifié des façons d'être, de penser autant que le cours de l'histoire. De ces situations des mythes sont nés et tout un imaginaire s'est développé à la mesure des enjeux.

Le voyage de ces connaissances interdites, et de ces objets protégés, a parfois duré des siècles à travers des continents entiers. Parfois, la transmission s'est faite par étapes, élément après élément. Pour s'approprier un objet, une matière, une technique, il fallait visiter certains lieux, financer les expéditions nécessaires, parcourir le monde. Ainsi sont arrivés la soie, les épices, la porcelaine, le verre. D'autres secrets tiennent dans un cerveau humain et peuvent se résumer sur un bout de papier. Ils reposent sur une formule, une recette ou une représentation. Mais leurs effets sont immenses. Notre propre Renaissance n'aurait pas été possible si la cartographie, l'armement et l'imprimerie n'avaient permis à l'Occident de découvrir puis de dominer le monde. Enfin, certains secrets obéissent à d'autres règles, ils ne produisent pas d'objets ou de techniques ni même un savoir direct, ils couvrent des domaines plus vastes ; ils produisent des effets variables et renouvelables entre les hommes, entre les éléments de la matière, entre les signes et leur usage. Ainsi en est-il pour la monnaie qui est le code de l'échange marchand, pour l'atome qui est le code de la matière elle-même et de l'énergie, et enfin pour le code secret tout court, la science de la cryptologie à laquelle l'informatique donne maintenant une importance cruciale.

Ces tactiques de dissimulation, ou de non-dissémination, rappellent que le secret est inséparable d'une des caractéristiques de notre espèce : la ruse. L'homme est l'animal qui feint et qui triche autant qu'un animal qui cache. Leibniz disait qu'il cesserait de manger de la viande et conviendrait que les bêtes ont une âme le jour où il verrait des singes tricher aux cartes. Sans notre capacité de feindre des sentiments que nous n'éprouvons pas ou de nier des réalités patentes, sans doute aurions-nous été moins efficaces et moins créatifs, moins imaginatifs surtout. L'histoire de nos secrets est aussi celle de nos progrès et de nos conquêtes. À commencer par celle du feu.

LE FEU, PREMIER SECRET

Le feu est un événement, pas un élément. C'est, en réalité, un dégagement de chaleur et de lumière qui accompagne la combustion vive. Autrement dit, des manifestations du mélange d'un corps avec l'oxygène. Les flammes sont elles-mêmes un mélange gazeux dont la lumière provient de particules solides en suspension. Cette explication qui nous paraît toute simple, parce que c'est ce qui nous a été enseigné à l'école, n'allait certainement pas de soi : le feu, cet « agent inconnu dans son essence » comme le qualifiait encore le Larousse du XIXe siècle, est longtemps apparu comme le mystère par excellence par la multiplicité de ses formes et de ses effets.

La tentation a longtemps été d'en faire une substance, une composante de l'Univers, présente en ses multiples parties et dont les propriétés expliqueraient nombre de phénomènes. Et, en général, tout ce qui est caché. En somme, plutôt que de chercher pourquoi des choses peuvent être en feu, on faisait du feu un principe dont se déduisaient des manifestations innombrables. La difficulté d'expliquer le feu suscitait l'explication par le feu. Tantôt assimilé à un vivant, à une âme, tantôt à un matériau fondamental, à une cause universelle, le feu tient une place centrale dans de multiples visions du cosmos. Parallèlement, tout ce qui touche à la combustion, à la fusion, alchimie comprise, s'est entouré d'une aura d'ésotérisme et de symbolisme. Dans sa *Psychanalyse du feu*, Bachelard notait que le feu exerce une telle fascination intellectuelle qu'il se subordonne d'autres secrets, y compris celui de l'or dont il sera question plus loin : « En tant que substance le feu est certainement parmi les plus valorisées, celle par conséquent qui déforme le plus les jugements objectifs. À bien des égards, sa valorisation atteint celle de l'or… Souvent même, l'alchimiste attribue une valeur à l'or parce qu'il est un réceptacle de feu élémentaire : "La quintessence de l'or est tout feu." »

C'est une idée qui a longtemps subsisté, y compris sous des formulations qui se voulaient rationnelles et scientifiques. Dans ses *Éléments de chimie* de 1720, Borerhaave écrit : « Les éléments du Feu se rencontrent partout ; ils se trouvent dans l'or qui est le plus solide des corps connus, et dans le vide de Toricelli. » Une chimie naissante, il est vrai fille de l'alchimie, cherche encore à énumérer les propriétés du feu afin de comprendre l'Univers.

Cette tendance prend une forme systématique avec une « science » nouvelle du XVIIIᵉ siècle : la phlogistique. Le médecin et chimiste allemand G.E. Stahl suppose que tous les corps contiennent en des proportions variables de la terre « vitrifiable », « mercurielle » ou « sulfureuse ». C'est cette dernière, cet élément corporel doté d'une « puissance ignée », cette « vraie matière du feu » par excellence qu'il nomme phlogistique (« inflammable » en grec). Ainsi le phlogistique est dans l'air, passe dans les plantes, dans le corps des animaux, etc. Facteur explicatif universel, il est l'agent qui donne sa cohérence à la chimie et à la physique des corps. Le dogme du phlogistique subsiste un bon demi-siècle. C'est en le réfutant et en cherchant à produire « de l'air déphlogistisé » par chauffage du mercure, que Lavoisier a l'intuition du « principe oxigine », c'est-à-dire de l'oxygène.

Le secret du feu comme secret de l'Univers

Toutes ces spéculations sur le feu promu à la dignité de secret de la matière, pouvaient se réclamer d'une longue lignée. Dès les origines, philosophie et physique tentent de résoudre la question du feu par une théorie des éléments. C'est vrai aussi bien en Grèce, dès 600 avant notre ère, qu'en Chine dans un traité mal daté mais peut-être contemporain des premiers présocratiques : le *Hong Fan*. Certes, les Grecs n'attribuent pas le même rôle que les Chinois à chacun des quatre éléments, eau, air, feu, terre. Certains spéculent aussi sur un cinquième élément, l'éther, dont le sens varie considérablement. Pour Pythagore, c'est la constituante d'une âme du monde, proche du feu cosmique initial et dont sont tirées toutes les âmes individuelles.

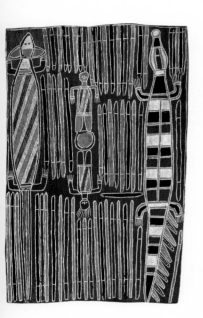

Djulwarak, Homme-crocodile et homme-lézard mettant au point le procédé de fabrication du feu par frottement de baguettes de bois. Peinture sur écorce, Australie, Paris, musée des arts d'Afrique et d'Océanie. Dans les mythes, le feu n'est pas créé par les hommes, mais son secret est dérobé ou leur est révélé par un médiateur entre notre monde et celui des dieux.

16

Aristote, outre le feu dont le « mouvement naturel » est de s'élever, suppose un « éther » animé d'un mouvement circulaire et composant les corps célestes. Platon a sa propre théorie… Quant aux Chinois, ils comptent cinq éléments : air, eau, feu, terre, bois, dont les propriétés et combinaisons expliquent la constitution de l'Univers. La pensée chrétienne et islamique spéculeront aussi sur les éléments et ne manqueront pas de leur trouver mille interprétations théologiques et cosmologiques.

Au-delà de leurs divergences, les philosophies des éléments ont en commun de faire du feu une substance présente sous de multiples formes (du feu céleste au feu intérieur), dotée de propriétés (s'élever, animer, engendrer, se nourrir, se combiner avec la matière et non avec l'eau, produire de la lumière, des goûts, des odeurs, etc.), subissant des transformations, selon son degré de pureté ou de concentration, en fonction des modes et des proportions de ses rencontres avec d'autres éléments.

Les théories du « feu-substance » représentent un véritable effort pour expliquer la nature par quelques principes inhérents à la matière elle-même. En ce sens elles s'inscrivent dans la perspective de l'esprit scientifique. La tendance à substantialiser le feu reflète l'attraction de son mystère : si le feu est partout et explique tout, il doit exister des techniques pour doser, accélérer, diriger les transmutations qu'il provoque. La volonté d'expliquer par le feu encourage la tentation de maîtriser par le feu. C'est une des raisons pour lesquelles la chimie a mis si longtemps à se dégager de l'alchimie : le feu dissimulé au cœur de la Nature laissait ouverte la voie à des recherches occultes.

C'est aussi une des raisons pour lesquelles philosophie et mythologie du feu ont tant de mal à se séparer : seul un mythe peut expliquer l'apparition du feu tant il semble lié à l'idée de dissimulation ou de dépossession. Les hommes, ou des dieux qui le possèdent, le cachent ou le gardent. Prométhée est le plus notoire. Pour avoir le feu il faut un acte violent, clandestin et fondateur, un vol, une rébellion. Le feu n'appartient pas naturellement à notre espèce. Pour entrer en sa possession, l'apprivoiser, le dominer un moment dramatique s'impose. La conquête du feu se déroule comme une pièce de théâtre avec ses épisodes et sa conclusion. Et le secret suscite des secrets : la garde, la maîtrise ou les utilisations du feu ont toujours été entourées d'autant de pratiques de rétention, d'initiation ou d'ésotérisme que de croyances et de tabous.

Tout nous ramène à une notion permanente : le feu est placé sous le signe de la transformation. Sur Terre, il est naturellement présent sous des formes diverses : l'éclair, le soleil, le feu ordinaire, le volcan. Certaines mythologies insistent sur la pluralité de ses formes. Ainsi, pour les Indiens, Agni, Indra et Suruya, respectivement dieu du feu, dieu de la foudre et dieu du soleil sont à la fois séparés et parties de la même totalité. Le feu est contenu et force. Tout en semblant un élément ou une substance unique, il est enfermé, il agit dans les braises, le Soleil, l'éclair, et tout ce qui se

consume ou dégage de la chaleur. Comment expliquer celle-ci autrement que par un feu caché qui ne produit pas de flammes? Peut-être existe-t-il aussi sous la forme d'un feu intérieur que nous ressentons?

Ce feu multiforme est le feu qui transforme. Donc un agent à notre disposition, une puissance à saisir. « L'homme est le seul animal qui fasse du feu ce qui lui a donné l'empire du monde », disait Rivarol. De ses propriétés découlent ses usages : combustion, chauffage, fusion, purification, etc., et autant de sciences et techniques. Ou de magies et de rites. Le feu, semble à la fois capable de détruire, de séparer ou de purifier, de protéger la vie, et de transmuer les matériaux en autre chose qu'eux mêmes, de leur donner des formes et des usages nouveaux. Par lui advient ce qui était auparavant seulement en puissance; il est le grand accoucheur des évolutions techniques. Il est aussi celui de notre propre évolution.

William Hamilton, *Vue de la grande éruption du Vésuve, prise de Naples, le 20 octobre 1767.* Versailles, Bibliothèque municipale. Éclairs, braises, volcans, Soleil, voire feu intérieur, autant de formes du feu que la pensée humaine a longtemps eu peine à expliquer.

S'il est dans nos mémoires depuis si longtemps que nous le classons instinctivement parmi les éléments en compagnie de l'eau, de l'air et de la terre, il n'en a pas le même statut. Nous avons besoin de la terre qui nous nourrit et nous porte, de l'air pour respirer, et de l'eau sans laquelle il n'y aurait pas de vie. Notre relation avec le feu est particulière : il n'est pas un élément donné mais conquis. Il y a forcément une histoire humaine du feu, un avant et un après sa découverte. Double, il est à la fois éternel, naturel et inventé. D'une certaine façon, il est le secret de notre humanité.

Feu humain, feu divin

Pour s'extraire de l'animalité, il aurait donc fallu commencer par arracher le feu à la Nature, aux dieux. L'étrange épisode où le feu fait l'homme autant que l'homme fait le feu, est donc interprété comme une rupture, l'acte de naissance et de connaissance interdit par excellence. Dans notre propre enfance, il nous a fallu apprivoiser la flamme, oser l'approcher, en découvrir les dangers, en apprendre les usages. Le feu est, selon l'expression de Gaston Bachelard, plus un « être social que naturel » : il est lié à nos premières découvertes et à nos premières désobéissances ; il s'entoure d'interdits. Peut-être ne faisons-nous que projeter sur l'histoire de l'espèce cette expérience de chacun. En permettant aux hommes de vaincre la nuit et le froid, de vivre dans la lumière après le coucher du Soleil, il change jusqu'à nos modes de pensée. Avec la convivialité des foyers, il incite à la parole, au récit, au rire, à la remémoration, il permet de voir le regard de l'autre. Il porte aussi à la songerie solitaire par les dessins de ses flammes ; il ouvre des mondes imaginaires et partagés. Il n'est pas étonnant que les rapports entre le premier homme et le premier foyer suscitent autant d'interrogations scientifiques que de récits légendaires.

Une image romantique de la préhistoire suggère la vision d'un ancêtre vêtu de peaux de bêtes, terrorisé par tout son environnement, faible au milieu des fauves, effrayé par la nuit mais triomphant de ces terreurs nocturnes, affolé par les éclairs mais apprivoisant la flamme. Tous les autres animaux ont peur du feu, l'homme n'aurait pas hésité à s'en emparer. Il va chercher les braises dans les vapeurs étouffantes et les cendres asphyxiantes sur le flanc des volcans à peine éteints, ou après l'incendie provoqué par les dieux il foule le sol brûlant pour arracher les dernières flammèches. Rien ne confirme cette vision lyrique et l'invention du feu reste mal connue. Notre

Fabrication du feu au début du siècle. Comment les premiers hommes s'y prenaient-ils ? Sans doute comme les tribus qui, au début du XXᵉ siècle, frottaient des morceaux de bois, méthode bien plus efficace que de frapper des silex.

Manière dont les esquimaux allument le feu, 1811. Paris, Bibliothèque des arts décoratifs. On comprend que, pour les esquimaux, le feu soit particulièrement précieux. Pendant longtemps il est obtenu en utilisant un foret auquel on applique une friction vigoureuse.

ancêtre avait-il observé en heurtant ses cailloux pour fabriquer ses premiers outils qu'il en sortait des étincelles ? Si oui, comment a-t-il capturé ces étincelles ? Les a-t-il mises en contact avec les mousses ou les herbes sèches ?

Les anthropologues modèrent l'enthousiasme qui nous inciterait à voir dans ces étincelles accidentelles un symbole du progrès. Chacun peut vérifier qu'il est extrêmement difficile de produire une braise de cette manière : il ne suffit pas de taper deux cailloux au hasard. En revanche, une technique plus sophistiquée, l'usage combiné du silex, de minerai de pyrite de fer avec des fragments d'amadou est beaucoup plus vraisemblable dès le paléolithique. Pas de briquet préhistorique auparavant. Il existe une autre méthode pour produire le feu, extrêmement efficace entre des mains expertes : la friction de bouts de bois, mais elle ne laisse guère de traces durables. Certains psychanalystes attribuent le jaillissement de la première flamme à des rêveries

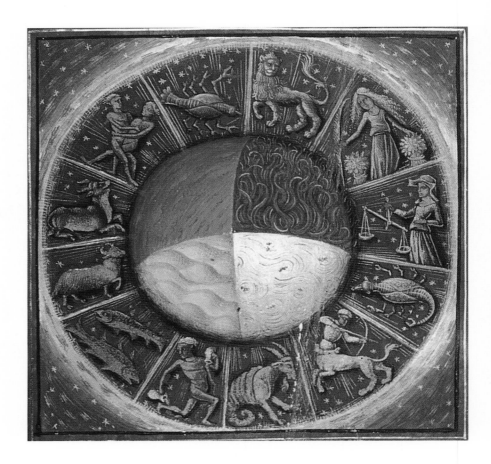

Barthélemy l'Anglais,
*Le Livre de la propriété
des choses* : Les quatre
éléments et le Zodiaque.
Paris, Bibliothèque
nationale de France.
Vers le milieu du
XIIIᵉ siècle, Barthélemy
l'Anglais rédige
une encyclopédie,
compilation d'auteurs
du Moyen Âge et de
l'Antiquité. Le feu y est
représenté comme un
élément omniprésent,
au même titre que
l'eau, l'air et la terre.

érotiques machinalement accompagnées de friction de bouts de bois.
Aucune évidence matérielle ne permet d'en juger, ni de dater plus précisément le premier feu délibérément produit. Feu du ciel, feu des hommes, feu
recueilli, feu produit, nous n'en saurons guère plus.

Aux questions que soulèvent la capture du feu et sa reproduction, s'ajoutent celles du privilège du feu. Il va de soi que posséder une technique, un
savoir, permet de dominer son entourage, ce qui est vrai à l'échelle de l'individu l'étant peut-être plus encore à celle d'une communauté. La découverte du feu aurait conféré un tel avantage à ses premiers possesseurs qu'ils
auraient tout fait pour s'en assurer l'exclusivité. Sa puissance, la multiplicité de ses usages et la terreur qu'il suscitait, tout aurait incité les groupes
qui le possédaient à le protéger de leurs rivaux. Le livre de Rosny aîné, *La
Guerre du feu,* ou le film qu'en a tiré Jean-Jacques Annaud, évoque l'atmosphère que nous associons à la perte et à la reconquête du feu : des braises

sont un trésor caché, leur garde une tâche vitale, leur perte un malheur sans nom. On se bat, on meurt, on risque tout pour garder ou prendre un tison. Reste à savoir si, à l'intérieur de chaque groupe, la connaissance du feu a été immédiatement et également accessible ou si, au contraire, le mystère du feu n'a pas hiérarchisé les premières sociétés, séparant ceux qui savaient, utilisaient et produisaient le feu du commun de la tribu.

Là encore, ce n'est que spéculation. En l'absence totale de moyen de vérification, il est possible de plaider pour un scénario plus riant. Et si les premiers hommes avaient spontanément partagé une découverte si importante? Si ces temps-là n'avaient pas été aussi rudes que nous l'imaginons? À ces questions il n'y a pas de réponses certaines. De tels épisodes se déroulent à l'aube de l'histoire humaine, et les seules traces que peut laisser un foyer sont des débris calcinés. Le feu consume les indices qu'il produit. Ceux-ci ne prouvent que l'existence du foyer même. Si ces traces se rencontrent avec une certaine fréquence, cela indique au mieux que le feu a été produit volontairement. Mais ne renseigne guère sur son mode d'allumage et son usage.

Les controverses sur la datation du feu débouchent sur des questions plus troublantes encore. À commencer par cette hypothèse : et si le feu avait précédé l'homme? Est-ce que Lucy dans la gorge de l'Odulvaï, il y a trois millions d'années, connaissait d'autres feux que ceux qui s'allumaient spontanément par les effets de la foudre ou de la chaleur? S'en approchait-elle, les utilisait-elle? Pour le dire de façon moins romantique, parmi les diverses espèces d'australopithèques qui nous ont précédés, certaines ont-elles connu le feu? Ces hominidés apparaissent entre -12 et -4,5 millions d'années, selon les paléontologues. Ce sont nos cousins, certainement pas nos ancêtres directs, puisque ce titre reviendrait à *Homo habilis*, avec qui les australopithèques auraient même cohabité. Si certains d'entre eux ont su utiliser des pierres taillées, faut-il imaginer qu'ils possédaient aussi le feu? Cela nous enlèverait le privilège de l'invention de deux attributs glorieux de notre humanité : l'outil et le feu.

Des paléontologues ont imaginé un temps avoir trouvé un australopithèque « prométhéen » qui aurait vécu dans les cavernes d'Afrique du Sud. C'était en 1924. Découvrant des traces noirâtres dans un campement d'australopithèques, Raymond Dart les attribua d'abord à un foyer. Il fallut bientôt déchanter : il s'agissait des traces de dynamite utilisée pour percer une brèche dans le rocher.

Suit un intermède qui dure des centaines de milliers d'années durant lequel les rapports de nos prédécesseurs et du feu sont mal connus. L'homme de Pékin, le sinanthrope, hominien au cerveau encore très réduit, aurait pu, a-t-on cru longtemps, utiliser simultanément l'outil et le feu. *Homo erectus* serait un autre candidat possible, mais de façon sporadique : les traces de combustion que l'on trouve associées à ses restes ne sont pas forcément liées à une activité délibérée.

Pour que soit prouvée une véritable maîtrise du feu, il faut encore attendre jusqu'à -350 ou -400 000 ans. En Europe, *Sapiens sapiens*, notre grand-père très évolué et physiologiquement proche de nous, connaissait le feu, cela au moins est assuré.

À partir de là, apparaissent divers usages du feu non moins importants que sa production. Difficile encore d'en dater ou d'en classer l'ordre d'émergence. Ce sont autant de sauts qui marquent le destin de l'espèce. Si le feu sert d'abord à se chauffer, la chaleur du foyer n'est pas seulement une aide physiologique, c'est un unificateur stimulant de la vie collective. Les membres du groupe sont rassemblés dans des conditions de confort et de sécurité relatifs. Désormais une longue période quotidienne est, principalement ou accessoirement, consacrée à la communication. Le feu n'explique ni le développement de la culture ni celui de la parole, même s'il les favorise. L'imaginaire, le récit, les légendes ou la religion ne peuvent se réduire aux changements de comportement qu'entraîne le foyer, mais ceci facilite cela.

Rites, mythes et techniques

Le feu n'est pas qu'un moyen pour lutter contre le froid ou l'obscurité, c'est une ouverture sur des mondes intérieurs partagés, c'est-à-dire les symboles. Des lampes individuelles portables alimentées à la graisse animale ont été retrouvées dans les sites préhistoriques : très tôt, il y a 35 000 ans, le feu a rendu possibles les premières manifestations artistiques. Il permet de voir mais aussi de préparer les couleurs, notamment l'ocre. Y a-t-il pour autant un « secret du feu » ? Peut-on suivre le développement de sa « domestication » et de ses usages : posséder ou créer un foyer, un âtre, savoir conserver les braises et les flammes, et surtout reproduire le feu ? Au secret initial s'ajoutent là encore d'autres secrets : les arts du feu, c'est-à-dire tous les savoirs qui impliquent le feu ; à commencer par la cuisson.

Quand l'homme a-t-il opté pour le cuit ? Il est difficile de répondre, mais cet événement aurait pu suivre de peu la découverte du feu. Son impact sur la physiologie est presque immédiat : la mâchoire et la dentition peuvent désormais se réduire au bénéfice de l'accroissement de la boîte crânienne et donc du cerveau. Avec le feu, la culture commande au besoin le plus élémentaire : manger. La cuisson modifie les comportements, permet une digestion plus légère, un sommeil plus profond, une vie sociale meilleure. Elle suscite les contacts ou les rites liés aux repas, elle annonce peut-être l'institution de la fête, voire de la « gastronomie ». Elle suppose des tâches culinaires collectives, des fonctions différenciées au sein du groupe, des règles de partage et d'échange des aliments, une coopération, des dons, des privilèges, des obligations. Bref, la cuisson nous éloigne de l'animalité en modifiant notre physiologie et notre comportement, mais aussi les relations entre humains, voire en suscitant des rôles sociaux, des catégories, des hiérarchies.

L'usage plus tardif du feu pour fracturer des bois de cervidés ou durcir les pointes d'épieux va aussi dans le sens de la spécialisation des tâches : fabriquer les armes, chasser en groupe de façon organisée, etc. Le feu, en transformant la matière, change la façon de l'employer et de vivre ensemble. Certains anthropologues pensent que très tôt les jeunes chasseurs se sont regroupés en confréries. Dépositaires de recettes et formules, détenteurs de pouvoirs, entre techniques guerrières et invocations des puissances de l'au-delà, ils ont dû avoir recours à des formes d'ésotérisme et de dissimulation ; probablement aussi à des rites d'initiation. La transmission des connaissances aux nouveaux membres devait être vécue comme une révélation redoutable, qui se préparait, se méritait et se gardait jalousement.

Les progrès du feu suggèrent aussi l'idée de la magie. On imagine facilement comment les possesseurs de compétences ou savoirs liés au feu jouissaient d'une supériorité protégée par le silence. Le feu pousse à multiplier masques et mystères. Mais, une fois encore, tout ceci reste pure spéculation. Faute d'archives sur le secret réel du feu, sur le point de déterminer qui a su quoi, quand, et qui n'a pas su, il faudra s'en tenir là.

En revanche, si l'on passe au secret mythique du feu, le sujet devient inépuisable. Le mythe le plus connu est certainement celui de Prométhée. Le feu y est placé sous le signe du secret dévoilé. Plus exactement, il fait de la découverte du feu le symbole de l'intellect humain s'attachant à la connaissance de tous les mystères, et le début d'une histoire cumulative. À partir de cette révélation première commence la saga de la transformation du monde par l'homme, l'éclosion des arts, des sciences, des techniques. « Oui, j'ai délivré les hommes de l'obsession de la mort (…) j'ai installé en eux des aveugles espoirs, je leur ai fait présent du feu (…) de lui, ils apprendront des arts sans nombre », dit le Prométhée enchaîné d'Eschyle. C'est pourquoi Gaston Bachelard nomme « complexe de Prométhée » notre volonté d'intellectualité, notre besoin de comprendre « toutes les tendances qui nous poussent à savoir autant que nos pères, plus que nos pères autant que nos maîtres, plus que nos maîtres ».

Prométhée n'est pas le seul : suivant le mythe indien, le héros Pramatha, lui aussi, dérobe le feu pour le donner aux hommes. Ce mythe est tout à fait comparable à celui des Grecs. Mais il ne faut pas en chercher l'unique raison dans une parenté indo-européenne car, sous toutes les latitudes, des mythes associent découverte du feu et origines de l'humanité. Souvent on retrouve le thème du vol ou du détournement de quelque chose qui était dissimulé, renfermé, secret.

Un des pères de l'anthropologie, l'Écossais Frazer, a recensé dans un ouvrage sur les mythes de l'origine du feu, une multitude de récits de ce type. Ils racontent comment le premier foyer a été dérobé, souvent par un lutin ou par un animal petit, malin, roitelet, rouge-gorge ou blaireau, renard qui dissimule son larcin au bout de sa queue. Souvent, le feu est au plus intime du corps et doit y être saisi par la violence et par la ruse. Aux antipodes, en Australie, une légende raconte qu'un aspic avait dérobé le feu et le tenait caché au plus profond de lui-même, refusant de le partager avec les autres créatures. Le faucon, qui était drôle, fit mille bouffonneries jusqu'à ce que le serpent éclate de rire et crache le feu qui était en lui, toutes les créatures purent alors en profiter. Un autre mythe australien est plus explicite encore en connotations sexuelles. Il dit que le feu est resté longtemps le privilège des femmes. Elles le cachaient aux hommes, le recelant dans leur ventre lorsque leurs compagnons s'approchaient, jusqu'au jour où elles furent surprises par les mâles et durent partager le secret avec eux. L'idée que le feu était réservé, clandestin ou dissimulé en un lieu occulte, jusqu'à un épisode spectaculaire où les hommes s'en seraient emparés, apparaît donc commune à de nombreuses mythologies.

Jean Costiers, *Prométhée et le feu dérobé*. Madrid, musée du Prado. Par la ruse, le Titan, s'empare du feu pour les hommes.

Piero di Cosimo,
*La Légende de
Prométhée*, vers
1510-1520. Strasbourg,
musée des Beaux-Arts.

Avec Prométhée, la complexité du secret, et du secret lié au feu, se révèle clairement. À côté d'une vision héroïque où Prométhée symbolise à la fois la puissance créatrice humaine et la révolte contre les dieux, il y a place pour une autre lecture plus stratégique. En effet, les interprétations habituelles mettent l'accent sur l'épisode de Prométhée porte-feu, c'est-à-dire le dérobant aux dieux, et le rapportant sur Terre dissimulé dans une tige de fenouil. Il le prend soit à la roue du Soleil, soit à Héphaïstos le dieu boiteux. Comme, de surcroît, Prométhée notre bienfaiteur nous enseigne divers arts dont la métallurgie, il est à la fois celui qui instruit et celui dont le modèle incite à l'audace intellectuelle.

Prométhée est aussi le héros prisonnier, enchaîné. La peinture et la sculpture ont aimé figurer le supplice de Prométhée avec l'aigle dévorant le foie du Titan immortel qui endure une souffrance sans cesse renouvelée. L'opposition entre le don fait aux hommes et la vengeance des dieux est le symbole même de notre culture et résume la façon dont elle se représente son propre devenir. L'homme prométhéen est découvreur, transformateur pour le meilleur et pour le pire. Il arrache sans répit les secrets de la nature et en assume le risque. C'est pourquoi Prométhée est souvent vu comme le mythe moderne par excellence. Or cette vision qui oppose notre volonté de savoir aux limites permises n'en recouvre qu'un aspect.

Le mythe et les ruses

Son intégralité, telle que la rapportent, non sans contradictions, Hésiode, Eschyle et d'autres, comprend maints épisodes qui tournent autour d'un secret divulgué ou trahi. Prométhée est associé au secret de manière insistante, voire redondante. Il n'est pas homme, mais Titan petit-fils d'Ouranos et de Gaïa, le Ciel et la Terre, fils du Titan Japet et de Thémis, la Justice. Prométhée, dont le nom suggère qu'il pense à l'avance, prévoit l'avenir, se caractérise par son intuition, par sa capacité d'anticipation, contrairement à son frère Épiméthée qui, lui, ne comprend qu'après coup et est perpétuellement trompé ou dépassé par les événements. Prométhée est détenteur et révélateur de secrets. Son histoire se confond avec celle des connaissances qu'il divulgue ou non et dont la possession constitue l'enjeu de conflits.

Le mythe s'ouvre sur la lutte entre les Titans qui régnaient sur le monde au commencement des temps et les Olympiens dont le roi est Zeus. Prométhée, dont les ruses et stratégies sont méprisées par ses frères, change de camp et s'allie à Zeus. Après la victoire des dieux, après que les Titans défaits ont été enfermés pour l'éternité dans les profondeurs du Tartare, Prométhée crée la race humaine à partir d'une motte de terre. Il ne tarde pas à entrer en conflit avec Zeus à propos de ces créatures agaçantes et imparfaites. Le dieu suprême, irrité par la méchanceté de notre race, se prend de haine contre les hommes et, pour les affamer, leur retire le feu. Dans le mythe grec les hommes possédaient donc originellement le feu.

Prométhée obtient un compromis entre les dieux et les hommes : ils se rencontrent pour déterminer quelle part des animaux sacrifiés reviendra aux uns et aux autres. Prométhée, qui doit arbitrer le débat et qui, par nature, est capable d'anticiper les réactions de chacun, dissimule sous la graisse de l'animal sacrifié toutes ses entrailles et sous la peau toute la bonne chair. Comme il l'avait prévu, Zeus se précipite sur la graisse persuadé d'y trouver les parties savoureuses de l'animal. Non content d'avoir dupé Zeus, Prométhée se rend, suivant les versions, soit sur l'Olympe, soit dans les forges d'Héphaïstos, dans les entrailles de la Terre. Il y vole le feu et s'empresse de le donner aux hommes. Zeus, furieux, le fait enchaîner sur un rocher où un aigle vient lui dévorer le foie, son immortalité le condamnant à subir ce supplice jusqu'à la fin des Temps.

Prométhée sera sauvé par un autre secret. Sa mère Thémis lui avait confié les desseins des Destinées : elles avaient prévu que le fils de la

Rosso Fiorentino (1494-1540), *Pandore ouvrant la boîte*, dessin. Paris, École des Beaux-Arts. La boîte de Pandore est ouverte ; les maux ont commencé à semer peur et désolation sur la Terre. Pourtant, au fond de la boîte est demeuré l'Espoir.

nymphe marine Thétis, précisément courtisée par Zeus, serait plus puissant que son père. L'Olympien engendrera lui-même son plus dangereux rival, un héros capable de le détrôner. Prométhée négocie cette révélation contre sa délivrance. Zeus peut alors conjurer le danger, il s'emploie aussitôt à marier la nymphe à un simple mortel, Pélée. Le fils qui naîtra de cette union sera Achille, le héros de la guerre de Troie.

La libération de Prométhée provoque une nouvelle cascade d'aventures où se croisent dieux et héros autour de secrets et de révélations. Pour son onzième travail, Héraclès doit s'emparer des pommes d'or du jardin des Hespérides. Il rencontre Nérée, la divinité de la mer qui lui révèle l'emplacement du jardin à l'extrême Occident. Pour autant, Héraclès ne sait pas comment s'acquitter de sa tâche. Il tue l'aigle qui tourmentait Prométhée et brise ses chaînes. En récompense, le Titan lui indique comment se procurer les pommes d'or dans le verger gardé par le serpent Ladon où seul peut pénétrer un autre Titan, Atlas, qui soutient le Monde. Sur les conseils de Prométhée, Héraclès soulage quelques instants Atlas de sa charge, le temps qu'il aille cueillir les fruits d'or.

Le mythe continue encore ; car Zeus prétend toujours tirer vengeance des hommes. Pour cela, il va faire lui aussi appel au principe du secret qui fonctionne ici comme un piège. Hésiode le raconte dans *Les Travaux et les Jours* : « Alors, plein de bile, Zeus, le berger des nuées, s'écria : "Fils de Japet aux pensers subtils entre tous, tu peux te réjouir, toi qui as volé le feu et trompé mon intelligence, du grand malheur qui vous frappera toi et les hommes à naître ! En contrepartie du feu, je leur donnerai, moi, un mal qui fasse leurs délices à tous dans le cœur – un mal bien à eux, qu'ils entoureront d'amour." » Cette vengeance a pour instrument la boîte de Pandore. À l'époque où ne vivaient sur Terre que les hommes façonnés par Prométhée, Zeus leur envoie Pandore, belle mais fourbe et pleine de vices. Pandore a été façonnée par Héphaïstos, le dieu forgeron, maître de la fournaise : il a modelé cette première femme dans la boue, mais lui a donné pour âme une étincelle du feu. Zeus donne Pandore pour épouse à Épiméthée. Prométhée avait bien conseillé à son frère, le naïf Épiméthée, de ne pas accepter de don de Zeus mais celui-ci ne l'écoute pas et épouse Pandore.

Pour parfaire le piège, Pandore a reçu une jarre ou une boîte capable de causer la ruine des hommes mais dont elle ignore le contenu. Un jour, poussée par la curiosité, la jeune femme ouvre la boîte ; il s'en échappe peines, maladies, querelles et soucis qui affligeront perpétuellement l'humanité.

Une version concurrente mais moins répandue veut que la boîte ait au contraire appartenu à Prométhée ; il y entassait tous les biens qu'il destinait à ses créatures. La curiosité de Pandore aurait alors eu pour conséquence non pas de répandre le mal mais de faire perdre le bien aux hommes. Dans tous les cas, le viol du secret de la boîte se termine par l'affliction de l'hu-

Jean Cousin, *Eva Prima Pandora*, XVe siècle. Paris, musée du Louvre. Jean Cousin assimile Pandore, la première femme des mythes grecs, à Ève, la première femme de la Bible. Elle est ici représentée la main sur le couvercle de la jarre dont elle violera le secret, répandant ainsi tous les maux sur la Terre.

manité à qui ne reste que la seule espérance, dissimulée au fond et qui y est restée après que Pandore effrayée eut tenté de refermer le couvercle.

À Prométhée enchaîné et Prométhée porte-feu répondent Prométhée le silencieux et Prométhée le négociateur. Prométhée conclut des alliances et accords et négocie l'information désirée. Le secret de la descendance de Thétis ou celui du jardin des Hespérides sont les contreparties grâce auxquelles il obtient sa libération.

À côté de ce secret de l'échange dont toute la puissance vient de ce qu'il est soupçonné et désiré, le mythe met en scène un deuxième type de secret, d'autres relations entre le possesseur du secret et l'ignorant : le secret comme piège. Ici intervient la ruse, la *métis* grecque qui révèle la nature dangereuse, stratégique du secret dans le cadre d'une lutte entre deux camps. À un premier degré, une simple dissimulation est la condition nécessaire au succès de la ruse. Elle n'est là que pour permettre au piège de fonctionner. La ruse du sacrifice du bœuf et celle de la boîte de Pandore, la première qui trompe

Zeus au profit des hommes, et la seconde par laquelle il se venge, marquent deux grands moments de la lutte entre ce monde et l'autre. Hommes et dieux s'affrontent par feinte et dissimulation. À un second degré, le secret fonctionne plus subtilement qu'un simple silence ou un camouflage, il est lui-même le leurre. Zeus spécule sur l'astuce de Prométhée et croit qu'il a dissimulé le meilleur de l'animal sacrifié sous la graisse ; l'autre, raisonnant un temps plus loin, a monté un piège au second degré. Et, piège pour piège, celui qu'introduit le père des dieux dans la boîte de Pandore réussit grâce à l'irrésistible attraction qu'éprouve la jeune femme envers la boîte fermée. Le secret ne cache pas l'arme, il est l'arme même et celui qui veut ou croit le deviner, Zeus ou Pandore, se condamne lui-même.

Le mythe montre comment le secret peut être autant valeur que violence, il parle encore du secret d'une troisième manière : le feu perdu, volé, offert a une autre dimension. Son secret relève moins de la stratégie que de la technique. Il retourne à l'univers des objets : le feu est une connaissance intemporelle qui, une fois acquise, pourra toujours être reproduite. Le secret représente un instrument nécessaire à des productions futures. L'ignorer est un manque, mais non un danger.

Lorsque le secret meurt, lorsque son objet, sa formule deviennent publiques, les hommes acquièrent de nouveaux pouvoirs. Ils réalisent avec sûreté des choses jusque-là impossibles et les répètent à leur gré, ce qui est la définition de la technique. Du secret mythique au secret pratique s'établit une continuité. En retour, nombre d'usages techniques s'imprègnent d'ésotérisme.

Maîtres du feu

Mircea Eliade remarque que les cultures les plus archaïques assimilent le « spécialiste du sacré », le chaman, l'homme-médecine, le médecin, à un « maître du feu ». Le feu représente une irruption très particulière de forces sacrées dans notre monde, tout en étant l'instrument d'un pouvoir concret : celui qui provoque et contrôle ces processus est considéré comme un intermédiaire entre deux mondes, voire comme un être hors humanité. C'est pourquoi le feu est un bien symbolique dont le contact, l'usage ou la garde sont confiés à certaines castes ou aux détenteurs de fonctions déterminées. Souvent, ils en possèdent une maîtrise dont témoignent divers exploits réels ou légendaires. Le contrôle du feu intérieur rend le yogi capable de résister à des températures exceptionnelles, comme la « chaleur psychique » des Tibétains. Les chamans d'Asie ou

Statue de chaman en bois peint provenant du Canada. Londres, British Museum. Le chaman des sociétés archaïques est un intermédiaire entre le Ciel et la Terre, entre les esprits et les hommes, homme-médecine, initiateur et très souvent maître du feu.

les fakirs de l'Inde avalent des charbons ardents. Il existe partout, de l'Amérique à la Chine, des techniques diverses destinées à marcher sur le feu. Les derviches musulmans allument les foyers avec la chaleur de leurs pieds. Tous ces procédés de magie et d'extase remontent souvent aux temps paléolithiques.

Ils s'insèrent dans un système de croyances : ceux qui dominent le feu sont souvent placés près des princes, tout en haut de la hiérarchie humaine, parfois au contraire ils sont exclus du groupe. Ils sont toujours craints. Utiliser le feu, c'est métamorphoser la matière. Or, changer l'état des matériaux et spécialement des minerais, substances arrachées au sein de la Terre mère, c'est imiter l'action du démiurge qui a créé le monde et peut le transformer à tout moment. C'est accompagner, accoucher ou accélérer la Nature dans ses opérations de transmutation. C'est s'arroger un droit dangereux et, dans tous les cas, user d'un savoir qui doit être réservé aux purs, aux élus, aux initiés.

Les métallurgistes, dès les origines, se constituent souvent en sociétés fermées. Les mêmes pratiques d'initiation ou règles de vie se retrouvent fréquemment, quelles que soient les latitudes. En Afrique, où les forgerons sont regroupés en confréries, voire en sociétés religieuses, nombreux sont les mythes rapportant comment le premier des forgerons descendit sur Terre, révéla aux hommes les secrets de métiers, leur enseigna l'agriculture, et les rites favorables à la procréation. Non moins important est leur rôle lors des initiations de la puberté; ils savent ce qu'ils doivent transmettre aux nouveaux hommes, quelles épreuves infliger lors du passage à l'âge adulte. Ils possèdent les savoirs occultes, ils connaissent les pratiques magiques, ils sont le chaman, ils pratiquent l'art de guérir, etc. On trouverait autant d'exemples dans la Grèce des temps archaïques où régnaient des confréries qui ont su garder leurs secrets et sont devenues mythiques : ce sont les Telchines, Cabires, Courètes, Dactyles. En Afrique, de telles sociétés sont liées au travail des métaux et aux rites d'initiation. En Chine, les compagnies de forgerons se rattachent à de mythiques héros fondateurs, garants de l'ordre humain, producteurs des talismans des dynasties.

Dans les folklores ou les légendes, la forge devient le lieu des résurrections ou des transformations : enfants qui renaissent, vieilles femmes redevenant jeunes filles…, et c'est partout le lieu de transmutations. La maîtrise du feu met en contact direct avec les esprits et les dieux, ou au moins avec les forces vitales ou élémentaires. Les techniques du feu sont la révélation exotérique d'une réalité intérieure et ésotérique.

Chaman toungouze en costume rituel, portant un tambour chamanique. Musée américain d'histoire naturelle. Selon Mircea Eliade, dans *Forgerons et Alchimistes* : « La magie primitive et le chamanisme impliquent la maîtrise du feu, soit que l'homme-médecine puisse toucher impunément à la braise, soit qu'il puisse produire dans son propre corps une chaleur intérieure. »

Le feu, force élémentaire, appelait le mystère par ses origines, ses usages ou sa nature. De la simple superstition aux mythes ou aux systèmes, le lien entre le feu et le secret est plus symbolique que pratique.

En d'autres cas, les secrets portent sur des ressources rares, des objets qui excitent le désir. Il s'agit de les trouver, non de comprendre des mystères de l'Univers. Certains produits longtemps recherchés répondent à cette définition : on les voyait, on les achetait, on les désirait mais on n'avait pas accès à la source, on ignorait leur recette, on était incapable de les reproduire. À l'obstacle de l'ignorance s'ajoutait celui de la géographie : d'où venaient-ils ? comment y parvenir ? comment contrôler la production et l'approvisionnement ?

Nombre des plus vieux secrets concernent des ressources monopolisées pour leur valeur de production, d'échange, d'ostentation, d'exotisme, de luxe, etc. Certains sont devenus d'une telle banalité que nous avons peine à croire qu'ils aient suscité désirs ou mystères. Si l'or et les pierres précieuses continuent à être thésaurisés, la soie et les épices, qui à certaines époques servirent d'étalon monétaire et provoquèrent guerres et explorations, ont perdu de leur puissance sur les rayonnages du marchand de tissu et de la grande surface. Quant au verre et à la porcelaine, ils font partie du quotidien.

La longue ignorance de leur origine, de leurs composantes ou de leur fabrication leur donne pourtant un commun statut de secret, souvent transmis d'Orient à l'Occident. Ces choses qu'il fallait cacher et trouver ont mis des siècles à franchir les continents et à se transmettre en dépit de multiples contacts entre les cultures. Vendues et prisées comme marchandises, ces richesses étaient aussi les indices d'une origine exotique ou d'une recette ignorée. Bref, les choses voyageaient bien mieux que leur connaissance.

Peu nombreux étaient ceux qui entreprenaient le voyage de l'Atlantique au Pacifique et c'est par un jeu de trocs et de transferts que les marchandises traversaient l'Eurasie. Les relais et les interprétations, la mauvaise information qui chasse la bonne, les fausses reconnaissances, le besoin de projeter ailleurs ses propres mythes, voire le simple penchant à embellir et à mystifier, ont été les plus sûrs alliés des secrets.

Aux effets conjugués de la distance et de la défense s'ajoute, souvent, la complexité : les secrets ne se découvrent pas d'un coup et leur « révélation » suppose parfois la conjonction de plusieurs connaissances théoriques ou savoir-faire techniques, plus des éléments tangibles telle une graine ou un minerai. Ces composantes voyagent parfois mal au long des routes. Et les trésors secrets dont il va être question ont ainsi été protégés des siècles. Leur résistance à la divulgation est à la mesure de leur légende.

CACHER ET TROUVER

1

OR ET PIERRERIES, TRÉSORS SECRETS

Or et pierreries évoquent l'ostentation, la parade, mais aussi l'accumulation et la dissimulation : ce sont des trésors que l'on aime cacher, suivant les légendes, au fond des cavernes ou dans des îles lointaines. Pour les découvrir, il faut subir des épreuves initiatiques, combattre dragons et adversaires fabuleux, traverser des cages pleines de serpents, vaincre les ténèbres et résoudre des énigmes. L'or et les pierres dissimulés encouragent les interprétations : les psychanalystes suggèrent que les monstres et obstacles que l'on affronte dans les légendes et mythes désignent nos propres forces obscures. Suivant une lecture ésotérique, la nature toute spirituelle du trésor est indiquée par les monceaux de métal rare et de gemmes.

Or et pierres se prêtent aux jeux des interprétations. Purs, brillants, ils représentent la perfection et l'incorruptibilité. Ils sont, croit-on, pareillement issus d'un lent travail de la Terre mère, ils sont appréciés pour les pouvoirs qu'on leur prête, magiques ou thérapeutiques, comme pour leurs correspondances supposées avec les astres ou les divinités et, bien sûr, pour leur valeur marchande ou honorifique.

Le trésor est objet d'envie, il convient donc de le protéger, de le mettre au secret. Inversement, pour l'obtenir il faut se faire espion, voleur, il faut de la ruse ou de la force. Les mythologies et les légendes du monde entier fourmillent d'histoires de voleurs de trésors. Les Hindous ont même des divinités chargées de protéger les trésors de la Terre placés aux « huit points du compas. » Kuvera, monté sur une mangouste, protège ceux du nord. Il est le dieu des richesses et commande les Yaksha, génies « secrets » et gardiens des mystères de la Terre.

Quant aux Grecs, ils ont élaboré un mythe du pilleur de trésors où secret, trésor, révélations et cavernes sont clairement associés : Trophonios. Avec son frère jumeau, Agamède, lui aussi un architecte réputé, ils avaient bâti le temple d'Apollon à Delphes. Le roi Hyrieus leur confia la construction d'un édifice destiné à abriter ses trésors. Les deux frères s'acquittèrent de leur tâche mais ajoutèrent un passage connu d'eux seuls. Cela leur permettait de prélever ce qu'ils voulaient dans la chambre secrète. Le roi s'aperçut de l'amenuisement de ses richesses et tendit un piège aux voleurs. Agamède tomba dedans et se trouva prisonnier d'un mécanisme inviolable. Trophonios tenta de dégager son frère mais en vain. Pour se sauver lui-même et ne pas être dénoncé par le visage du captif, trop semblable au sien, il se résolut à décapiter son jumeau. Le fratricide fut puni à l'instant et englouti dans les entrailles de la Terre.

L'histoire ne s'arrête pas là. Les Béotiens, qui souffraient d'une sécheresse exceptionnelle, voulurent s'adresser à un oracle. La Pythie leur révéla l'emplacement où était enfoui Trophonios et leur dit qu'ils recevraient là la réponse à leurs questions. La caverne de l'architecte-voleur devint un des oracles les plus réputés de Grèce, mais aussi un des plus redoutés, tant le rituel comprenait d'épreuves effrayantes. Ceux qui le consultaient devaient se glisser dans un étroit couloir souterrain ; ils tombaient dans l'antre de Trophonios. Bloqués là, parfois un jour et une nuit, frôlés par des serpents, ils entendaient des révélations terribles. Ils étaient remontés par une machine, la tête en bas. Puis les malheureux s'asseyaient sur un siège consacré à Mnémosyne, déesse de la Mémoire, afin de restituer les connaissances qui leur avaient été délivrées au fond de la Terre. Si bien qu'une expression populaire disait de quelqu'un qui avait la mine particulièrement sombre : « Il a consulté l'oracle de Trophonios. »

Pilleurs de légende

Dans un registre littéraire, la quête du trésor secret avec son répertoire de passages dérobés et de messages à décrypter reparaît souvent dans le roman ou le conte. Une des histoires les plus populaires, celle d'Ali Baba, est un conte arabe tardivement et abusivement rattaché au cycle des *Mille et Une Nuits*. Le secret s'y retrouve sous la double forme de la caverne dissimulée et du mot de passe. Souvenons-nous.

Vermeer, *La Femme à la balance*, 1662-1665. Washington, National Gallery of Art. Dès le XVIIᵉ siècle, la Hollande est un des grands marchés de joyaux.

Ali Baba surprend le mot de passe des voleurs : « Sésame, ouvre-toi » et dans l'instant la porte s'ouvre toute grande. Il trouve un amas, provisions, soieries, brocarts, tapis de grand prix mais surtout des sacs pleins d'or et d'argent, un trésor accumulé par des générations de brigands. Il prend tout ce que ses ânes peuvent porter. Arrivé chez lui, il veut enterrer son trésor mais ne peut dissuader sa femme d'aller chez son frère chercher une mesure pour compter l'or. La belle-sœur d'Ali Baba est intriguée. Rusée autant que curieuse, elle enduit le dessous de sa mesure de suif. Une pièce d'or s'y colle qui révèle la nouvelle

fortune d'Ali Baba. Kassim, son frère, exige de connaître le lieu où est caché le trésor. Il s'y précipite, prononce la phrase rituelle, pénètre dans la cachette, commence à charger toutes les richesses qu'il peut et tente de ressortir. Mais, trahi par sa mémoire, Kassim est incapable de trouver le mot de passe et après avoir essayé divers « Blé, ouvre-toi » ou « Orge, ouvre-toi », il reste prisonnier, condamné à attendre que les brigands le découvrent. De fait, lorsqu'ils le trouvent, ils le coupent en quatre parts. Ali Baba, parti à la recherche de son frère, le découvre et ramène son corps dans des jarres. En cachette, aidé par sa fidèle et discrète servante, il le fait recoudre, l'enterre comme s'il était mort de mort naturelle, puis épouse la femme de son frère pour s'assurer de son silence. Les voleurs identifient leur pillard, et veulent se venger. Par la ruse ils réussissent à pénétrer chez Ali Baba. Ce dernier s'en rend compte et s'en débarrasse. L'histoire d'Ali baba est un conte qui se dit l'index sur la bouche : un secret en appelle un autre, se trahit ou se devine, et chaque fois découvert peut coûter la vie. Si la légende d'Ali Baba n'est pas aussi riche que le mythe de Prométhée, elle comporte aussi sa typologie des ruses et secrets.

Parmi les trésors littéraires, il en est un autre qui nourrit tous les fantasmes, c'est celui des pharaons. Hollywood nous a tant habitués à ses momies tressautantes, à ses malédictions et à ses torches qui s'éteignent

La tombe de Toutankhamon lors de sa découverte par lord Carnarvon.

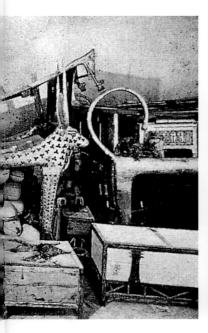

brusquement qu'il est devenu synonyme de kitsch cinématographique. Mais cette vision des trésors ne doit pas nous faire oublier l'importance historique, ou plutôt archéologique du phénomène réel.

Thésaurisés autant qu'exhibés, mais surtout enterrés avec les morts à qui ils servent de témoignage de gloire, de parure pour l'éternité ou de ressources pour l'autre vie, or et pierres sont destinés à être enfouis, donc volés. Un maçon, interrogé par un tribunal en l'an 16 du règne de Ramsès IX, onze siècles avant notre ère, a laissé des aveux consignés par le scribe et retrouvés par les archéologues. Avec sept complices, il s'est introduit dans une tombe royale de la région de Thèbes, y a récupéré bijoux et amulettes, brûlé des sarcophages et recueilli un butin de 15 kg d'or. Ces expéditions étaient risquées, non seu-

Les tombeaux des pharaons étaient de véritables cavernes d'Ali Baba. Ces trésors furent pillés dans l'Antiquité, parfois même peu de temps après l'inhumation. Les archéologues ont souvent eu la surprise de découvrir des pillages inachevés, des objets démontés et entassés prêts à être emportés.

lement en raison des peines mais aussi parce qu'elles tournaient parfois très mal. En 1913, à Riqqa, des archéologues ont eu la surprise de tomber sur un pilleur de tombe mort depuis plus de quatre millénaires. Le plafond de la chambre funéraire s'était écroulé sur lui, l'immobilisant pour l'éternité à côté de la momie. En 1916 les parures des femmes de Thoutmosis III (v. 1484-1450 av. J.-C.) furent trouvées, non pas dans leur tombe, mais dans une cachette au cœur des montagnes de Thèbes où des voleurs avaient dissimulé leur butin. Quelques indications de ce genre, les archives et surtout le nombre impressionnant de tombes visiblement pillées témoignent de l'ampleur du phénomène : beaucoup ont été visitées et dépouillées peu après les funérailles, quel que fût le rang du personnage. Même les plus grandes et les mieux protégées, comme celle de Ramsès II, n'ont pas échappé aux rapines.

Presque partout on a retrouvé des tombes ouvertes et parfois les outils des voleurs. Ainsi a-t-on pu dater les manches de pioches employées par des pillards qui violaient les tumulus de princes celtes du Ve siècle avant notre ère. Chercher des trésors est donc une activité aussi ancienne certainement que la tendance à cacher des objets précieux. Des livres sur le sujet appa-

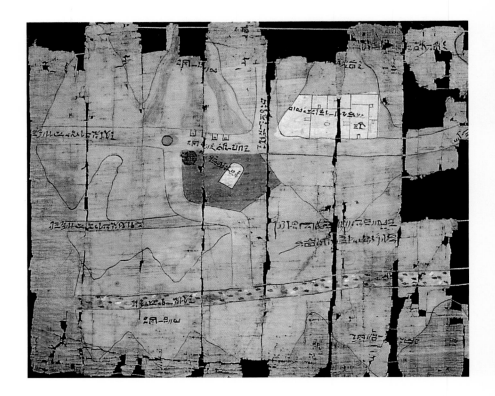

raissent très tôt. Bien avant que les modernes chercheurs d'or et de pierres ne s'organisent en fédérations, n'éditent leurs revues ou ne parcourent plages et campagnes équipés de détecteurs de métaux, un guide arabe du IXe siècle intitulé *Le Livre des perles enfouies et des trésors précieux* suggérait quelques recettes aux amateurs.

Dans les trésors des tombes et des cavernes se trouvent de l'or et des pierres. Mais il est d'autres lieux qui en regorgent, ce sont ceux de leur production. Il sont souvent réputés lointains, inaccessibles, voire maléfiques. À la question : « D'où vient l'or ? » il n'est pas de réponse unique mais des réponses qui situent les choses à la limite de la magie.

Les Akans de Côte-d'Ivoire et du Ghana considèrent l'or comme un être vivant ; il est le plus parfait et le plus élevé en dignité parmi les métaux, enfants de la Terre. De plus, l'or bouge. Sous le sol, il se déplace, et choisit de remonter en certains lieux. Il pousse vers le ciel. Il signale alors sa présence en aboyant comme un chien. Avant qu'il n'apparaisse, des fumées mystérieuses sortent du sol. Parfois, aussi, il prend la forme d'un arc-en-ciel. D'autres fois encore il émerge de l'eau ; il se montre à la surface là où pousse l'igname, cette tubercule allongée qui représente la virilité. Vivant, l'or forme des pépites, mort il se dissout en poudre. Cet or vivant de l'Afrique qui s'exhibe et se dissimule a sans doute inspiré les histoires recueillies par les voyageurs arabes au Xe siècle ; elles disaient qu'au Ghana l'or poussait comme une plante que l'on récolte.

L'or dissimulé

L'or semble associé à nos mémoires de toute éternité. Pourtant, il faut attendre longtemps pour que la première pépite devienne bijou. Le travail du cuivre précède le travail de l'or de plusieurs millénaires ; on a retrouvé en Irak des objets du IXe millénaire, tandis que l'orfèvrerie la plus anciennement connue, celle de Varna en Bulgarie, remonte à – 4600. Quand un filon affleure à la surface de la terre, quand les pépites sont roulées, mêlées au sable des rivières, le métal jaune attire le regard. Très rapidement on s'aperçoit qu'il est facile à travailler : il est natif, sa fusion se situe aux environs de 1 000° C. Pour débarrasser le minerai de ses impuretés, il suffit de maîtriser le four et le charbon de bois, techniques qui ont déjà permis de fabriquer de la céramique.

Creuser et étayer les mines, filtrer le sable des rivières, affiner le métal et le travailler, toutes ces méthodes sont connues assez tôt et leur usage ne fait pas l'objet de grands mystères, même si les corporations d'orfèvres pratiquent l'initiation. L'exploitation de l'or requiert des moyens humains et matériels

Fresque du tombeau de Rekhmiré, représentant un orfèvre égyptien devant son feu. Thèbes, Égypte, XVIIIe dynastie.

importants. Pline décrit longuement l'exploitation de l'or alluvionnaire en Espagne. Ce sont de gigantesques travaux qui demandent des machines pour briser les barrières de silex et l'usage de la force hydraulique détournée dans des canaux pour provoquer des écroulements à flanc de colline. L'extraction de l'or était partout un travail pénible. Un récit d'Agatharchide de Cnide, qui visite des mines aux confins de l'Égypte et de l'Éthiopie sous les Ptolémée, décrit le travail des malheureux, prisonniers de guerre, condamnés parfois avec leur famille, enchaînés de jour et de nuit. Ils étaient fouettés, obligés de se glisser dans des boyaux où seul un enfant ou un adulte squelettique pouvaient pénétrer, et devaient broyer la roche sur place dans une atmosphère irrespirable. « On ne fait grâce ni à l'infirme, ni à l'estropié, ni au vieillard débile, ni à la femme malade. On les force tous au travail à coups redoublés jusqu'à ce que, épuisés de fatigue, ils expirent à la peine », conclut le Grec.

L'or des mines ne suffisait pas aux besoins des Égyptiens et depuis bien longtemps les papyrus racontent le déroulement des opérations. Ainsi, des envoyés de Sésostris Ier allaient quérir de l'or dans le désert de Nubie (un mot qui signifie « or ») que Pharaon dominait ; ils en rapportaient également des pierres précieuses et de l'ébène. Ils se risquaient en Éthiopie, en réalité notre Soudan, où, disait-on, l'or était si abondant qu'il servait à forger les chaînes des prisonniers. Parmi les documents, des plans prouvent l'importance des mines par rapport à l'or alluvionnaire, dit « or de l'eau », qui tenait un rôle assez modeste dans la production aurifère. Des expéditions maritimes plus

Masque en or représentant le dieu Soleil. Quito, Musée de la Banque centrale. La surabondance de l'or, symbole solaire dans les cultures amérindiennes (ici culture de la Tolita), a nourri le mythe de l'Eldorado.

lointaines et plus risquées allaient chercher or, ivoire, aromates dans le pays de Pount, sans doute sur la côte de Somalie… Une autre source consistait à percevoir des tributs dont le taux en or était soigneusement quantifié. Pharaon et les puissants Égyptiens avaient besoin de monceaux d'or dès leur naissance et peut-être plus encore pour leur vie de l'au-delà. L'or qui était chair des dieux, avec ses multiples usages funéraires, et le système de rétributions aux fidèles serviteurs par des dons de bijoux, tout était régi par une administration tatillonne qui savait gérer, surveiller et peser les briques d'or. Cette tâche était confiée aux proches du souverain, parfois même à ses fils, car l'or ne devait-il pas converger vers Pharaon dont un des noms était « montagne d'or illuminant toute la Terre comme le dieu de l'horizon ».

Ci-contre :
Pendentif en or,
représentant une triade
comprenant Osiris,
Isis et Horus. Londres,
British Museum.
L'or accompagne les
puissants au long de
leur existence terrestre
et dans l'au-delà.

Page de droite :
Vêtement d'apparat
en or d'un chef guerrier
scythe. Kazakhstan,
Institut of Archeology
« A Margulan ».
La parure d'or d'un
jeune prince sakia
(scythe) du IVe ou
Ve siècle avant notre
ère a été retrouvée
en 1969 dans une
sépulture inviolée à
Issyk. Les motifs de la
coiffe (oiseaux en vol,
montagnes, flèches
dirigées vers le haut)
symbolisent les cieux.
Ils rappellent le costume
de cérémonie des
chamans sibériens des
XIXe et XXe siècles où la
position des symboles
reflète la hiérarchie
des sphères cosmiques.

Mines d'or ou pierres précieuses suscitent des secrets imaginaires, des légendes recouvrant des localisations géographiques mal connues et des bobards que répandent des marchands soucieux de conserver leur source d'approvisionnement. Beaucoup recouvrent des réalités tout à fait tangibles. À commencer par la plus célèbre, celle de la Toison d'or.

Jason est envoyé en expédition par l'usurpateur Pélias qui a appris par un oracle que le jeune homme menacerait son trône. Jason et ses compagnons, embarqués à bord de la nef *Argo,* se voient donc assigner une mission : rapporter la dépouille du bélier d'or gardée par un dragon en Colchide, au sud du Caucase. Ce bélier d'or, ailé et parlant, envoyé d'Hermès, avait été sacrifié à Zeus et sa dépouille exposée. L'expédition des Argonautes et la conquête de la toison par Jason, aidé des sortilèges de Médée qu'il a séduite, constituent une des légendes grecques les plus riches. Mais la richesse des mines d'or de Colchide est, elle, parfaitement authentique. Quant à la toison dorée du bélier, elle pourrait trouver son origine dans les peaux de moutons qu'utilisaient les orpailleurs locaux pour recueillir la poudre d'or. Peut-être faut-il rapprocher ce thème des multiples légendes européennes ou chinoises où il est question d'un animal recouvert d'or qui indique l'emplacement d'un gisement. Là encore, un semblant d'explication rationnelle peut se trouver dans le fait que l'organisme de certains animaux contient en quantité minime des particules de métal précieux.

De même, le mythe du Pactole, le fleuve où le roi Midas doté par les dieux du don de transformer tout ce qu'il touche en or, et qui est cité dès Homère, n'est pas dénué de fondement puisque ce fleuve charrie effectivement des paillettes

D'autres légendes associent l'idée de l'or ou des pierres enfouies à des animaux fabuleux ou à des monstres qui les gardent. Ainsi naît dans l'Antiquité tout un bestiaire fantastique promis à une longue postérité littéraire, jusqu'au Moyen Âge et au-delà. Transmis de culture en culture, notamment par le monde arabe, resurgissant de conte en récit de voyageur qui croyait reconnaître sur place ce qu'il avait lu, souvent popularisés par quelques énormes succès littéraires, du *Roman d'Alexandre* aux voyages de Jean de Mandeville, confirmés parfois par les observations d'un Marco Polo ou d'un Christophe Colomb, souvent représentés sur les cartes des Grandes Découvertes, ces mythes sont dotés d'une étonnante longévité.

Un des récits les plus classiques est celui d'Hérodote qui raconte ainsi dans le livre III de son *Enquête* comment les Indiens paient leur tribut au roi Darius : ils recueillent l'or dans un désert grâce à l'aide involontaire de fourmis gigantesques : « Dans ce désert et dans ce sable, vivent des fourmis qui n'ont pas tout à fait la taille du chien, mais dépassent celle du renard ; le roi de Perse en a d'ailleurs quelques-unes qui ont été capturées là-bas. En creusant leur trou, ces fourmis ramènent du sable à la surface, comme le font en Grèce nos fourmis auxquelles d'ailleurs elles ressemblent tout à fait. Or le sable qu'elles remontent contient de l'or et c'est lui que les Indiens s'en vont chercher dans le désert. Il faut prendre garde de récolter ce sable mêlé d'or à l'heure de la plus grande chaleur, car les fourmis se cachent alors dans leur trou. Les hommes accompagnés de chameaux procèdent à la hâte,

Atlas catalan (détail),
1375. Paris,
Bibliothèque nationale
de France.
Sur l'*Atlas catalan*
sont mentionnés
les pays lointains
producteurs de toutes
les richesses. Le sud
est indiqué en haut
de la carte.

car les fourmis alertées par l'odeur se lancent à leur poursuite. Or aucun animal, dit-on, ne court aussi vite qu'elles, si bien que, faute d'avoir pris quelque avance avant qu'elles ne s'attroupent, ils y périraient tous. »

La piste de l'or mène Hérodote vers des contrées qu'il ne connaît pas. « C'est assurément au nord de l'Europe qu'on trouve les gisements d'or les plus importants. D'où vient cet or ? Je ne puis davantage le préciser. On dit qu'il est arraché aux griffons par les Arimaspes, des hommes qui n'ont qu'un œil ; mais là encore je me refuse à croire qu'il existe des hommes qui n'aient qu'un œil, tout en étant pour tout le reste semblables à tous les autres. » Hérodote, toujours soucieux de vérifier ses sources, précise que ces histoires de griffons et d'Arimaspes proviennent de récits scythes et en particulier des Issédones qui habitaient sur la Caspienne à l'est de l'Oural. De telles légendes se retrouvent dans Eschyle et d'autres. Sans doute pourrait-on encore faire remonter au-delà ce fonds mythique où chacun puise et ajoute. Le pays de l'or est souvent associé aux Indes fabuleuses, à l'Éthiopie, voire durant le Moyen Âge au Paradis.

Le même mécanisme joue pour les pierres précieuses. En témoigne la rivière qui charrie des pierres précieuses et qui provient du Paradis : elle figure sur les cartes médiévales. L'île de Ceylan (Sri Lanka de nos jours), qui est effectivement très riche en pierres, se voit gratifiée de merveilles dont un fleuve qui roulerait des gemmes. Il serait issu des larmes d'Adam et Ève, retombés sur l'île après avoir été chassés du Paradis terrestre. Voilà ce que rapporte Odoric de Pordenone, le missionnaire qui voyage en Inde et en Chine au début du XIVe siècle. Même s'il doute fortement du miracle des larmes d'Adam, il est persuadé qu'à Ceylan les pierreries se ramassent par terre.

Marco Polo raconte comment on récolte des diamants dans le royaume de Mutfili (sans doute Mutapili, en Inde, proche de Malabar). Lorsqu'il y a des pluies très abondantes (il songe peut-être à la mousson), des pans entiers des montagnes s'effondrent, et les flancs des collines sont ravinés. Les habitants peuvent alors récolter les diamants révélés par les mouvements de terrain. Quelquefois même, ce sont des cavernes entières qui se révèlent pendant ces déluges, mais elles sont infestées de grands serpents extrêmement venimeux. Personne n'ose s'y aventurer. Les indigènes jettent des charognes dans une grande vallée infestée de serpents ; la viande tombe sur les morceaux de diamants qui se fichent dedans. Il suffit alors d'attendre que les aigles, qui abondent par là, s'emparent des charognes et les transportent à l'abri. On les fait fuir pour s'emparer de leur proie, ou encore on va recueillir les carcasses truffées de diamants dans les nids des oiseaux. « De ces trois manières on se procure des diamants et nulle part ailleurs qu'en ce royaume où ils sont gros et abondants. Je ne crois point que ces diamants parviennent en nos pays chrétiens, car ils sont portés au grand khan, aux rois et barons de ses diverses régions et royautés, car ils ont grand trésor et achètent toutes les

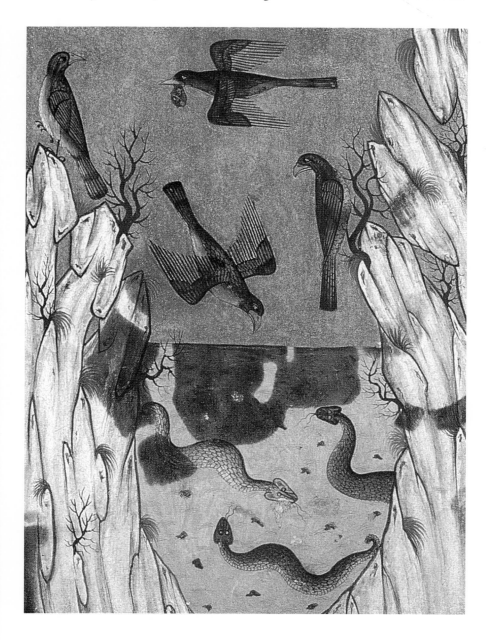

La Vallée des diamants, enluminure tirée d'un traité d'astronomie et de divination, 1582. Paris, Bibliothèque nationale de France. La légende de la Vallée des diamants, où des serpents gardent les pierres précieuses dont seuls peuvent s'emparer des aigles, se retrouve aussi bien dans les contes arabes que dans la littérature européenne médiévale.

Double page suivante : Georgius Agricola, *De Re Metallica* : Orpailleurs au travail, 1556.

pierres précieuses. » Marco Polo, au service de Koubilai, avait-il recueilli à sa cour des histoires destinées à dissimuler l'accès de véritables filons diamantifères ? La légende, dans tous les cas, figurait déjà dans *Sindbad le Marin*. Ce conte, qui circule à Bagdad vers le VIIIe siècle, s'inspire d'authentiques récits de voyageurs. Sindbad, au cours de la série de naufrages, accidents et malheurs qui l'accablent, se trouve dans la vallée aux diamants grouillant de reptiles. Cet épisode se situe peut-être à Ceylan où on retrouve authentiquement des boues mêlées de pierres brillantes, mais non de diamants, dans des cavernes pleines de serpents.

Ces récits qui mêlent des traditions populaires, une culture plus littéraire, des récits de voyageurs plus ou moins bien interprétés et parfois un fond de vérité ont parfois des conséquences historiques.

Eldorado

Ainsi naît le mythe des Conquistadors : l'Eldorado, le pays que l'on poursuit toujours. Colomb, grand lecteur de Marco Polo, était en quête de Cipango, le Japon dont le Vénitien avait décrit par ouï-dire les richesses. Les premiers conquérants des Amériques s'enflammaient pour des histoires d'arbre de Jouvence, de royaume des Amazones, de Paradis terrestre. Les conquistadors recueillent des histoires de villes aux toits d'or, de mines inépuisables, de trésors sans limites. Les indigènes parlent de royaumes lointains et de leurs merveilles, mais le résultat des premiers pillages donne des raisons de croire à toutes les exagérations. Lorsque Cortés s'empare des richesses de Montezuma, le trésor des Aztèques est expédié en Espagne et émerveille la cour. Quand Pizarre rançonne le Grand Inca et pille palais et temples de Cuzco, il amasse, dit-on, cinq tonnes d'or et onze d'argent. Vaisselle et statues sont fondues en lingots par les orfèvres indiens, nuit et jour pendant un mois. De tels faits, rapportés et amplifiés, stimulent les imaginations déjà enfiévrées par la cupidité. Il est question des richissimes royaumes mal identifiés de Cuarica, Meta, Manoa, des Omeguas. Le mythe de l'homme d'or déchaîne la folie préparée par ces rumeurs.

L'histoire commencerait en 1534, lorsque les conquérants de Quito entendent parler d'une tribu colombienne qui se livre à une cérémonie rituelle : le cacique s'enduit le corps de poudre d'or et se plonge dans un lac sacré. Les Indiens y jettent en guise d'offrande aux dieux une incroyable quantité d'or et d'argent. Des expéditions sont montées pour atteindre le

Figurine creuse en or, dite *poporo*. Londres, British Museum. En Colombie, l'orfèvrerie quimbaya est une des plus remarquables. Ces « poporos » étaient des flacons coulés à cire perdue, utilisés par les chefs et chamans ; ils contenaient de la chaux qui, utilisée avec la coca, leur permettait d'atteindre l'état de transe.

lieu supposé de cette cérémonie. Elles remontent l'Orénoque ou vers les hauts plateaux de Bogota. C'est là que parvient la petite troupe de Gonzalo Jiménez de Quesada. Il franchit les Andes, ramassant une fortune d'or et d'émeraudes mais en pillant les royaumes chibcha. D'autres expéditions se font massacrer ou échouent. Du coup les légendes du cacique d'or et des amazones gagnent une nouvelle force. Au même moment fleurissent les récits sur la ville de Cibola aux toits d'or ou aux sept cités.

On se lance vers la mythique lagune de Parima ou Pamoa, sites supposés de l'Eldorado. Pendant tout le XVIe siècle, les tentatives, par dizaines, souvent plus calamiteuses les unes que les autres, se multiplient. On va vers l'est de Quito, vers l'Atlantique, vers la Guyane où les Espagnols sont concurrencés par un explorateur anglais saisi de la même folie, sir Walter Raleigh. Eldorado, qui figure longtemps sur les cartes entre Orénoque et Amazone, garde sa puissance d'attraction jusqu'au siècle suivant où le mythe mourra faute d'éléments de vérification. Entre-temps, le lac imaginaire aura donné une impulsion à la découverte terrestre de l'Amérique du Sud.

Théodore de Bry, gravure représentant des Indiens coulant de l'or dans la bouche des conquérants, XVIe siècle. Collection particulière. La quête de l'Eldorado ne se fait pas sans péril. Les conquistadors, littéralement assoiffés d'or, sont suppliciés par les Indiens.

Charlatans et philosophes

Chercher l'or et les pierres en un lieu dissimulé, poursuivre leur source ignorée, telle une mine fabuleuse, sont une tendance spontanée. Mais l'or, bien plus que les pierres, a suscité davantage une quête non de son accès, mais de sa fabrication. Ce cas unique donne à la production de l'or, et comme but pratique et comme finalité symbolique, un statut particulier. Il y a une alchimie de l'or, il n'y a que des recettes ésotériques ou confidentielles de la métallurgie en général.

Si les arts du feu s'entourent facilement d'hermétisme, leur secret n'est pas essentiel à leur compréhension. Il peut y avoir cent raisons psychanalytiques ou anthropologiques qui expliquent pourquoi l'activité des forgerons s'est imprégnée de valeurs sacrées, positives ou négatives. Reste que fondre le minerai de fer est une technique comme une autre qui met en place des moyens adaptés à une fin concrète. Un historien des sciences pourrait se dispenser, au chapitre métallurgie, d'étudier les mythes dogons ou les légendes chinoises des empereurs fondateurs.

Or, dès qu'il est question de l'or, du secret de l'or, tout change. Le secret de l'or prolonge celui de la forge, se développe sur le même arrière-plan de croyances relatives à la Terre mère, aux « âmes » des minéraux, au caractère sacré de l'acte de fusion, etc. La « production » de l'or appelle le secret. Et pas seulement parce que son objet est impossible, que sa pratique attire nombre d'escrocs, de charlatans et de faux-monnayeurs, que la fabrication effective de l'or aurait de quoi inquiéter l'État, etc. Pas seulement pour les mille motifs qui rapprochent communément l'activité alchimique du délit, de l'hérésie, de la sorcellerie ou de la secte.

Ses ambitions oscillent entre pratique et mystique. D'où des paradoxes. Comme réalisation expérimentale, même si elle visait un objet chimérique, l'alchimie a ouvert la voie à une science qui n'a rien de mystérieux, la chimie. Comme doctrine (les alchimistes entendent « philosopher par le feu »), elle requiert le secret, à la fois pour réserver une connaissance fondamentale aux plus dignes, et parce qu'elle interprète le monde comme une énigme. Des signes et indices en livrent la clef à qui sait les lire. Raisonner par images et analogies, s'exprimer par allusions et cryptogrammes sont des démarches normales pour les alchimistes. Une communauté d'alchimistes, toujours mystérieuse et dispersée, notamment dans l'Europe médiévale, a fonctionné à bien des égards comme une société secrète. Ajoutons à cela que l'alchimie

HERMES MERCURIUS TRINEGISTUS
CONTEMPORANEUS MOYSI

est connue par une production littéraire directe aussi abondante qu'obscure, et, indirectement, par des interprétations et affabulations.

L'alchimie, avant d'être une tentative de faire de l'or, est au sens le plus étymologique une philosophie hermétique. Sous sa forme occidentale, c'est-à-dire dès qu'elle apparaît dans l'Alexandrie hellénistique au IIIᵉ-IVᵉ siècle de notre ère, elle se réclame d'une connaissance révélée par Hermès Trismégiste (« trois fois grand »), le dieu-scribe Thot des Égyptiens.

Dans les textes alchimiques, qui s'accumulaient sans doute à la bibliothèque d'Alexandrie, se manifestent les premiers déguisements de cette pensée. Beaucoup de ces manuscrits sont visiblement apocryphes : ils sont attribués à des dieux – Hermès, Isis –, à des pharaons ou à des rois – Chéops, Alexandre –, à des philosophes – Platon, Aristote –, parfois enfin ils sont l'œuvre de « vrais » alchimistes comme Zosime de Panopolis. Lui-même fait remonter la fondation de l'alchimie à un « prophète juif » du nom de Chemès. Pareille confusion ne doit pas étonner en une époque où les récits merveilleux, les textes attribués à Aristote sont légion. Ils rivalisent avec les innombrables Testaments d'Abraham, de Moïse ou des Douze Patriarches et même Testament d'Adam, Apocalypses et multiples Évangiles ou lettres de la Vierge qui circulent depuis des siècles. Néoplatoniciens et gnostiques, deux courants qui ne seront pas sans influencer l'alchimie, font leur miel de cette littérature, sans même parler des sectes, religions à mystères, des astrologues fort nombreux, magiciens et autres courants qui agitent la pensée hellénistique dans une atmosphère de syncrétisme. Bref, suivant les critères de l'époque, la littérature alchimique n'est pas une aberration, pas plus que sa tendance à se réclamer de révélations remontant à l'antiquité égyptienne. C'est plutôt la durée – plusieurs siècles – de ce genre littéraire et ses multiples avatars qui surprennent. Au XIIᵉ siècle, les alchimistes se réclameront d'une « table d'émeraude » révélant le grand secret et qui aurait été gravée par Hermès lui-même sur la pierre précieuse. Les traités mettant en scène un Aristote alchimiste faisant tenir aux philosophes grecs des colloques sur le Grand Œuvre prolifèrent longtemps. Les adeptes disent aussi que Nicolas Flamel, le plus grand alchimiste du XIVᵉ siècle, consulte un manuscrit d'Abraham et qu'il y puise sa science. Au XVIIᵉ siècle, les sociétés rosicruciennes sont fort actives et elles recueillent l'héritage alchimique. Elles se réfèrent tout à la fois à de « grands initiés » antiques et à un personnage mythique, Christian Rosencreutz, magicien mort à la fin

Page de gauche : Hermès Trismégiste, marqueterie en marbre (détail), pavement du Duomo de Sienne. Les alchimistes occidentaux se réclament du dieu Hermès Trismégiste, « trois fois grand », assimilé au Thot égyptien,

Ci-dessus : Al-Iraqui Abul-Qasim Kitab Al-Akalim As-Sab'Ah et ali, *Tractatus*, manuscrit arabe du XVIIIᵉ siècle. Londres, British Library. Le mot alchimie est d'origine arabe et, suivant une des étymologies vraisemblables, pourrait dériver de *kama* : « tenir secret ».

du XVIᵉ siècle, dont la tombe aurait contenu des révélations. Sans compter tous ceux qui s'attachent à trouver de la symbolique alchimique ou des influences chez Thomas d'Aquin, Dante ou Leibniz, dans les cartes du tarot ou dans les cathédrales.

Pour parachever le tout, des difficultés de langue viennent encore brouiller les choses. À preuve, on n'est pas encore fixé sur l'étymologie du mot « alchimie ». On le sait d'origine arabe, mais on ignore s'il dérive d'un mot grec désignant le suc, d'un mot égyptien évoquant la « terre noire » ou d'un mot arabe de la famille de *kama* : tenir secret. Certains textes alchimiques écrits en grec ont été transposés en arabe, puis de là en latin médié-

val avant d'être finalement traduits en français au XIXᵉ siècle par le chimiste Berthelot, avec les pertes de sens qu'on imagine. Cet anticlérical, partisan du scientisme, imperméable à toute forme de mystique ou de symbolisme ouvre ses *Origines de l'alchimie* par la phrase célèbre : « Le monde est désormais sans mystère. » Pour lui l'alchimie, sous un fatras pseudo-philosophique, consistait en l'imitation de l'apparence des gemmes et de l'or par des artisans. Certains ont obtenu des résultats effectifs, même si personne n'a jamais fabriqué d'or. La chimie moderne, en démontrant que les métaux étaient des corps simples, ne résultant donc d'aucune forme de transformation, avait dissipé ces erreurs. Berthelot suggérait implicitement que les alchimistes étaient des bricoleurs dont les erreurs et manipulations avaient néanmoins contribué à l'apparition d'une vraie science.

Il y a des exemples de réussites d'alchimistes. Le Grec Gallias, dit-on, aurait découvert par hasard le minium en chauffant du sable rouge de mines d'argent espagnoles dans l'espoir d'en extraire le métal précieux. De même un papyrus, dit « papyrus de Leyde et de Stockholm » et traduit par Berthelot, montre comment, à Thèbes, au IIIᵉ siècle de notre ère, circulaient des recettes pour imiter l'or, l'argent et les pierres précieuses : des artisans faussaires, un peu magiciens, un peu charlatans, expérimentaient, donc systématiquement des alliages nouveaux. Un édit de Dioclétien de 296 ordonne la destruction des manuscrits sur l'art de faire ou d'imiter l'or et l'argent, preuve que ces textes circulaient en grand nombre à Alexandrie.

« Les étapes du Grand-Œuvre », *Praetiosissimum Donum Dei*, manuscrit du XVIIᵉ siècle. Paris, bibliothèque de l'Arsenal. Les alchimistes ne prétendent pas seulement fabriquer de l'or mais « philosopher par le feu ». Le Grand-Œuvre consiste à opérer des transformations successives, à la fois physiques et symboliques, sur la matière.

On ne saisit pas très bien s'il s'agissait de manuels d'alchimie ou de traités destinés aux faussaires. Une partie des travaux des alchimistes portait sur la céramique, la métallurgie, la recherche de médicaments, des expériences sur les propriétés des corps, des acides, des gaz…, et autres activités aux finalités très pragmatiques. Bref, les secrets des alchimistes n'auraient eu de secret que ce que leur imagination ou leur délire d'interprétation ajoutaient à des réalités.

Alchimies, entre immortalité et bricolage

Cette vision a été corrigée par la découverte d'autres alchimies dans d'autres cultures. Il existe une alchimie chinoise, plus exactement taoïste. Elle se subdivise en alchimie externe et interne. La première s'efforce de fabriquer un élixir d'immortalité liquide par des opérations chimiques dont les principaux ingrédients sont le cinabre (sulfure de mercure) purifié et l'or. Quant à l'alchimie interne elle recherche l'immortalité par la maîtrise du sperme, du souffle et de l'esprit. Ainsi, le plus célèbre de ces alchimistes, le philosophe du IVᵉ siècle Ge Hong, décrit-il des procédés où l'absorption de l'or liquide, élément incorruptible et qui donne au corps une couleur dorée, se combine à celle du cinabre : « Le cinabre est une substance qui présente des métamorphoses d'autant plus admirables qu'on la chauffe plus longtemps. L'or, qu'on le mette dans les flammes ou qu'on le fonde cent fois, ne changera pas de nature... Si l'on mange ces deux substances, elles opéreront une sublimation du corps humain. »

Les empereurs, avides d'élixir d'immortalité et qui s'entourent souvent de magiciens, aussi bien que la superstition populaire contribuent à répandre cette alchimie « pratique » : la légende parle de la « pilule d'immortalité » fabriquée à base d'or, de la vaisselle d'or qui donne aux aliments le pouvoir de prolonger la vie, ou encore des alchimistes qui auraient rejoint l'île des bienheureux immortels. Parallèlement se développe une alchimie plus ésotérique : les taoïstes élaborent une interprétation ascétique de l'alchimie, science de la perfection intérieure, et comprendront la fabrication de l'or ou la quête de l'immortalité de façon allégorique. Il y aurait donc eu, en Chine aussi, au moins deux tendances, l'une pratique, l'autre mystique. La seconde, comme son homologue occidentale, réalisant des « exploits » alchimiques dans le domaine de la métallurgie et de la médecine, de simples étapes ou de simples représentations d'une purification tout intérieure. Dès le second siècle avant notre ère, les décrets des empereurs chinois punissent de mort des contrefacteurs du métal rare. La chronique chinoise mentionne des fabricants d'or fort anciens, mais, nous dit un alchimiste du IVᵉ siècle, Kiu Hsiang, ils échouèrent, faute de pratiquer les purifications et de connaître les techniques secrètes qui ne se transmettent qu'oralement.

Parallèlement, prospère une alchimie indienne, sans doute contemporaine de la chinoise, imprégnée de tantrisme et de yoga. Il y est question de pratiques plus ou moins magiques : des yogis auraient entrepris de produire de l'or. Fabriquer l'or, comme voler dans les airs, fait partie des pouvoirs « magiques » que l'on attribue aux ascètes. L'Inde connaît aussi une alchimie savante. Certains des plus grands philosophes bouddhistes comme

Nagarjuna sont aussi des alchimistes. Des textes affirment : « Par des drogues et incantations, on peut changer le bronze en or. Par un habile emploi des drogues, l'argent peut être transformé en or et l'or en argent. Par la force spirituelle, un homme peut changer l'argile ou la pierre en or. »

À peu près contemporaines de l'alchimie alexandrine, d'autres tendances poursuivaient les mêmes buts : la fabrication de l'or, le plus pur des métaux, et la représentation de la perfection y tiennent une place particulière. En Orient comme en Occident l'alchimie n'est pas que la quête de l'or, elle est aussi celle de l'immortalité par des élixirs merveilleux, par des pratiques ascétiques, voire, plus simplement, par des médicaments ou des drogues. La pierre philosophale, à la fois dure et transparente, capable de tout transmuer en or ou de servir de panacée, est également un objet de cette quête.

Alchimie pratique ou alchimie mystique partagent une vision commune de la Nature. Celle-ci est le résultat de l'organisation d'un chaos initial, maintenant hiérarchisé. Il existe des correspondances entre les métaux, les planètes, les principes spirituels, les couleurs, les divers états d'accomplissement de la matière ou de l'esprit. Enfin, cette Nature est compréhensible et on peut agir sur elle en respectant ses lois : l'alchimiste qui les découvre ne fait qu'accélérer des processus, régénérer ce qui est vivant, perfectionner ce qui est en puissance, y compris lui-même. La pierre philosophale est un agent spirituel qui révèle les puissances de transformation dissimulées dans la matière ou dans l'âme.

Le perfectionnement auquel vise l'alchimiste suppose d'abord une œuvre de classification. Cela se voit particulièrement dans l'alchimie arabe, tout imprégnée de philosophie grecque. Elle tente souvent de concilier la vision opératoire de la Nature avec les principes d'Aristote qui distingue quatre qualités (chaud, froid, sec, humide) en œuvre dans l'Univers combinées à une matière première, avec Platon et sa cosmologie, etc. Les grands savants arabes classent métaux et minéraux en des tableaux de la Création. Al Birouni dans son *Livre de la multitude des pierres précieuses*, Avicenne dans son *Canon* tentent de trouver la logique de la Nature. Ce dernier, tout en refusant d'admettre le principe de base de l'alchimie, à savoir la transmutation des métaux, lui emprunte l'idée que deux principes, celui du soufre et celui du mercure, sont secrètement présents dans toutes les formes de la matière.

L'alchimie et ses chiffres

À travers ses multiples versions historiques – occidentale, arabe, chinoise – ou à travers ses diverses finalités – fabrication de l'or réel, immortalité, purification –, l'alchimie a bien pour principe constant de considérer le monde comme un secret. Non seulement au sens où ses lois seraient difficiles à établir, mais parce que son Créateur l'a ordonné de telle façon que ses lois et correspondances se révèlent par des signes à quelques-uns, non à tous. L'alchimiste, cet homme qui travaille *sur* le secret, est tout naturellement celui qui travaille *en* secret.

Le déchiffrement de la création est par définition un travail lent, obscur, difficile qui suppose la maturation de l'adepte, l'assimilation de sagesses anciennes : la difficulté du chemin fait partie des conditions de la réussite. Pour accélérer le processus de la Nature, il faut pratiquer lentement, pour déchiffrer le monde, il faut être maître de soi. Le double souci de réserver la connaissance à ceux qui n'en feront pas mauvais usage et d'inciter l'adepte à se purifier avant de pratiquer milite donc pour que l'alchimie s'entoure de mystères. Sans compter qu'elle est souvent suspecte aux yeux des autorités.

Certes, il y a des périodes où les alchimistes ont leur rue à Paris ou à Prague, circulent dans toute l'Europe, se reconnaissant entre eux comme dans des confréries et s'entraidant, parfois protégés par les princes. Mais il y aussi des temps de persécution : excommunication sous le pape Jean XXII au début du XIVe siècle, puis bûchers de l'Inquisition. Quand ils tombaient sous la main des tribunaux séculiers, les alchimistes risquaient d'être pendus à un gibet doré. Ou d'être torturés par un prince avide de leur faire avouer le secret de leurs manipulations comme l'Écossais Alexandre Sethon soumis à la question par l'Électeur de Saxe : il refusa de lui révéler ses secrets et mourut de ses blessures en 1604.

Même sporadiques, de telles persécutions expliquent en partie le goût de la dissimulation dont font preuve les alchimistes. Outre leur existence et leur activité, ils dissimulent leur pensée. Pour cela, ils recourent à un véritable langage propre. Comme le dit Roger Bacon, lui-même féru d'alchimie : « Ce n'est pas sans raison que d'une voix quasi nébuleuse et pour ainsi dire par énigmes, les Philosophes parlaient jadis, en maints passages de leurs écrits, et de bien des manières, d'une certaine science l'emportant sur toutes les autres en noblesse, qu'ils nous léguèrent entièrement couverte d'obscurité et complètement répudiée sous le voile du désespoir. »

Les textes alchimiques, qui servaient surtout de complément et d'aide-mémoire à un enseignement oral, sont truffés de signes, sortes de hiéroglyphes stylisés, faits de figures simples, cercles, triangles, flèches, et représentant les métaux et les planètes. À cela s'ajoute l'emploi d'images qui renvoient aux étapes du processus alchimique : ainsi la figuration d'un chien dévoré par un loup représente la purification de l'or par l'antimoine, ou un mariage la réunion du soufre et du mercure. Il existe même un « livre muet » d'alchimie, composé uniquement de planches illustrées et sans texte. Enfin, les alchimistes aiment s'exprimer en paraboles et allégories, se mettant parfois en scène au cours de rêveries ou de visions où ils rencontrent des génies, visitent des palais ou des villes utopiques, croisent des figures symboliques… Il arrive parfois qu'ils recourent non à une symbolique, mais à une vraie cryptographie où les lettres de l'alphabet sont remplacées, déplacées, mêlées, réinventées.

Tout texte alchimique pourrait s'intituler, comme ceux du rationaliste Al Razi, qui décrivait des opérations chimiques sans mystère – calcination, distillation, oxydation… – mais faisait appel à la phraséologie alchimiste : *Le Livre des secrets* ou *Le Livre du secret des secrets*.

SOIE ET ÉPICES, SECRETS DU LOINTAIN

Un secret est toujours loin : enfoui sous les apparences, ou hors de portée. Y compris géographiquement. Le cheminement vers sa découverte se confond alors avec le chemin concret par où transitent des hommes, des marchandises ou des informations. Tel est le cas de la soie et des épices qui ont donné leur nom à des routes : leurs secrets consistent en histoires de voyages. D'est en ouest circulaient des produits rares et inconnus, de l'Occident vers l'Orient des marchands et prédicateurs, en attendant des colonisateurs.

Soie et épices sont intimement liées car évoquant des lieux ou tout est différent, plus chaud, plus parfumé, plus raffiné, plus luxueux, plus sensuel. Elles servent à la glorification des dieux et des puissants et à l'ornement de la beauté ; leur origine exotique stimule l'imaginaire. C'est l'idée qui ressort déjà des premières mentions de ces produits dans la littérature latine. Ne dit-on pas que c'est le roi des Sères, tout à l'Orient du monde, qui produit le fil merveilleux qui permet aux Romaines de laisser transparaître la peau laiteuse de leurs seins ? Ne croit-on pas que la cannelle, si parfumée et qui l'hiver rend le vin meilleur, est cachée comme le sont les diamants dans une vallée protégée par des aigles immenses ? Et les moralistes se plaignent de ce que les Romains se ruinent pour acquérir ces produits de luxe venus de pays inconnus. L'idée même d'exotisme, ou l'attirance pour l'Orient, leur doit beaucoup ; les progrès de la connaissance, de la géographie, de la navigation – bref, la découverte réelle du monde – leur doivent davantage encore.

Dans les deux cas, secret d'un savoir et secret d'une origine se mêlent. Pour obtenir deux produits dont l'Occident raffole depuis l'époque romaine, le tissu et les graines qui servent autant à la médecine qu'à la cuisine, il a fallu d'abord identifier les pays d'où ils venaient, la Chine, les Indes et les îles aux épices. Il a fallu les atteindre, et pour cela lancer des expéditions. Mais il a fallu aussi s'emparer des supports du secret, des cocons de vers à soie dans un cas, de quelques graines dans l'autre.

La soie a plus souvent traversé les montagnes et les steppes à dos de chameau, les épices plutôt voyagé dans les cales des bateaux. Parfois leurs routes se croisaient ou fusionnaient au hasard d'une guerre ou d'un traité permettant que les marchandises parviennent à Rome, à Byzance. Il y a donc des périodes où les expressions « route de la soie » et « route des épices » désignent les mêmes itinéraires marchands ; rouleaux de tissus et sacs odorants s'entassaient dans les mêmes caravanes et dans les mêmes soutes. Certes les deux routes n'ont pas fonctionné de la même manière. Sur la route de la soie, c'est le secret, disons l'art de la sériciculture, qui a voyagé d'Orient en Occident jusqu'à ce que l'on sache produire de la soie en France. Sur la route des épices, au contraire, ce sont les marchands puis les soldats qui ont progressé tant que les Européens n'ont pas eu atteint les terres où poussaient les épices, et que les grandes compagnies, dites « des Indes », ne s'en sont pas assuré le monopole. Tracée selon une logique de la transmission ou une logique de la conquête, la route s'est toujours assimilée à une lente révélation.

Un secret de quatre mille ans

Une des plus célèbres légendes chinoises raconte que la princesse Xi Ling Shi fit tomber par hasard un cocon accroché à un mûrier des jardins impériaux dans une tasse de thé bouillant. Elle déroula un fil interminable qui lui parut si beau qu'elle le fit tisser, puis fabriqua une étoffe douce et fine. Elle obtint de l'empereur d'élever les vers qui rongeaient les feuilles de mûrier. Ce souverain serait Houang Ti, à qui la légende prête également l'invention de

l'écriture. Dès l'origine, la soie est liée à l'empereur. Elle ne servait pas seulement à tisser des vêtements somptueux, mais aussi à tracer des idéogrammes. Les premiers exemples d'écriture chinoise sur soie datent de 750 avant notre ère. Et la Chine elle-même est connue pendant toute l'Antiquité comme le pays des Sères, c'est-à-dire de la soie, *sera*.

La sériciculture remonte au néolithique chinois et, trois mille ans avant Jésus-Christ, les techniques de tissage sont déjà sophistiquées ; elles permettent d'obtenir de la soie unie comme de la soie brodée qui accompagnent dans l'au-delà les puissants. C'est dans une tombe princière que se trouve la première preuve du voyage de la soie vers l'autre extrémité de l'Eurasie, au VIᵉ siècle avant notre ère, dans une sépulture du Bade-Wurtemberg. Lorsque l'on découvrit dans le tombeau de Philippe de Macédoine, le père d'Alexandre le Grand, des bandelettes de soie, s'est tout de suite posée la question de son origine : provenait-elle de Chine ? Quelles routes ont empruntées ces premiers échantillons, qui les a offerts aux

Estampes chinoises représentant les diverses étapes de la fabrication de la soie. Poitiers, Bibliothèque municipale. Le secret de la soie, que la Chine conserva plusieurs siècles, se décompose en réalité en diverses techniques, de l'élevage du cocon de bombyx jusqu'au tissage du fil.

Princes, qui les a jugés assez précieux pour qu'ils les accompagnent dans leur voyage funèbre ? L'exportation de soie avait-elle un caractère exceptionnel ? Difficile d'établir une chronologie précise d'un des plus durables secrets de l'histoire, ou plutôt du double secret de l'origine du tissu et de sa fabrication, la sériciculture.

Son exceptionnelle durée tient à la volonté délibérée des empereurs chinois, toutes dynasties confondues. Ces empereurs, exerçant un monopole sévère, contrôlent la production comme les marchés, décident de qui a le droit d'en porter et de quelle qualité. Ils édictent des arrêts de mort contre quiconque oserait faire franchir les frontières à un seul œuf ou cocon de ver à soie. Le secret sera ainsi maintenu jusqu'au Ve siècle de notre ère environ. Pour parvenir à ce résultat, il fallut sans doute un système de surveillance sans faille car la sériciculture occupait des milliers de gens et les plantations de mûriers couvraient des provinces entières. L'enjeu était énorme, et l'industrie un secret d'État : la soie étant tout bonnement une unité monétaire. Rare, inimitable, issue d'une source que pouvaient contrôler les autorités, de qualité relativement constante, facile à stocker, à diviser et à mesurer, la soie présente toutes les qualités d'une unité d'échange commode. À certaines époques, en Chine, les impôts se paient en rouleaux de soie, comme le salaire des fonctionnaires ; la somptuosité des cadeaux impériaux se mesure à la même aune, comme la dot des princesses ou des aristocrates. Sous les Tcheou, une dizaine de siècles avant notre ère, un écheveau de soie s'échange contre cinq esclaves et un cheval. Pour la Chine, laisser s'échapper une chose (un grain de ver à soie) ou une information (toute la technique d'élevage) équivaut à une catastrophe. Cela reviendrait, pour un État moderne, à perdre sa planche à billets et à laisser divulguer la formule chimique de son papier-monnaie. Soie et souveraineté chinoise étaient intimement liées.

C'est du reste pour une raison géopolitique grave que la soie franchit vraiment la Grande Muraille. Au IIe siècle avant notre ère, les empereurs Han assiégés par des Barbares nomades, ancêtres des Huns, ont besoin d'alliés et de chevaux. Pour acheter les deux, la Chine doit donner ce qu'elle a de plus précieux, et qui ne s'exportait que par infimes quantités ; la soie devient un produit d'échange. Cette décision a des conséquences incalculables : la Chine s'ouvre au commerce et au monde extérieur. Ainsi naît la fameuse « route de la soie ». Par le relais des caravanes traversant l'Asie centrale ou des navires

contournant le sous-continent indien, la soie et bien d'autres marchandises circulent d'une extrémité à l'autre de l'Eurasie. Vers le début de notre ère, un commerçant indien sait évaluer la valeur d'un ballot de soie en sesterces romains, et, à Rome même, l'empereur s'inquiète de la perte que provoque l'importation de soie : à certaines époques, elle s'échange exactement contre son poids en or et le Trésor du plus puissant empire, tout à l'ouest, s'épuise.

Des élevages de mûriers à sa destination finale, la soie suit un si long chemin, passe par tant d'intermédiaires et de frontières, est protégée et entourée de tant de légendes et de périls que, sur les bords de la Méditerranée, nul ne sait que le fil est produit par le cocon des papillons. On ignore, à plus forte raison, comment le traiter : les mieux informés disent que la soie « pousse sur les arbres ». Les Romains sont fous de cette étoffe qu'ils découvrirent, dit la légende, au cours d'une bataille contre les Parthes. Leurs étendards brillants et bruissants étaient faits de ce tissu inconnu. Il ne fallut pas longtemps pour que les patriciennes n'aient plus qu'une envie : se vêtir de robes si fines qu'elles peuvent passer à travers un anneau. Mais le tissu parvient par les pistes d'Asie centrale, et est contrôlé par des intermédiaires, dont justement les Parthes. Aucun voyageur latin n'a franchi leur territoire, tout au plus a-t-on appris que la soie provenait du pays dit des Sères. L'Europe ignore même qui ils sont et à quoi ils ressemblent : « Les premiers hommes que l'on connaisse [en ce pays] sont les Sères célèbres par la laine de leurs forêts. Ils détachent le duvet blanc des feuilles en l'arrosant d'eau ; puis les femmes exécutent le double travail de dévider les fils et de les tisser. C'est avec un travail si compliqué, c'est dans des contrées si lointaines qu'on obtient ce qui permettra à une matrone de se montrer en public avec un étoffe transparente. Les Sères sont civilisés ; mais semblables eux-mêmes aux animaux sauvages, ils fuient la société des autres hommes et attendent que le commerce vienne les trouver. » Ce que Pline écrit dans son *Histoire naturelle* est le premier texte occidental qui propose une explication de l'origine et de la fabrication de la soie.

Le géographe Pausanias, au IIe siècle de notre ère, se rapproche un peu plus de la vérité quand il dit : « Quant aux fils dont les Sères font leurs vêtements, ils ne proviennent pas d'une écorce, mais ils ont une origine différente que voici. Il existe dans leur pays un petit animal, que les Grecs appellent *ser*, mais auquel les Sères eux-mêmes donnent un autre nom ; la grandeur de cet animal est double de celle du grand scarabée ; pour le reste, il ressemble aux arai-

Deux personnages portant un rouleau de soie, Chine, époque Tang. Grenoble, musée Georges-Labit. Sous les Tang (618-907), la route de la soie prospère et les représentations de marchands étrangers, comme ceux-ci chargés de rouleaux de soie, se multiplient.

69

gnées qui font leurs toiles sur les arbres, et il a huit pattes comme les araignées. Les Sères élèvent ces animaux en leur construisant des cages appropriées à la température de l'hiver et de l'été ; et le travail de ces animaux est une fine trame qui se trouve autour de leurs pattes ». Nous sommes loin encore du secret révélé. Pour pouvoir produire de la soie, il faut pouvoir maîtriser toute une série de techniques : sélectionner et cultiver le mûrier blanc, reconnaître le *Bombyx mori*, savoir l'élever et pour cela disposer de lieux humides à température constante entre 20 et 25° C, protéger le ver pendant qu'il file son cocon, conserver un certain nombre de ceux-ci pour la reproduction, étouffer la chrysalide avant qu'elle n'ait percé le cocon (sinon ceux-ci peuvent être cardés et donner l'équivalent de la soie sauvage), et, bien sur, dévider sans le rompre le fil qui peu mesurer entre 900 et 1 200 mètres.

Il faut des mois, des années pour qu'un ballot franchisse le continent et passe de mains en mains ; c'est assez pour que la vérité se perde en chemin. Y a-t-il eu des tentatives de contact ? La chronique chinoise parle d'une mission impériale envoyée en Inde en 58 apr. J.-C. On sait aussi comment, aux alentours de la fin du Ier siècle de notre ère, période où l'Empire parthe contrôle les relations commerciales avec l'Occident, la Chine cherche à se passer de ce coûteux intermédiaire. En 97, un envoyé chinois vers l'Occident est parvenu à la frontière de la Perse mais les capitaines des navires lui racontent tant d'horreurs sur les difficultés qui l'attendent qu'il préfère renoncer. Des missions d'exploration occidentales ne donnent pas de meilleurs résultats. Vers la même période, il court sur les zones désertiques du Taklamakan des histoires de villes englouties, de mirages, d'esprits qui appellent les voyageurs pour les égarer, tout à fait semblables à celles que rapporteront onze siècles plus tard les voyageurs médiévaux. Aux facteurs multiples qui pourraient expliquer la pauvreté des renseignements conservés il faudrait ajouter que pendant l'Antiquité au moins, en un point capital du trajet, véritable borne frontière de l'empire des Sères, le commerce se pratique « à la muette » : vendeurs et acheteurs déposent en un lieu convenu, qui la marchandise, qui le prix proposé, et lorsque l'on est parvenu à un accord (parfois sans se voir), chacun remporte sa part de l'échange, toujours sans un mot. Peu importe si ces marchands muets ont été ou non de véritables Chinois, en tout cas ce procédé d'évitement réduisant le commerce au seul échange des valeurs (et pratiqué en d'autres lieux et à d'autres époques) suffirait à expliquer bien des ignorances.

Transporter, transformer

La route de la soie offre l'exemple d'un paradoxe. D'une part, y circulent les richesses les plus rares et avec elles nombre de connaissances et d'influences culturelles. D'autre part, s'ignorant, les hommes s'imaginent sans se connaître. À Rome, on dit les Chinois de très grande taille, aux yeux bleus et aux cheveux rouges. Les Chinois au contraire se plaisent à imaginer les Romains tout à fait comparables aux habitants de l'empire du Milieu. Pareilles fables se perpétuent durant des siècles. Les Chinois appellent Rome le « Da Qin » (la grande Chine), tandis que, de leur côté, les Romains rêvent du « Pays des Sères », le peuple qui fabrique la soie. En dépit des relations commerciales qui s'intensifient, il faudra attendre le XIIIe siècle, avec le temps des Mongols, et quelques voyageurs médiévaux dont Marco Polo n'est que le plus illustre, pour que les mondes européen et chinois commencent à se connaître. Et ce n'est qu'au temps des missions jésuites, au XVIe siècle, que les Européens acquerront des connaissances géographiques et historiques acceptables sur la Chine tandis qu'en retour celle-ci commencera vraiment à soupçonner à quoi ressemble le monde occidental. La route de la soie a donc bien fonctionné comme un lien entre les peuples de l'Eurasie, comme la grande voie des relations commerciales, religieuses et culturelles. C'est un fonctionnement à plusieurs temps : la chose (la soie comme marchandise), la connaissance de la chose (au sens des techniques et moyens de la sériciculture), les hommes (des marchands de l'Antiquité aux voyageurs et missionnaires médiévaux) et la connaissance des hommes (telle qu'on peut la mesurer par la diffusion de manuscrits ou de récits) ont toujours été comme décalés.

Pourtant la soie finit par échapper à l'empire du Milieu. Plusieurs récits proposent une description de l'évasion des graines. Comme celui rapporté par Xuanzang, un des pèlerins chinois partis à la recherche des Soutras bouddhiques en Inde. Tout au long de son voyage, au milieu du VIIe siècle, il tient son journal et note ce qu'il voit et entend sur les pays qu'il traverse. Parmi ces histoires, il raconte comment un des premiers rois du Khotan parvint à fabriquer de la soie. Au début du Ve siècle la soie tissée circule entre la Chine et les pays d'Asie centrale ; elle fait même l'objet d'un trafic qui enrichit nombre d'intermédiaires, certaines tribus turques, l'Empire perse, etc., mais personne ne sait la produire. Celui qui y parviendra s'enrichira considérablement. Pour cela il faut se procurer mûriers et vers à soie. « Le roi [du Khotan], ayant appris que le royaume de l'Est [la Chine] en possédait, y envoya un ambassadeur pour en obtenir. À cette époque, le prince du royaume de l'Est les gardait en secret et n'en donnait à personne, et il avait défendu sévèrement aux gardes des frontières de laisser sortir de la graine de mûrier et de ver à soie. Le roi de Khotan, dans un langage soumis et respectueux, demanda en mariage une princesse chinoise. Le prince du royaume de l'Est, qui avait des sentiments de bienveillance pour les peuples lointains, accéda sur-le-champ à sa demande. Le roi de Khotan ordonna à un ambassadeur d'aller au-devant de son épouse, et lui recommanda de parler ainsi à la princesse du royaume de l'Est : "Notre royaume n'a jamais possédé de soie : il faut que vous apportiez des graines de mûrier et de ver à soie ; vous pourrez vous même vous faire des vêtements précieux." »

La princesse n'hésita pas à enfreindre les édits impériaux qui punissaient de mort quiconque exportait graines de vers et de mûriers. Pleine d'astuce elle en cacha dans la ouate de son bonnet. « Quand elle fut arrivée aux barrières, le chef des gardiens fouilla partout, à l'exception du bonnet de la princesse qu'il n'osa visiter. » La princesse organisa la première production de soie, ordonnant par un décret gravé sur une pierre : « Il est défendu de tuer les vers à soie. Quand tous les papillons des vers à soie se seront envolés, on pourra travailler les cocons. Quiconque enfreindra cet ordre sera privé du secours des dieux. » C'est pourquoi, poursuit le pèlerin chinois, « ce royaume possède des vers à soie et personne n'oserait en tuer un seul ».

Les premiers principes de la sériciculture venaient de quitter le pays des Sères, la princesse avait exporté l'élevage du ver à soie et l'indispensable secret du mûrier.

Monopoles

Les princes d'Asie centrale n'étaient pas les seuls à vouloir s'emparer du secret. Byzance n'en pouvait plus de payer des sommes énormes à ses ennemis perses pour importer la soie brute que ses ouvriers savaient travailler mais dont on ignorait la source. L'Empire va mener une guerre de l'ombre et multiplier les sources d'information et d'approvisionnement. Procope de Césarée décrit comment, pour éviter de passer par les Perses, Justinien, vers 531, envoya des ambassadeurs chez les rois chrétiens de l'Éthiopie et d'Himyar (le sud du Yémen). Ces missions furent vaines : « Les Éthiopiens ne pouvaient acheter de la soie aux Indiens, car les marchands perses s'installaient toujours aux ports où accostaient les navires indiens (ils vivent dans un pays voisin) et ils avaient coutume d'acheter leurs cargaisons entières. Quant aux Himyarites, il leur semblait difficile de traverser un pays qui était un désert et si grand que sa traversée était un long voyage, comme de s'opposer à un peuple bien plus guerrier qu'eux-mêmes. »

Pour conserver leur monopole les Perses étaient disposés à payer le prix fort et à acheter tout ce qui était à vendre dans tous les lieux qu'ils pouvaient atteindre. La seconde partie se joue avec le représentant d'un peuple nouvellement venu sur la scène internationale : les Sogdiens. C'est un peuple de marchands qui se répandront de la mer de Chine à Byzance en de nombreux comptoirs ou même comme de simples communautés commerçantes installées dans des cités du bout du monde. Comme le dit la chronique officielle des Tang : « Les gens du pays de Sogdiane sont tous d'habiles commerçants ; partout où l'on peut faire du profit ils sont allés. » Ils se sont fixés à l'est de l'Oxus, la mythique ville de Samarcande est leur capitale. À l'époque c'est un centre important où se croisent des commerçants et voyageurs venus du monde entier. La fresque des ambassadeurs qui est exposée au musée d'Afrasyab-Samarcande montre des Chinois, des Persans, des Coréens, etc., et il ne faut pas beaucoup d'imagination pour deviner que parmi eux se glissaient des espions de toutes sortes. Les Sogdiens ont d'abord essayé de vendre la soie du Khotan aux Perses qui, pour montrer leur mépris, la brûlent. Dépités, ils sont allés voir les Byzantins. On a même conservé le nom de l'ambassadeur marchand arrivé à la cour de Justinien (482-565), un certain Maniakh, qui réussit au bout de son entreprise à ouvrir une route de la soie en évitant l'Empire sassanide.

Justinien utilisa aussi des agents secrets très spéciaux. C'est encore à Procope de Césarée que nous en devons le récit. Un jour, des moines arrivèrent à Byzance, ils se firent introduire auprès de l'empereur et lui offrirent le vrai secret de la soie. Ils lui expliquèrent : « Nous avons résidé longtemps dans une région où il y plusieurs cités indiennes bouddhistes et qui se nomment Serinda. L'élevage du ver à soie y est pratiqué ; si vous le voulez, nous vous en rapporterons le secret. » Les moines précisèrent alors que la soie était produite par « certains vers à qui la nature avait enseigné cet art et rendu aisée leur tâche ». Ils ajoutèrent : « Il est impossible à cause de la distance de rapporter des chenilles vivantes, mais nous aurons recours à une ruse. Les graines de ces vers sont constituées par une multitude d'œufs. Longtemps après la ponte, les autochtones les recouvrent de fumier en les chauffant ainsi pendant un temps suffisant pour que les animaux naissent. Il nous sera facile de cacher ces œufs une fois que les chenilles auront pondu. » Justinien leur promit ce qu'ils voulaient. Les moines (peut-être s'agissait-il de ces moines bouddhistes qui parcouraient les chemins en s'appuyant sur leur long bâton) dérobèrent les graines, les rapportèrent, nous dit la légende, dans leurs bâtons creux, et les livrèrent à l'empereur. Cette fois, Byzance pouvait produire de la soie.

La nouvelle industrie fut protégée d'éventuels espions par les peines les plus lourdes. À nouveau la soie devenait synonyme de secret d'État. Les empereurs ne prenaient pas moins au sérieux sa symbolique : peine de mort pour qui osait fabriquer certaines variétés de pourpre réservées à la cour, châtiments terribles pour qui aurait tenté de débaucher ou faire fuir les ouvriers des ateliers impériaux, stricts contrôles douaniers… Du reste, la soie n'était-elle pas cotée à un prix équivalent en esclaves et sa circulation strictement contrôlée ? La soie impériale, surveillée par la terrible bureaucratie, servait à payer les serviteurs de l'État, à remplir ses caisses, mais aussi à doter les monastères, à glorifier Dieu et l'Empire grâce au plus désirable des ornements. Lorsque les Arabes, propageant l'islam, eurent conquis les terres de l'Asie centrale jusqu'à l'Atlantique, la sériciculture se répandit avec eux.

Après avoir conquis la Perse, ils développèrent l'élevage de la soie autour de la Méditerranée. Seuls les Européens, les Francs, étaient exclus du secret. Il leur faudra quelques siècles pour maîtriser toutes les étapes qui, depuis l'élevage de chenilles de *Bombyx mori,* aboutit aux brocarts mêlés de fils d'or et d'argent que revêtaient les princes de l'Église et du monde.

Au XIIe siècle seulement, le roi normand Roger II établit en Sicile une industrie de sériciculture ; un siècle plus tard, les tisserands s'installeront en Italie et en Espagne, en attendant la France et l'Angleterre : l'Europe est enfin en mesure de fabriquer le tissu dont elle rêve depuis longtemps. Le plus long secret de l'histoire a été gardé quatre millénaires durant.

Quant aux routes terrestres, leur cycle historique s'achève au XVe siècle, après la mort de Tamerlan. Il se voulait le successeur de Gengis Khan. De Samarcande, sa capitale, il avait étendu son pouvoir jusqu'à Bagdad, Ispahan et l'Indus, et s'apprêtait à conquérir la Chine. Après son règne, il n'y aura plus de grand empire des steppes au cœur des routes de la soie. Vers la même époque, la nouvelle dynastie chinoise de Ming décide de fermer l'Empire aux relations extérieures : la construction de bateaux hauturiers est punie de mort et les caravanes se font plus rares.

Enluminure du XIIIᵉ siècle montrant des marchands musulmans. Paris, Bibliothèque nationale de France. Le commerçant musulman sur son chameau est partout, de l'Égypte à la Chine, transportant soie et épices.

Routes et obstacles

Peu après, d'autres acteurs entrent en scène dans le commerce entre Est et Ouest. Les Portugais lancent les grandes explorations. À la fin du XVᵉ siècle, ils ouvrent la voie des Indes par le cap de Bonne-Espérance. Désormais les nouveaux découvreurs vont « faire des chrétiens et chercher des épices » ; ils ouvrent le chemin de l'Extrême-Orient aux missionnaires, dont les fameux jésuites, en attendant les compagnies européennes des Indes. Le négoce de la soie subsiste mais bien d'autres produits la supplantent ; tout l'Ancien Monde est maintenant accessible et connu ; le mythe des routes de la soie vient de mourir. La route des épices vient, elle, de connaître un renouveau décisif.

Elle n'est pourtant pas nouvelle. Dès l'expédition d'Alexandre, les aromates de l'océan Indien sont connus en Europe. Les botanistes grecs mentionnent la cannelle, la cardamome et le poivre. Avant la soie les Romains connaissent le poivre, la cannelle, le safran et toutes sortes de produits culinaires et médicaux. Pline l'Ancien cite particulièrement la cannelle « si rare et si appréciée qu'elle est vouée aux honneurs par les grands du jour. L'empereur Vespasien est le pre-

Ci-contre :
Le Livre des merveilles de Marco Polo :
« La récolte du poivre dans le sud de l'Inde. », 1410. Paris, Bibliothèque nationale de France.
L'illustration de la cueillette du poivre sur la côte de Malabar par Marco Polo rappelait à ses confrères marchands occidentaux un rêve impossible : parvenir à la source des épices.

Page de droite :
Deux détails du *Tractatus de herbis*. En haut : un marchand d'épices ; en bas : la graine de la *Myristica fragrans*, plus connue sous le nom de noix de muscade. Modène, bibliothèque Estense. La noix de muscade, comme le girofle, longtemps ne fut produite qu'aux Moluques, inaccessibles aux Européens jusqu'au XVIᵉ siècle. Rareté et secret des origines se combinaient pour en faire un des produits les plus chers.

mier qui ait dédié dans le temple du Capitole et dans celui de la Paix des couronnes faites de *cinnamomum* [cannelle] incrustée dans de l'or ciselé. » Le poivre est importé en telles quantités qu'il provoque une hémorragie d'or et d'argent. Quand le roi wisigoth Alaric s'emparera de Rome, en 410 apr. J.-C., il réclamera une rançon de 5 000 livres payée en poivre ; de même, peu après, quand Attila menace Théodose II empereur de Constantinople, il se fait payer en poivre pour épargner la ville.

Notre mot « épice » vient du latin *species*, qui signifie : marchandises rares. Rares, mais pas inconnues : le monde romain sait parfaitement que les épices proviennent des Indes avec lesquelles il a établi des liens commerciaux, de l'île de Ceylan, voire de Malaisie. Depuis que le Grec Hippale a inventé l'art de naviguer en fonction de la mousson au Ier siècle, les navires marchands savent se rendre aux pays des épices.

Cela annonce une course qui va durer des siècles, saigner l'Europe de ses métaux précieux, mais aussi lui faire découvrir le monde puis le conquérir. Même si la Bible et Hérodote parlent des caravanes d'épices, la partie se joue surtout sur mer. Qui circule dans l'océan Indien, y a ses escales et ses comptoirs est maître des épices. Après la chute de l'Empire romain, il y aura toujours une puissance intermédiaire pour s'interposer entre le monde occidental et les pays des épices. Il y a coupure entre l'océan Indien et l'Europe, personne n'imagine contourner l'Afrique.

Les navires perses puis byzantins se risquent jusqu'à Ceylan et la côte de Malabar. Les triomphes de l'Islam séparent le monde méditerranéen de tout accès aux pays des plantes parfumées. Mer Rouge et golfe Persique sont interdits aux navires chrétiens. Le marin arabe, lui, est partout chez lui, de la mer Rouge à la mer de Chine. Les marchands indiens ou malais, avec qui il traite, sont souvent des coreligionnaires et il a ses mosquées et ses entrepôts jusqu'à Canton.

Les croisades réapprendront les épices aux Occidentaux. Ils fréquenteront les marchés du Levant et seront plus avides encore d'épices, symbole de luxe par excellence. On en raffole dans la cuisine et on leur attribue mille pouvoirs curatifs. Mais, achetées à Beyrouth ou au Caire, il leur faut passer par l'intermédiaire vénitien qui fonde sur ce commerce une grande partie de sa puissance.

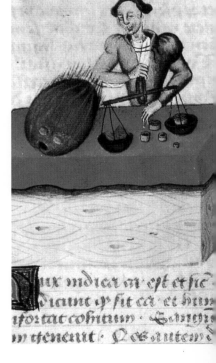

Au XVe siècle, au début des grandes découvertes européennes, les épices arrivent par deux voies. La route maritime commence par le trajet des jonques chinoises et bateaux malais. Ceux-ci amènent les épices orientales, y compris les rarissimes muscade et girofle qui ne poussent qu'aux Moluques, jusqu'à Ceylan et la côte de Malabar. Là, interviennent les Perses et les Égyptiens qui, par la mer Rouge, mènent les épices jusqu'aux Échelles du Levant, où les Vénitiens viennent s'approvisionner. Le tout donne lieu à la multiplication du prix d'étape en étape et à la perception de lourdes taxes par les puissances intermédiaires. Sur terre, les caravanes contournent le désert du Turkestan jusqu'à Bassora et la Perse ou encore passent par la vallée de l'Indus via l'Afghanistan : c'est le même trajet que la route de la soie. Deux épices ont un statut à part : le clou de girofle et la noix de muscade dont on dit qu'ils proviennent d'îles au-delà du détroit de Malacca. Les Arabes les achètent à des intermédiaires généralement malais. Les savants de l'Islam, s'ils donnent une place à ces épices dans leurs traités de pharmacopée, se contentent très vaguement d'en situer l'origine vers Java.

Mais, par terre ou par mer, les Européens sont incapables de s'approvisionner directement. Débarquer aux Indes, emplir ses cales de poudres odorantes, poivre de Malabar et cannelle de Ceylan, puis s'en retourner et les vendre vingt

Ci-dessous :
Carte de l'archipel des Moluques, d'après les indications de Pigafetta. Paris, Bibliothèque nationale de France. Les Moluques sont représentées par un giroflier stylisé d'après le croquis de Pigafetta.

fois leur prix, tel est longtemps le rêve des aventuriers, marchands et princes d'Europe. L'un d'eux, Henri de Portugal, dit le Navigateur, lance systématiquement des expéditions le long de la côte africaine, accumule les informations géographiques ou pratiques sur la route des Indes. À ce stade, il n'y a pas de secret ni de mystère des épices à proprement parler. Chacun sait que ce sont des plantes qui poussent aux Indes, à Ceylan, dans des îles plus orientales. Certes, il court des légendes sur les Indes fabuleuses. Certes, l'Europe se fait une représentation géographique erronée de l'océan Indien que la plupart s'imaginent, sur la foi des auteurs antiques, comme une mer close. Certes, l'erreur de Christophe Colomb, parti chercher les épices des Indes par la voie occidentale et prenant Cuba pour la Chine, témoigne spectaculairement des aléas de la géographie de l'époque. Certes, techniques de navigation, rapports de pilotes et surtout cartes sont considérés comme de vrais secrets militaires et

Ci-contre :
Les Moluques, d'après *le Livre des Indes Orientales* de Pedro Barreto de Resende, vers 1636. Paris, Bibliothèque nationale de France.

Page de droite :
Guillaume le Testu, *Récolte et transport des épices à Java*, 1556. Paris, Bibliothèque du ministère des Armées.

MOLVQVES

GRANDE IAVE

PETITE IAVE

MER DE LINDE ORIENTALE

les histoires d'espionnage ne manquent pas. Mais les épices ne sont pas protégées par des mystères ni par la dissimulation. Il est simplement impossible d'atteindre les sources d'approvisionnement. Des voyageurs sont parvenus sur place mais pas avec une caravelle dont on puisse remplir les cales à l'abri de quelques canons incitant les souverains locaux à ne pas s'y opposer.

Ce sera bientôt chose faite. En 1498, Vasco de Gama passe le cap de Bonne-Espérance et parvient à Calicut après avoir contourné l'Afrique. Suivent quelques guerres, et l'arrivée des Portugais en Chine et au Japon, leur installation au-delà du détroit de Malacca. En 1557, ils installeront même une enclave sur la côte chinoise, à Macao. Magellan, parti en 1519 pour son tour du monde, fait escale aux Moluques et ne manque pas de faire provision de muscade et de girofle. Il incite les Espagnols à s'emparer de ces îles. Pour peu de temps : en 1529, le pape partageant l'Orient par le traité de Saragosse donne les îles aux épices aux Portugais.

Grandes compagnies et grands secrets

Le XVIIe siècle est celui des Hollandais. Tandis que les compagnies des Indes fleurissent dans toute l'Europe, en quelques décennies les Hollandais arrachent aux Lusitaniens leurs comptoirs d'outre-mer. Les Hollandais, ou plutôt la VOC, Compagnie unifiée des Indes orientales, plus puissante qu'un État, et qui s'approprie des territoires. Il n'est plus question d'exclusivité sur la cannelle qui se trouve en Inde, à Ceylan et en Indonésie, ni sur le poivre en Inde et dans tout l'Extrême-Orient, voire à Madagascar. Subsistent deux monopoles absolus : ceux de la muscade et surtout du clou de girofle, cultivés exclusivement aux îles aux épices, les Moluques. Elles appartiennent à la VOC, dont les tribunaux et les gibets protègent le privilège. « Il n'y a point, disait un Français en 1697, d'amants si jaloux de leurs maîtresses que les Hollandais ne le sont du commerce de leurs épices. »

La VOC est la première grande compagnie capitaliste, dotée de prérogatives étatiques : battre monnaie, avoir une armée, signer des traités, administrer la justice, y compris la peine de mort dont elle n'est pas avare. Les dirigeants de la Compagnie, les très puissants membres du comité des Dix-Sept, s'adressent aux états généraux de Hollande sur un pied d'égalité. Ils leur écrivent qu'ils considèrent leurs possessions des Indes orientales comme des propriétés privées, ne relevant que de leurs actionnaires. De ce fait, ils ont, proclament-ils, le droit de céder ces biens à qui bon leur semble, fût-ce

Vasco de Gama, miniature provenant du *Libro de Lisuarte* de Abreau, vers 1558-1564. New York, Pierpont Morgan Library. En franchissant le cap de Bonne-Espérance en 1497, Vasco de Gama ouvre au Portugal le chemin des Indes par l'océan Indien, pour « faire des chrétiens et chercher des épices » comme le résume un de ses lieutenants.

au roi d'Espagne ou à tout autre ennemi de leur pays. Libérée de toute contrainte politique – les Portugais sont éliminés, les Européens éloignés, les populations locales sous le joug –, la VOC n'a à se soucier que de deux choses : protéger son monopole et maintenir le prix des épices.

Elle contrôle flux et stocks. Pour soutenir le cours des clous de girofle et noix de muscade, les Hollandais en détruisent périodiquement les réserves. La cérémonie a lieu à Batavia, l'actuelle Jakarta ; elle est connue comme la « fête de l'incendie des Épices ». Parfois aussi, ce sont les stocks accumulés à Amsterdam qui sont détruits. En 1760, un Français assiste ainsi à la crémation d'années d'épices accumulées dans les greniers afin d'en garantir la rareté et d'en soutenir le cours. Deux jours de suite, un brasier public consomme l'équivalent « de millions d'argent de France » en girofle et muscade. Les spectateurs de cette invraisemblable cérémonie de destruction ont les pieds plongés dans plusieurs centimètres de cette huile parfumée et probablement les narines pleines d'une des odeurs les plus capiteuses qui soient.

Comptoir hollandais à Nagasaki. Aquarelle sur papier. Paris, musée de la Marine. Port après port, en Inde, dans les îles aux épices et jusqu'au Japon, la puissante VOC, la compagnie des Indes hollandaise, a chassé les Portugais. Il n'y a plus de commerce en Orient sans les Hollandais.

La VOC a une autre obsession : le secret des plants. Elle entend interdire qu'une seule racine puisse être cultivée ailleurs que sur les terres qu'elle contrôle : une multitude d'îles difficiles à surveiller, où contrebande et piraterie sont des traditions séculaires, où les roitelets locaux ne sont pas sûrs et où les agents des autres grandes compagnies, anglaises, françaises, suédoises ou autres ne demandent qu'à s'infiltrer. Il n'y a que deux solutions : restreindre les surfaces cultivées aux zones les plus faciles à contrôler, puis les truffer de gardes et soldats. Il s'agit de faire régner la terreur pour guérir contrebandiers et espions de la tentation d'exporter une racine, ou d'acheter une simple carte.

La VOC instaure la monoculture chaque fois qu'elle le peut pour restreindre les zones à surveiller à quelques champs gardés comme des forteresses. Ailleurs on détruit. Parfois contre le gré des chefs locaux, parfois en les achetant pour obtenir le droit d'arracher des plants. Parfois aussi, la Compagnie

s'empare par la force d'îles sans intérêt stratégique immédiat, mais où des concurrents pourraient songer à cultiver les mêmes épices ou des contrebandiers à s'installer : c'est le cas à Macassar dans les Célèbes. Par la violence, l'obstination et la discipline, la VOC obtient ce qu'elle veut : la monoculture et le monopole. Autre avantage : les territoires ainsi spécialisés seront plus dépendants économiquement de la Compagnie et de ses importations.

Bougainville, au cours de son tour du monde, est déporté par la mousson entre les Malouines et l'Inde. La mer le contraint à chercher refuge aux Moluques. Il résume ainsi le système de spécialisation des îles. « Par ce moyen, tandis que la cannelle ne se récolte que sur Ceylan, les îles Banda ont été seules consacrées à la culture de la muscade ; Amboine et Uleaster qui y touche à la culture du gérofle sans qu'il soit permis d'avoir du gérofle à Banda ni de la muscade à Amboine. Ces dépôts en fournissent au-delà de la consommation du monde entier. Les autres postes des Hollandais dans les Moluques ont pour objet d'empêcher les autres nations de s'y établir, de

Paravent des Portugais, Namban-Byôbu, début de l'époque Edo (fin XVIe - début XVIIe siècle). Paris, musée Guimet. Les « paravents des barbares » sont une soixantaine d'œuvres réalisées entre 1590 et 1640, décrivant l'arrivée des Européens, ici des Portugais, sur le sol du Japon.

faire des recherches continuelles pour découvrir et brûler les arbres d'épicerie et de fournir à la subsistance des seules îles où on les cultive. »

Les indigènes sont parfois déportés, comme aux îles Banda et vendus comme esclaves à Java. Opérations policières contre les trafiquants et répression militaire des révoltes alternent. Les Hollandais eux-mêmes sont épiés et contrôlés. Les marins et les employés qui travaillent sur place sont

tenus, lorsqu'ils repartent, de rendre toutes les cartes et documents qu'ils posséderaient. Un malheureux Batave qui avait conservé un bout de plan et s'était fait prendre à le montrer à un Anglais est fouetté, marqué au fer, et déporté dans une île déserte. Dans d'autres cas, c'est le gibet. La Compagnie multiplie les garnisons ; elle expulse les étrangers et ne laisse débarquer les marins ou voyageurs que sous bonne garde. Bougainville lui-même, lors de son escale forcée aux Moluques, est accueilli par des soldats menaçants. Le résident de l'île exige de savoir le motif de cette escale, fait remplir une déclaration écrite à Bougainville et lui interdit de mouiller dans les eaux territoriales de la Compagnie, malgré les prières que lui fait le Français au nom de la simple humanité de le laisser prendre des vivres et des secours.

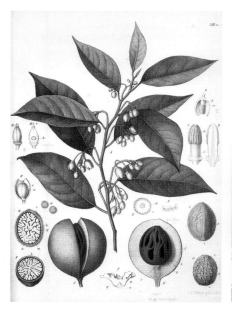 

Page de gauche : Miniature provenant de la ville d'Udaipur (État du Rajasthan) : scène de repas chez les nobles, où les épices font partie du menu, XIXe siècle.

Ci-contre, à gauche : gravure représentant un plant de muscadier (*Myristica fragrans*).

Ci-contre, à droite : Pierre Poivre (1719-1786)

Dans la course aux épices, notre pays paraît plutôt en retrait. Sous Colbert est née une compagnie des Indes qui aura des comptoirs comme Surate, Chandernagor, Masulipatam et Pondichéry. À la suite d'une révolte à Madagascar en 1674, les Français commencent à peupler les Mascareignes où ils créent une escale pour leurs navires sur la route des Indes. Cela ne fait pas de la compagnie française une très redoutable rivale de la VOC. Pourtant, c'est un Français qui violera le secret des épices hollandaises.

Voleur d'épices

Voler des plants et les acclimater dans nos possessions, tel est le projet d'un jeune homme téméraire, en 1748. Lyonnais et nullement marin de vocation, ancien séminariste, missionnaire indocile, auquel un boulet anglais, rencontré en mer de Chine, a enlevé le bras et la vocation ecclésiastique (on ne peut bénir sans main droite!), il se pique de littérature et de science. Ce personnage imaginatif au nom prédestiné – Pierre Poivre sera le plus grand voleur d'épices de l'histoire : mais cela lui prendra un quart de siècle.

Envoyé par la Compagnie avec une frégate pour le « commerce de la Chine » et afin de « découvrir des épiceries fines » et de les transplanter sur nos terres, Poivre rapporte d'une première expédition en Cochinchine des plants de riz et des vers à soie, mais de girofle point. Aux Philippines, il s'informe sur les îles aux épices et finit même en 1752, peut-être grâce à quelque trafiquant de Manille, par se procurer une poignée de noix de muscade. Il les introduit en île de France (actuelle île Maurice) cousues dans son habit pour en tirer cinq malheureux plants qui périssent, peut-être détruits par un botaniste jaloux. Seconde tentative en 1755 : Poivre trouve d'autres plants à Timor. Nouvel échec, sans doute nouveau sabotage. Du coup, il rentre en France et s'y marie.

Le jeune couple retourne aux Mascareignes en 1768, Pierre étant nommé intendant des îles de France et Bourbon (la Réunion) que la Compagnie, découragée, a rétrocédées au roi. Pendant ce séjour, les Poivre reçoivent des visiteurs illustres : Bernardin de Saint-Pierre, qui tombe amoureux de la belle mais fidèle Françoise, et Bougainville qui achève son tour du monde. Poivre l'intendant n'oublie pas les rêves de Poivre l'aventurier et envoie des frégates vers les Moluques. Ses envoyés trompent la surveillance des Hollandais, et, avec la complicité d'indigènes heureux de se venger de l'occupant, finissent par réussir. En 1770 deux frégates conduites par Poivre font le voyage aux Moluques sans se faire prendre par les sbires de la VOC ni par les pirates. Elles ramènent en île de France 454 pieds de muscadiers et 70 girofliers. Poivre les cultive dans le jardin des Pamplemousses à Port-Louis, capitale de l'île de France. Le jardin est devenu un centre botanique expérimental sans égal. Et pour son couronnement, Louis XVI recevra un cadeau dont la royauté rêvait depuis longtemps : une noix de muscade produite en terre de France. Des plants sont envoyés à l'île Bourbon et en Guyane française. Les larcins de Poivre seront à l'origine des cultures de Zanzibar, de Madagascar, des Antilles, des Comores et des Seychelles. À ce moment le blocus hollandais est devenu sans efficacité et leur monopole est perdu.

Girofliers et muscadiers ont disparu des Mascareignes. De l'épopée des voleurs d'épices ne subsiste guère qu'une curiosité touristique : le château de Mon-Plaisir, construit sous La Bourdonnais, et son jardin royal du quartier des Pamplemousses au nord-ouest de Maurice. C'est là que l'obstiné Poivre se livrait à ses tentatives de transplantation, et, arrachant le secret des îles secrètes et odorantes, condamnait la route aux épices.

PORCELAINE ET VERRE, FABRICATIONS SECRÈTES

Après la soie et les épices, s'il est un produit qui caractérise les relations commerciales entre Orient et Occident, qui engendre rêves et recherches et dont le secret résiste étonnamment longtemps, c'est bien la porcelaine, invention chinoise. Le secret en question est d'abord celui du kaolin, une sorte de terre particulière et rare. L'usage de cette composante, dite aussi terre de Chine, distingue la porcelaine des poteries ordinaires à base d'autres argiles, telles qu'on les produit depuis le néolithique. Cuit à des températures d'environ 1300° C (ce qui est plus que l'argile ordinaire ou les grès et requiert donc une meilleure maîtrise des fours), mêlé à du feld-spath qui en augmente le liant et la transparence, parfois à du silice très pur, le quartz, le kaolin entre en fusion. Il subit une vitrification, devient trans-lucide et imperméable, aspect caractéristique de la poterie. Sous les T'ang, les artisans distinguaient l'os de la poterie (le kaolin) de sa chair, la pierre blanche qui forme comme un ciment enchâssant le premier. Cette matière se prête à toutes sortes de décorations et d'inventions de couleurs. Aux yeux des Européens, le style oriental souligne encore le caractère exotique de la porcelaine.

Sa transparence, avec laquelle ne rivalise aucun grès et qui semble contre-dire la terre dont elle est issue, répond dans l'imaginaire occidental à la finesse brillante de la soie : jouant des lois de la matière, stimulant la sensua-lité par leur apparente fragilité, toutes deux désignent métaphoriquement un

Extrême-Orient rêvé. Soie et porcelaine sont les emblèmes de la Chine : la première donne leur nom aux Sères de l'Antiquité et *China* désigne, en anglais, les porcelaines.

Ajoutons que les archéologues distinguent une proto-porcelaine qui remonte au XIe siècle avant notre ère et qui n'est pas vraiment vitrifiée par le quartz et le feldspath, et d'autre part, la vraie porcelaine qui apparaît,

elle, au Ier siècle de notre ère, indéniablement en Chine, et dont l'usage sera relativement répandu deux cents ans plus tard.

Il a faut douze cents ans pour passer de la proto-porcelaine à la porcelaine vitrifiée dotée de cette belle transparence, de cette solidité et de cette sonorité qui la différencient de toutes les céramiques. Douze siècles d'inventions, que suivent plusieurs siècles de quête durant lesquels l'Occident cherche à s'emparer du secret.

Secrets à tiroirs

Mieux vaudrait dire : des secrets. D'une part, la porcelaine a connu de multiples améliorations techniques qui en ont changé les couleurs et l'aspect. D'autre part, le secret ne se résume pas au kaolin seul, qui ne sert guère sans quelques recettes complémentaires. Le secret en question comprend celui de la matière et de la technique de la porcelaine dure, plus celui de ses rivales, les porcelaines tendres et quasi-porcelaines, celui des couleurs, etc.

Les essais occidentaux en matière de porcelaine commencent par la fabrication de la porcelaine dite tendre qui se raie à l'acier. Elle est faite avec une pâte imitée, comportant marne, sables, soude, nitre, le tout verni, coloré par des oxydes métalliques, parfois embelli de poudre d'or. La porcelaine tendre, qui imite la transparence de la « vraie » porcelaine dure, est un pur produit

Gravure chinoises représentant les diverses étapes de la fabrication de la céramique.

de la recherche chimique. Pour compliquer les choses, il y a plusieurs sortes de porcelaines tendres, l'une « française », sans kaolin, l'autre « anglaise », hybride, faite de kaolin, de cendre d'os et de *cornish stone*.

Du coup, la porcelaine tendre engendre à son tour des découvertes, recettes volées et perdues, etc. D'où secrets en cascade : tel fut le cas de la porcelaine dite des Médicis, une porcelaine tendre hybride, réalisée dans le dernier quart du XVIe siècle. Cette réussite fut sans lendemain : le secret découvert se perdit avec la mort de ses inventeurs. Même phénomène avec un premier inventeur français : une formule trouvée par la dynastie des Poterat de Rouen qui savaient produire de la porcelaine tendre sans kaolin à la fin du XVIIe siècle, disparaît avec eux, pour réapparaître un siècle plus tard chez des concurrents de Saint-Cloud. Elle est reprise en 1725 par une fabrique de Chantilly protégée par le prince de Condé…

De gauche à droite : Extraction du baidunzi (petuntse), roche feldspathique qui, mêlée au kaolin, forme la pâte de la porcelaine ; extraction et tamisage du minéral qui donne le bleu de cobalt ; façonnage manuel des vases et broyage des colorants ; tournage et lissage des bords ; décor de vase en bleu et blanc ; application de la couverte par trempage ou projection ; cuisson des pièces dans les fours ; décor en émaux sur couverte.

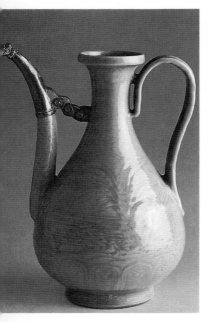

Globalement, le noyau dur du secret chinois de la porcelaine trouvé au Ier siècle, et recherché dès la Renaissance italienne, résiste jusqu'au XVIIIe siècle. Tout cela, malgré les enjeux commerciaux, la folie des collections qui s'était répandue partout, une mode liée aux connotations exotiques de la Chine « mystérieuse », et malgré les moyens employés pour en reconstituer la recette.

La porcelaine a mis bien plus longtemps à parvenir sur nos rives que la soie. Mise au point sous la dynastie Sui (589-619), la porcelaine devient un produit d'exportation vers la Corée et le Japon. Particulièrement sous les T'ang (618-907), la Chine devenant un véritable modèle culturel. À cette époque les commerçants arabes commencent à naviguer et à s'installer dans les ports chinois où ils ont leurs quartiers et bientôt leurs mosquées. Dès le IXe siècle ils font de la porcelaine un produit recherché dans tout le Moyen-Orient. Le marchand Soleiman, un personnage authentique qui est allé en Chine et dont les mémoires inspireront le conte de *Sindbad*, cite au nombre des produits merveilleux de la Chine, où abondent l'or, la soie, les perles, l'argent, la corne de rhinocéros et autres merveilles, ces « poteries d'excellente qualité dont on fait des bols aussi fins que des flacons de verre : on voit l'éclat de l'eau au travers » ; ce serait apparemment la première description occidentale de la porcelaine. Le calife Haroun al Rachid, à la fin du VIIIe siècle, en reçoit en don du gouverneur du Khorasan. Bientôt les Chinois exporteront en grande quantité des porcelaines par bateau, servis, il est vrai, par leur système de canaux et la qualité de leurs jonques de mer.

Sous les Yuan, la porcelaine devient une industrie d'exportation. Le bleu et blanc est produit en masse à Jingdzehen et rivalise avec le céladon. La porcelaine ayant la propriété d'être imputrescible, très résistante, facile à identifier par ses caractéristiques et décors, fait le bonheur des archéologues et historiens : tels les cailloux du Petit Poucet, elle permet de suivre et dater les relations commerciales entre les pays. Entre les découvertes faites dans les navires chinois coulés et les archives de la bureaucratie mongole, on voit très bien à la fois l'importance de ce trafic et sa répartition sur une route maritime de la soie qui est en train de devenir celle des épices et de la porcelaine.

Ici encore intervient l'inévitable Marco Polo : le premier, il parle de la vaisselle en « porcelane ». Cela ne veut pas dire qu'il soit le premier à en voir, l'existence même du mot semblant indiquer que la chose était connue.

Parlant de la ville de « Tinuguise » (Lung-ch'uan), il dit : « Là se font des écuelles de "porcelane", grandes et belles. Il ne s'en fait nulle part ailleurs et c'est de là qu'elles partent pour le reste du monde. Et j'en aurais bien eu trois, les plus belles et les plus diverses du monde, pour un Vénitien. » Marco Polo précise même que les Chinois font cette porcelaine avec une terre très particulière d'une couleur bien précise. C'est un terreau ou une argile bleu-vert, qu'ils font vieillir pendant des années. Si bien qu'un père prépare le vieillissement de la terre qu'utilisera son fils. Il pourrait mentionner là un des centres de production du céladon.

Le mot même de « porcelane » qui, peut-être, dérive de *porcella*, la truie, mérite un commentaire étymologique qui relativise le romantisme de la référence. D'abord, on aurait nommé « petite truie » un coquillage qui ressemblait à une vulve de truie. Puis, par une seconde comparaison entre le mollusque dans sa coquille translucide et brillante et la matière céramique des bols et plats, le nom aurait été appliqué à ce type particulier de céramique. Notre très raffinée porcelaine aurait donc à voir avec les organes sexuels du cochon. Une explication concurrente veut que la céramique translucide ait été ainsi dénommée parce que les Occidentaux (ou les Arabes qui leur en vendaient) croyaient qu'elle était faite de coquilles concassées.

Marco Polo revient à Venise en 1295. Accompagnée de la légende des coquillages ou tenue pour une matière inconnue, la première pièce de porcelaine dont on connaisse sûrement la date est une porcelaine dite Cingle remontant à 1300, quasiment au moment du retour de Marco Polo. C'est encore un objet rare en Europe. Mais pas dans le monde islamique : porcelaines et modèles artistiques suivent le même trajet en un curieux chassé-croisé. Une des plus notables innovations est la réalisation de porcelaine bleue et blanche fabriquée grâce à du bleu de cobalt importé du Moyen-Orient au début du XIVᵉ siècle. Les nouveautés chinoises suscitent de multiples tentatives d'imitation en Égypte, Syrie, etc., mais, en même temps, les Chinois produisent à la demande des Perses, Turcs et Égyptiens, en l'occurrence, et suivant les goûts de leur clientèle. La géométrie et les motifs islamiques apparaissent donc dans les produits destinés à l'exportation. Au XVIIᵉ siècle, ce seront des pièces au goût européen que l'on trouvera dans les épaves.

Page de gauche, en haut : Aiguière à la fontaine. Chine, seconde moitié du XVIᵉ siècle. Istanbul, musée Topkapi. Les artisans chinois intègrent des thèmes étrangers qu'ils retranscrivent à leur façon.

Page de gauche, en bas : Aiguière en céladon, Chine, vers 1400, Turquie, milieu du XVIIᵉ siècle. Istanbul, musée Topkapi.

Ci-dessus : Bol avec inscriptions islamiques. Chine, marque et période Zhengde (1506-1521). Istanbul, musée Topkapi. Les producteurs chinois fabriquaient et décoraient parfois les porcelaines suivant le goût de leurs acheteurs lointains, comme ici où le bol porte une prière chiite.

La porcelaine commence à être importée de façon significative en Europe à partir du XVe siècle, surtout pour les cours. Vasco de Gama en rapporte de son expédition de 1499. Les Portugais se répandent rapidement dans l'océan Indien et en mer de Chine. Ils sont à Canton en 1517 et commercent directement avec le monde chinois. Ils comprennent vite la valeur de cette nouveauté dont raffolent les cours, en attendant que la porcelaine s'impose au goût bourgeois. Le palais royal de Santos sur le Tage comporte bientôt une Maison des porcelaines. Dès les années 1500, les faïenceries européennes se lancent dans les imitations. Les tentatives d'imitation des faïenceries européennes débutent dès les années 1500. Comme l'avaient fait les artisans perses, turcs et syriens, les artisans occidentaux tentent de reproduire l'aspect de la porcelaine, voire de trouver la terre mystérieuse qui sert à la fabrication de la vraie porcelaine dure.

À la même époque, le secret a déjà quitté la Chine vers l'Orient. Les Coréens fabriquent de la porcelaine et ont découvert le kaolin depuis au moins 1125, s'il faut en croire un voyageur chinois. Invention parallèle ou viol du secret : rien ne permet d'affirmer si cet art fut importé ou redécouvert. En revanche, au Japon, il n'y a pas de doute. En 1513 un ouvrier, du nom de Gorodayu, qui avait longtemps travaillé dans les fours du Henan en rapporte le secret au Japon, tandis que des fours s'ouvrent aussi en Corée. Quand les Japonais envahissent la Corée à la fin du XVIe siècle, ils ramènent des artisans locaux. Quelques-uns d'abord, puis des centaines d'autres suivront au cours des années, plutôt déportés qu'embauchés. Des potiers coréens sont ainsi fixés dans des villages japonais autour d'un four à porcelaine. Il leur est interdit de divulguer les méthodes de fabrication ou même de s'éloigner du village sous peine de mort. Un Coréen, Risampei, découvre en 1616 un gisement de kaolin dans l'île de Kyushu. Bientôt se développe la porcelaine d'Arita. Au Japon même, la porcelaine est surtout réservée à la cour. La production mêle décors bleus sous couverte dans le style coréen, imité de la porcelaine chinoise. Bientôt s'y ajoutent des thèmes occidentaux réalisés à la demande des Hollandais qui sont alors les grands acheteurs en Orient. Thèmes « européens » à grandes fleurs et style japonais plus léger rivalisent. La Compagnie des Indes orientales achète la majorité de la production. Des artisans plus ou moins prisonniers, des secrets de fabrique plus ou moins volés, la chasse au kaolin, de gros intérêts commerciaux, des rivalités à l'exportation : le scénario est désormais bien fixé. Il va se reproduire en Europe.

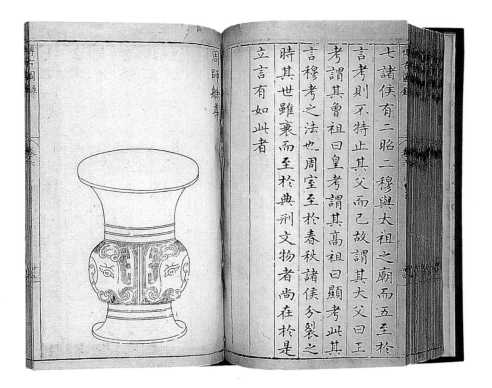

Alchimistes ou arcanistes

La découverte du secret de la porcelaine dure est datée avec exactitude : 1704. À cette époque l'Électeur de Saxe, Auguste II le Fort, est à la recherche de la formule de la porcelaine : la folie de la collection est à son comble. On parle d'amateurs qui possèdent jusqu'à 60 000 pièces. Il y a un filon à exploiter pour qui saura imiter les productions de Chine et du Japon. Le comte de Tchirnhaus, qui se pique de science, est chargé de cette mission. Il installe un laboratoire à la forteresse de Koenigstein. Or justement s'y trouve, dans une geôle, un alchimiste du nom de Johann Friedrich Böttger. L'Électeur le garde en sûreté et veut l'obliger à fabriquer la pierre philosophale. Böttger et Tchirnhaus se parlent, le premier donnant quelques conseils de chimie au second. Bientôt l'alchimiste est affecté entièrement à la quête de la porcelaine. Il obtient un premier résultat, un grès rouge céramique, matière très dure et plutôt opaque : c'est plus qu'encourageant. Du coup, l'Électeur fait transférer son prisonnier à la forteresse d'Alberstein, près de Dresde, qui deviendra la première manufacture européenne de porcelaine. Au front de la fabrique est inscrite une devise qui se passe de commentaires : « Secret jusqu'au tombeau ».

Böttger travaille conjointement à la quête de l'or et à celle de la porcelaine, assisté dans la seconde tâche par Tchirnhaus qui meurt en 1708. Il a accompli sa mission, et a pu établir une première fabrique en Saxe à Meissen ; de surcroît, la découverte d'un filon de kaolin près d'Aue contribue à la réussite. Un an après la perte de son ami et assistant, Böttger réussit à produire de la porcelaine blanche encore assez grossière. La chronique rapporte que malgré sa condition de prisonnier et son statut d'alchimiste, gens généralement sévères, et en dépit d'un travail très pénible qui demandait parfois des jours de veille, Böttger riait sans cesse et amusait les ouvriers de ses plaisanteries.

Après sa mort, en 1719, la manufacture poursuit son œuvre déjà fort avancée, ajoute du feldspath à la pâte, ce qui en améliore le fondant, et on parvient bientôt à produire de la porcelaine bleue sous couverte. Les recettes sont diffusées grâce aux arcanistes qui parcourent l'Europe. En Allemagne, on nomme arcanistes les chercheurs du secret de la porcelaine, du mot « arcane » qui désigne une opération occulte et mystérieuse. L'*arcanum,* c'est-à-dire la composition de la pâte, est le secret par excellence de ces hommes. Les arcanistes maîtrisent les techniques des couleurs, celles de l'élaboration de la pâte à porcelaine et de sa couverte, de la fabrication des étuis protecteurs en terre réfractaire, et de la conduite des cuissons de grand et petit feu.

Ils se conduisent parfois comme de véritables mercenaires, volant une formule ici, la revendant là. Ainsi un arcaniste de Meissen, Stölzel, dévoyé par un doreur sur porcelaine du nom de Hunger, s'enfuit avec la composition de la pâte. À Vienne le tandem Stölzel-Hunger tente de faire fonctionner une manufacture avec du kaolin de contrebande illégalement importé d'Aue. Ils échouent, détruisent leur four et se séparent. Hunger se fait prendre, subit une peine de prison pour la destruction du four, et, une fois libéré, court tenter sa chance à Venise. De son côté, Stölzel se retrouve à Iéna où il s'associe à un chercheur du nom de Höroldt. Ne doutant de rien, il retourne vers l'Électorat de Saxe et propose ses services et ceux de son nouvel ami pour développer des formules inédites. Après une discussion avec le prince qui lui vaut un œil poché, Stölzel retrouve sa place et la manufacture de Meissen continue à se développer. Après la guerre de Sept Ans, Frédéric II pille la fabrique qu'il fait affermer à un de ses sujets : les Prussiens achètent des ouvriers ou les contraignent à venir travailler à Berlin. Ailleurs on cite le cas d'un certain Cingler qui acquiert l'*arcanum* à

Vienne, part, vend sa formule en Bavière et au Wurtemberg moyennant 100 ducas versés par le prince Karl Eugen. D'autres arcanistes sont attirés par la France. Ils circulent, se vendent, et les formules de pâte avec eux. Tout au cours du siècle les manufactures apparaissent en Allemagne, en Suisse, dans les pays nordiques, en Russie.

L'enjeu industriel est énorme. C'est ce qu'a compris la France. En 1740, le contrôleur des Finances Orry installe des ateliers au château de Chantilly pour y faire travailler C.H. Guérin, qui possède le secret d'une pâte tendre totalement blanche. Peu de temps après, une société par actions encouragée par Louis XV fabrique de la porcelaine « à la façon de Saxe ». Plus tard, la fabrique, protégée par le roi et par la Pompadour, sera transférée à Sèvres et y deviendra la fameuse manufacture. Le roi en sera le principal actionnaire.

Le laboratoire céramique de Böttger. Gravure extraite de *Louis Figuier, les grandes inventions modernes dans les sciences*, Paris, 1896. L'alchimiste Böttger découvrit le secret réel de la porcelaine, mais on l'avait emprisonné pour lui faire révéler le secret imaginaire de la pierre philosophale.

Là encore, le travail est placé sous le signe de la recherche et du secret. En 1748, on achète à un chercheur bénédictin, frère Hippolyte de Saint-Martin-des-Champs, son secret pour l'application de l'or sur fonds blanc. En 1751, sur ordre du roi, l'académicien Jean Hellot consigne les formules de la fabrique, couleurs et émaux, dans un registre fermé à clef. Reste encore aux Français à fabriquer de la porcelaine dure et pour cela, plus personne ne l'ignore, il faut du kaolin. De véritables expéditions parcourent les carrières. En 1769, les Français atteignent leur but : la carrière de Saint-Yriex en Limousin est choisie pour fournir le kaolin. La manufacture de Sèvres est en mesure de produire pâte dure et pâte tendre. Un vieux rêve d'exotisme disparaît dans un monde voué à la production de masse.

Le secret de la transparence

Cette lutte entre invention, monopole, secret et copie se retrouve dans l'histoire d'un autre élément dont l'aspect extérieur suggère tout le contraire de la porcelaine : le verre. Car si l'une et l'autre servent *grosso modo* au même usage, l'idée même d'un secret du verre semble paradoxale.

« Seul le verre et l'or donnent une idée du prix de la sagesse », dit *Le Livre de secret du verre*. Le verre transparent, le verre semblable à l'eau et à l'air, le verre fragile, le verre banal, le verre qui ne vaut que par ce qu'il retient ou laisse voir, le verre, simple contenant qui ne cache rien, pourrait-il évoquer la moindre idée de mystère ? Son apparente capacité à se faire oublier, sa faculté d'emprunter l'aspect de ce qu'il ne dissimule pas, tout suggère ce statut particulier de tout montrer et de tout refléter. « Le verre est parmi les pierres comme un fou parmi les hommes, car il revêt toutes les couleurs et teintes », dit de lui Avicenne. Pourtant le verre, entre eau, gaz et cristal, possède de multiples propriétés apparemment contradictoires et absentes de la nature : transmettre et isoler, être incorruptible et se briser au moindre choc, se montrer rigide et invisible, laisser voir comme l'eau et se façonner comme un solide, révéler tantôt ce dont il sépare, tantôt qui l'observe, être propre aux illusions comme aux observations.

Issu du feu transmutateur et purificateur, comme l'or, le verre hésite entre le monde de la matière et celui de la lumière. Car, autre énigme pour l'observateur, il montre son contenu et change son éclairage. Le christianisme, avec les vitraux des cathédrales, a bien compris la puissance évocatrice du verre coloré. Celui-ci suggère à l'âme la vision des murs de la Jérusalem céleste faits de pierres précieuses, ainsi que l'enseigne l'Apocalypse. La cathédrale est, selon l'abbé Suger, le grand théologien du XIIe siècle, tout entière destinée à se fondre dans la lumière des vitraux, métaphore de la Lumière divine. Les verres colorés conduisent l'intelligence humaine limitée à une conception plus haute : par leur matérialité resplendissante, ils conduisent l'esprit à la compréhension de l'émanation divine, « car lumineux est ce qui est lumineusement accouplé avec la lumière. Et lumineux est le noble édifice que la nouvelle clarté envahit », dit-il dans un poème en latin.

Même les dictionnaires modernes reflètent le statut étrange du verre : ils sont incapables de définir le type de substance que l'on nomme ainsi, qui se compose de silicium de sable et de diverses autres substances, stabilisantes, colorantes…, autrement que par son état dit vitreux. L'état vitreux lui-même

Jean de Mandeville, *Voyages d'outremer* : fabrication du verre. Londres, British Museum.
Jean de Mandeville est l'auteur d'un récit de voyage qui eut bien plus de succès que celui de Marco Polo.

renvoie à l'idée d'une structure liquide alliée à une consistance solide. Autant dire qu'avant d'être sous le signe du secret, le verre est sous celui de l'Antiquité. Si de l'or est de l'or, même mélangé, le verre n'existe que comme résultat d'une opération qu'ignore la nature : le sable ne contient du verre que comme improbable virtualité. Autant de pouvoirs à utiliser et d'énigmes à percer.

Gravure extraite de l'*Encyclopédie* de Diderot et d'Alembert : opérations de soufflage des glaces.

Celles-ci commencent avec l'origine même du verre. Elle est antérieure au XVe siècle av. J.-C. : le verre se répand rapidement dans le monde méso-potamien et égyptien. Le premier verre connu est un œil de verre. Il est vraisemblable que la découverte du verre soit accidentelle et qu'une pre-mière pâte se soit produite par la combinaison de silicium de sable et de divers oxydes métalliques au cours d'une fusion intense.

Une des hypothèses les plus connues a été popularisée par l'*Histoire natu-relle* de Pline. Il attribue l'invention à des marins phéniciens, marchands de nitre (sorte de salpêtre) ou peut-être de natron, ou natre, un carbonate hydraté naturel du soufre. Ceux-ci s'étant arrêtés sur le rivage à l'embouchure du fleuve Bélus (l'actuel Nahr Naaman près de l'ancienne Saint-Jean-d'Acre), où le sable est particulièrement pur, ils préparèrent leur repas en faisant chauffer du nitre, et « quand ce nitre brûla, mêlé au sable du rivage, ils virent couler des ruisseaux transparents d'un liquide inconnu, et ce fut l'origine du verre ». Cette version n'est pas vraisemblable, ne serait-ce que parce que la température d'un feu de plein air est insuffisante : faire fondre du nitre et du sable requiert au moins 1 000° C.

Cette explication est concurrencée par d'autres qui font de la verrerie un accident, fruit de quelque fusion prestigieuse. Les historiens du verre du XVIIᵉ siècle se sont montrés imaginatifs en ce domaine : pour l'Anglais Merret, au cours de la construction de la tour de Babel, des potiers ou fabriquants de briques auraient produit involontairement la première pâte de verre. Le Français Haudicquer de Blancourt attribue la découverte au Tubal-Caïn de la Genèse, le huitième homme après Adam, qui forgeait des armes de fer et d'airain. À côté, presque décevante est la version du Florentin Antonio Neri. Dans le premier livre imprimé consacré au verre, en 1612, il cite l'hypothèse de « chimistes qui en rencontrèrent la composition en cherchant celle de pierres précieuses factices ».

Sous-produit de la métallurgie, de la céramique ou de l'industrie d'un faussaire, le verre est visiblement un matériau à haute valeur symbolique. Mais avant de devenir symbole, le verre reste longtemps un matériau fruste. Sa technologie reste relativement stable. La pâte du verre antique, en particulier, mêlée de scories de coquillages ou de dépôts naturels de natre, insuffisamment vitrifiée, est ouvragée de façon rustique. La pâte siliceuse est étendue sur des modèles tenus au bout d'un mandrin, un moule de sable pressé en général, et l'artisan tente d'obtenir une surface unie en régularisant des couches répétées. Cette technique du moulage est concurrencée, à partir du Iᵉʳ siècle de notre ère, par celle du soufflage qui se développe dans le monde romain. Les Romains importent du verre égyptien – cela fait même partie du tribut exigé par César – avant de créer leur propre industrie du verre.

Le soufflage suppose une meilleure composition de la pâte, plus pure, une meilleure cuisson dans un four plus chaud et plus régulier, de meilleurs creusets dont les éléments ne se mêlent pas à la pâte siliceuse, un affinement plus lent et plus régulier par refroidissement. Le résultat est un verre vraiment fin et transparent qui concurrence des verres opaques colorés en vert par le fer ou en bleu par le cuivre. Le verre fait l'objet d'échanges commerciaux intenses dans le monde méditerranéen et le Moyen-Orient. Pline cite comme exemple d'un luxe inouï la construction commandée sous Sylla par un riche citoyen, Scaurus. Celui-ci fit construire un théâtre à trois étages, un de marbre, un de bois doré et un de verre, « genre de luxe dont il est peu d'exemples ». Le bâtiment était capable d'accueillir 80 000 spectateurs.

Des artisans syriens ou carthaginois s'installent en Italie, en Espagne, dans la région rhénane, en Gaule, en particulier à Lyon où l'on retrouve la

Vase à parfum romain, trouvé à Rabat, fin du Iᵉʳ - début du IIᵉ siècle. Rabat, Musée archéologique.

stèle d'un maître verrier carthaginois. Une industrie est née, que compromettront les invasions barbares qui obligeront la verrerie à se réfugier à Byzance. Le commerce du verre s'étend jusqu'en Chine sous les Han : il est importé par des marchands indo-scythes. Il va jusqu'en Corée où on retrouve des verres provenant de l'Orient romain sous la période Silla. Même si des études chimiques récentes laissent place à l'hypothèse d'une fabrication locale antérieure aux Han, le verre aurait donc fait partie des produits occidentaux typiques de la route de la soie. La technique du verre elle-même aurait été importée vers la première moitié du Vᵉ siècle par des artisans étrangers.

Il existe un commerce international du verre, des transferts de connaissances, des artisans qui s'expatrient avec leurs techniques propres, mais à ce stade pas de secret avéré. Cette innovation revient à Venise. La République la plus durable de l'histoire (onze siècles) n'a pu survivre sans pratiquer l'art de la dissimulation, la surveillance des citoyens et des étrangers, la dénonciation, la conspiration et l'espionnage, le renseignement et le complot. La ville sans terre, bâtie sur la lagune, qui n'a d'autre ressource que son commerce et son audace comprend la valeur du monopole, quand, au XIIIᵉ siècle, elle se trouve de fait le fournisseur en verre de l'Europe, exploitant l'héritage de Constantinople. Un premier décret du Grand Conseil de 1285 punit de confiscation l'exportation des matières premières de la verrerie, des recettes de fabrication et même du verre cassé. Ce qui ne manque pas d'ironie, si l'on se souvient que la Sérénissime faisait venir son sable de Dalmatie, son bois de Carinthie, ses ouvriers de Turquie et de Grèce.

Souffleurs et spadassins

En 1291, le Conseil prend une précaution supplémentaire : sous prétexte des dangers d'incendie, il regroupe tous les verriers sur l'île de Murano, où il sera plus facile de les surveiller. Les rapports entre propriétaires des fours, maîtres verriers qui louent ces fours et ouvriers sont soigneusement fixés par les règlements de la corporation. L'indépendance des maîtres verriers, réputés pour leur savoir-faire et possesseurs de secrets de fabrication, est assurée ; ils forment quelques familles illustres dont les noms sont encore au front des verreries de Murano. À la fin du XIIIᵉ siècle, les verriers inventent de nouveaux produits : les fausses perles soufflées, des variétés de verre coloré et d'aventurine. Une légende locale prétend que toutes ces innovations furent déclenchées par les récits de Marco Polo, de retour d'un quart de siècle d'expédition, et qui révéla à ses concitoyens la richesse du marché de l'Inde et de la Chine sous la domination des Mongols. La tendance systématique à tout attribuer à Marco Polo laisse sceptique, mais l'importance du quasi-monopole vénitien est indéniable…

Au XVᵉ siècle, la chronique raconte le vol de secrets par un certain ouvrier venu de Spalato, Giorgio. Il est surnommé ironiquement « le danseur », *Ballarin* en dialecte, parce que boiteux. Il se fait engager chez les fameux verriers Barovier. Barovier possédait des formules de coloration du verre sans doute mises au point avec le chimiste Paolo Goli, et il avait pris soin de les noter, sur des papiers qu'il gardait sous clef. Ballarin apprend son métier et observe tout. Peut-être même parvient-il à séduire la fille de la maison, Marietta qui garde les clefs en l'absence de son père. Il parvient un jour à pénétrer jusqu'au coffre qui contient les formules secrètes pour les recopier. Menaçant de tout révéler à la concurrence, il fait acheter son silence par le maître, épouse Marietta avec une bonne dot et ouvre son propre four. Cela lui permet bientôt d'inscrire le nom de Ballarin au nombre des familles illustres de la Sérénissime.

Est-ce pour éviter de tels cas d'espionnage industriel qu'en 1490 la surveillance directe des verreries est confiée au chef du conseil des Dix ? Au siècle suivant, l'affaire revient à l'inquisition d'État fondée en 1539, c'est-à-dire à trois magistrats, deux membres du conseil des Dix surnommés « les noirs » et un conseiller ducal, surnommé « le rouge » en raison de son habit écarlate, qui sont chargés des enquêtes pour le Tribunal suprême. Cette inquisition-là, sans aucun rapport avec l'Inquisition de l'Église, n'en est pas moins redoutable. Une sombre légende, à laquelle n'a pas peu contribué Casanova, en fait les chefs d'un service de police, d'espionnage et d'assassinat. Un diplomate vénitien disait d'eux qu'ils usaient « plus d'action que de proclamations, non pas de feux et de flammes, mais de l'art de faire mourir secrètement qui le mérite ». Il devait y avoir quelque vérité dans cette réputation de maîtres des sicaires, à en lire l'article 26 de leurs statuts. Il est consacré aux verriers fugitifs : « Si quelque ouvrier ou artiste se transporte en dehors, il lui sera envoyé ordre de revenir. S'il ne revient pas, on mettra en prison les personnes qui lui touchent de près. Si, malgré l'emprisonnement de ses parents, il s'obstinait à vouloir demeurer à l'étranger, on chargera quelque émissaire de le tuer. »

Balsamaire à panse piriforme romain, Maroc, Iᵉʳ siècle. Tanger, musée de Kasbah.

Gobelet en verre romain, trouvé à Banyas (Syrie), IVᵉ siècle. Paris, musée du Louvre.

Au siècle suivant, Colbert parvient pourtant à débaucher quatre verriers de Murano pour apprendre comment les Vénitiens fabriquent leurs miroirs. Autour de ce noyau d'experts, il crée la Manufacture des glaces du faubourg Saint-Antoine en 1665, et, bientôt, embauche d'autres Vénitiens. À Tourlaville, en Normandie, un établissement reçoit la même année un privilège royal. Un des associés dénommé Poquelin, cousin de Molière, et auparavant importateur de glaces de Venise profite de ses réseaux pour faire venir des ouvriers dont le débauchage est systématiquement organisé. Non sans à-coups. Menaces ou promesses de l'inquisition d'État furieuse de voir fuir la technologie du miroir qui rapporte tant à Venise, voici que les ouvriers repartent en sens inverse. On les rattrape à Lyon et on les enferme au fort de Pierre-Scize. Défense est faite aux maîtres verriers de recueillir des ouvriers fugitifs et plus tard La Pommeray, directeur de Saint-Gobain demandera même que ces derniers soient condamnés aux galères.

En 1695, la Manufacture des glaces du faubourg Saint-Antoine fusionne avec la Manufacture des glaces de France (Saint-Gobain) et la manufacture de Tourlaville pour former une société par actions à la pointe de la technique. On y fabrique de la glace coulée, une technique sophistiquée. Il faut en effet savoir étendre le verre soufflé au bout de la canne pour former un cylindre que l'on fend et étend sur une table plane, ou encore lui donner forme par rotation. Outre une connaissance poussée des techniques de réchauffage, cette opération requiert un personnel très habile. La formation d'un ouvrier demande dix ans, sans parler des maîtres ouvriers, appelés gentilshommes, seuls autorisés à couper les glaces.

Colbert interdit l'importation de glaces de Venise comme l'exportation des sables de Creil et de Dieppe utilisés pour les fours. Et, à la Manufacture, tout est surveillé, surtout les déplacements des ouvriers qui logent sur place. Pas question de découcher : les portes de la Manufacture ferment le soir comme celles d'un pensionnat. Nous sommes maintenant dans une logique industrielle du monopole : secret des procédés de fabrication, contrôle des approvisionnements et des compétences, surveillance et confidentialité deviennent les nouvelles règles de la concurrence.

Au XVIIIe siècle, la guerre des espions et des ouvriers verriers se poursuit. À Venise, on ne trompe toujours pas impunément la vigilance de l'inquisition d'État. Des ouvriers débauchés par l'empereur Léopold II en auraient fait les frais. Les historiens ont trouvé au moins deux pièces qui montrent que l'inquisition d'État n'oubliait jamais les fugitifs et appliquait toujours le fameux article 26. « Pris la résolution, dit le premier document, d'enlever du monde Pietro Vetor fugitif qui est à Vienne et Antonio Vistosi qui est à Florence. En conséquence, ordre est donné à Messer Grande (le chef de la police) de trouver deux hommes propres à tel dessein. » Les archives révèlent même que l'assassin de Vienne toucha 50 sequins d'avance, et celui de Florence 80. Un bureaucrate consigne dans un autre document qu'ils devaient toucher chacun 100 sequins « la chose faite » et qu'à chacun « fut donnée la chose propre à enlever du monde lesdists hommes ».

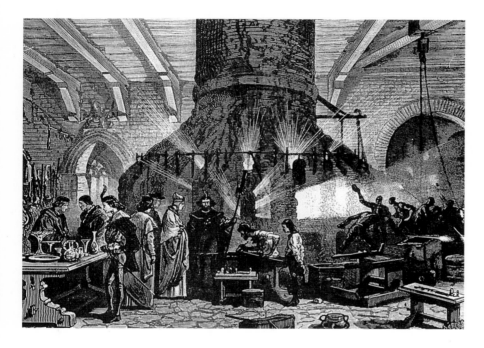

« La visite des doges à Murano », extrait de l'*Album de l'Industrie*, vers 1875. Venise fait protéger le secret de ses verreries par des lois rigoureuses et des spadassins qui poursuivent les traîtres. Cela n'empêchera pas un agent secret de Colbert de débaucher des ouvriers de Murano pour apprendre les techniques des verriers.

À la même époque, la chasse aux verriers fugitifs n'est pas moins prise au sérieux en France. Chez nous, on se contente, il est vrai, de les emprisonner. Des ouvriers de Tourlaville débauchés par la verrerie de Fère-en-Tardenois sont ainsi enlevés en 1775 par un intendant qui les enferme dans les prisons de Soissons. Six ans plus tard, le comte de Vergennes apprenant qu'un gentilhomme verrier, Le Vaillant de Plémont, va se vendre à l'étranger réunit quelques-uns de ses amis et s'empare du fugitif à Arras. Il le livre à la justice qui l'incarcère au Mont-Saint-Michel, exactement comme s'il avait fui avec des secrets d'État. Enfin, en 1785, le Conseil d'État prend un décret faisant défense aux ouvriers, employés et serviteurs travaillant dans certaines manufactures – Saint-Gobain, Tourlaville, le faubourg Saint-Antoine – de quitter leur service sans un congé dûment demandé deux ans à l'avance, de s'éloigner de plus d'une lieue de leurs établissements sans la permission de leurs commettants, le tout sous menace de peines pécuniaires et corporelles.

Secrets de vision, secrets de l'Univers

La technique du verre est au centre d'une autre révolution technique. Tout commence par l'apparition d'une curiosité scientifique, des lentilles grossissantes combinées. Dès le début du XIVe siècle il est question de « verres pour les yeux afin de lire », autrement dit de lunettes. Certains en attribuent la paternité à Roger Bacon qui s'était passionné pour l'optique théorique, une science remontant à l'Antiquité et qu'avaient développée les penseurs arabes. Les lentilles se perfectionnent lentement à Venise et dans les Flandres où le commerce des lunettes et loupes se développe. À la fin du XVIe siècle on fabrique déjà une première longue-vue assez sommaire : deux lentilles – une concave, une convexe – à chaque bout d'un tube qui ne donnent qu'un grossissement par deux. Tel est du moins l'instrument que décrit G.B. Della Porta dans sa *Magie naturelle*. La fabrication de verres grossissants suppose un travail de taille et de polissage du verre : le verre était taillé grossièrement, puis meulé avec un disque de métal concave. Une poudre abrasive était frottée à l'aide de boules de bois jusqu'à ce que l'on atteigne empiriquement la convexité recherchée.

L'idée qu'une science de l'optique va bientôt produire des techniques surprenantes est dans l'air. Du moins s'il faut en juger par les intuitions d'un autre Bacon, Francis, chancelier et philosophe mort en 1626. Dans son grand texte utopique, *La Nouvelle Atlantide*, publié un an après sa mort, Bacon décrit en effet l'île de Bensalem où une sorte de comité des sages réuni dans la Maison de Salomon crée ce que nous nommerions aujourd'hui un centre de recherche scientifique. L'auteur énumère des découvertes futures. Le domaine de l'optique semble promis à des développements spectaculaires et il lui fixe un programme que la science mettra quelques siècles à réaliser : « Nous montrons toutes les intensifications de la lumière que nous faisons porter à grande distance et que nous rendons assez vive pour pouvoir discerner les points et les lignes les plus infimes. Nous montrons également toutes les colorations de la lumière, toutes les illusions qui peuvent tromper la vue en ce qui concerne la figure, la grandeur, le mouvement

Edouard Pingret, *Visite de la duchesse de Berry à Saint-Gobain en 1824* (détail) : coulage de la glace. Collection Saint-Gobain. Pour que les manufactures françaises puissent produire des miroirs, comme ici à Saint-Gobain, il a d'abord fallu que des espions en dérobent le secret aux Vénitiens.

Joast Amman,
Le Fabricant de lunettes,
1568. Les lunettes
de vue remontent au
XIVᵉ siècle, et certains
en attribuent l'invention
à Roger Bacon.

et la couleur… Nous avons même le moyen de voir des objets situés au loin, dans le ciel par exemple ou dans des endroits éloignés, et de faire apparaître les objets proches lointains et les objets lointains proches : ainsi nous falsifions les distances. Nous avons aussi des instruments susceptibles de seconder la vue, bien supérieurs aux lunettes et aux verres d'usage courant. Nous avons aussi des verres qui nous permettent de voir des objets petits, minuscules même, de façon distincte et parfaite… »

Ottario Leoni, *Portrait de Galilée*. Florence, bibliothèque Marucelliana. Galilée fut le premier à observer de nouvelles étoiles et de nouvelles planètes « au moyen des *perspicilli* (la lunette) qu'[il] avai[t] inventés de par une illumination préalable de [s]on esprit par la Grâce divine ».

En ce début du XVIIᵉ siècle rien de cela n'existe encore. Soudain, sur une période de trois ans, les inventions de lunettes d'approche se multiplient. D'abord, en 1606, un opticien de Middelbourg en Hollande réclame aux états généraux de son pays le privilège pour trente ans de construire un instrument destiné à voir les objets très éloignés, ce qui équivaut à déposer un brevet. Il aurait eu, dit-on, l'idée de combiner une lentille concave et une convexe à chaque bout d'un tube après avoir observé un jeu de ses enfants qui s'amusaient avec ses instruments d'optique. Peu après, en 1608, un savant hollandais, Métius, a la même idée. On dit aussi que, l'année d'après, un opticien parisien proche du Pont au Change montrait une pareille curiosité, sans doute achetée à Middelbourg. La rumeur apporte la nouvelle de l'invention jusqu'à Venise où Galilée la reconstitue sans l'avoir vue.

En 1609 Galilée écrit à son beau-frère : « Vous devez donc savoir qu'il y a environ deux mois, le bruit courut qu'en Flandres on avait présenté au comte Maurice une lunette fabriquée avec un art tel que les choses très lointaines semblaient, grâce à lui, voisines, si bien qu'un homme pouvait être vu à la distance de deux milles. Cela me parut un effet si merveilleux qu'il me donna l'occasion d'y penser ; et ne me paraissant qu'il fallait prendre fondement sur la science de la perspective, je me mis à réfléchir à sa fabrication, que je retrouvai enfin et si parfaitement que j'en fabriquai une meilleure que celle de Flandre. »

Cette belle invention lui semble d'abord propre à des usages pratiques : il la présente au Sénat de Venise et montre comment on peut observer la mer et rapprocher l'image des navires. Les Vénitiens comprennent l'intérêt de cette longue-vue et Galilée est doté d'une pension de 1 000 florins par an. Galilée, réalisant en partie le programme de Bacon, pense à d'autres applications : le microscope encore assez sommaire avec lequel il se contente d'observer moustiques, teignes et mouches, mais surtout la lunette astronomique. On connaît la suite : levant sa lunette vers le ciel, Galilée observe la Lune dont il aperçoit les cratères et montagnes, le Soleil et ses taches, Saturne dont il découvre l'anneau mais interprète mal la forme, croyant le globe central de la planète entouré de deux demi-ellipses portant des triangles sombres. Il découvre surtout quatre satellites tournant autour de Jupiter. C'est la confirmation des théories de Copernic, c'est la ruine du système dominant, celui de Ptolémée qui suppose un Univers fini et clos, fait de sphères mues par un mouvement circulaire uniforme autour d'un centre qui est le Soleil. Cela contredit tout à la fois la représentation dominante de l'Univers, les dogmes de l'Église, la physique et la cosmologie d'Aristote et quelques siècles de philosophie. Deux bouts de verre taillé provoquent une révolution scientifique immense : car ce que Copernic avait démontré théoriquement, à savoir que le Soleil n'était pas au centre du monde, la lunette de Galilée le prouvait empiriquement, produisant en outre une nouvelle théorie astronomique, une redéfinition des rapports entre science et expérience.

Si, métaphoriquement, ces deux bouts de verre violent un secret de l'Univers, pratiquement, les développements de l'optique appellent de nouvelles inventions et suscitent de nouveaux secrets technologiques. Le verre, ce grand transmetteur, entre désormais dans le monde de l'innovation industrielle où ses applications, liées à autant de brevets, procédés et secrets, se multiplient. Cristaux, verres optiques, verres colorés ou filtrants, verres trempés, verres armés, laines et composites : le verre suscitera d'innombrables métamorphoses. Notre époque, placée sous le signe de l'architecture du verre et de la fibre de verre la plus apte à transmettre d'énormes débits d'images et de bits informatiques plus que toute autre, en apporte la preuve.

Johannes Hevelius, *Selenografia sive Lunae descriptio* : Dantzig, 1647. Paris, Bibliothèque nationale de France. Les progrès de la technique du verre accroissent les performances des lunettes. Hevelius (1611-1687) publie la *Sélénographie*, le premier atlas de la Lune. Il traite également de la fabrication des lentilles.

« Il est bon de relever la force, la vertu, les conséquences des choses inventées ; qualités qui ne se présentent nulle part plus clairement que dans ces trois inventions, inconnues des Anciens et dont les commencements, quoique récents, demeurent obscurs et sans gloire : l'imprimerie, la poudre à canon et la boussole », dit Francis Bacon. La thèse s'est imposée depuis : l'essor de l'Europe à la Renaissance tient à l'art de répandre les idées, de tuer, de parcourir les mers.

Le papier, la poudre, la boussole, la carte et les techniques qui en découlent, imprimerie, armement, arts de la navigation sont sans valeur marchande mais permettent de nouvelles performances : reproduire et diffuser des textes, vaincre une armée, connaître et parcourir le monde. Ce sont des systèmes multiplicateurs qui donnent à une activité humaine une ampleur inédite.

Ici le secret est bien réel : pas de mythes ou de légendes mais des méthodes et des données sûres. En même temps, ce secret de pure connaissance ne repose ni sur le monopole d'un territoire ni d'une ressource rare. Les moyens et instruments sont à la portée de tous et les secrets qu'ils impliquent consistent plutôt en leurs usages et effets.

En même temps, papier, poudre, carte naissent dans un monde en conflit. Les batailles d'idées ou les affrontements des empires dépendent de la force et de la vertu de ces « choses nouvelles ». L'État y est intéressé au premier chef, qui veut conserver le contrôle des moyens de propagation, de destruction ou d'exploration. Carte, poudre et imprimerie favorisent l'État fort, et l'État prend conscience du lien entre politique et technique. Donc de la nécessité du secret.

Il n'y a pas d'État sans secret : la prudence impose de dissimuler à ses adversaires ses prochaines offensives ou ses faiblesses. Mais le silence et la dissimulation du Prince prennent alors une ampleur particulière dans la pensée politique. Comme le note Bodin, un souverain doit « tenir ses résolutions secrètes, lesquelles, découvertes, ne servent pas plus que mines éventées ». L'idée que le Prince doit être impénétrable est une constante, de Machiavel jusqu'à Cardin le Bret qui a cette formule définitive : « C'est la gloire d'un roi que d'être secret en ses conseils : *Gloria Dei celare verbum.* » Mais le Prince, en plus de masquer ce qu'il fera et décide avec ses conseillers, doit aussi dissimuler ce qu'il sait, ce que savent ses agents et, maintenant, ce que savent ses savants.

D'autre part, dès le Moyen Âge, les chartes des guildes et corporations prévoient des obligations de discrétion. Un impératif de silence s'impose aux apprentis. Des rites, des serments, des signes occultes resserrent les liens dans la communauté. La valeur accordée à la diffusion de l'innovation est longue à s'imposer. Traiter les connaissances techniques comme des valeurs marchandes suppose une séparation entre activité économique, tradition, solidarité communautaire, croyances religieuses. C'est un long processus.

2

INVENTER ET REPRODUIRE

LA CARTE, SECRET DU MONDE

« La géographie, ça sert d'abord à faire la guerre », selon une boutade. Le conflit du Kosovo de 1999 a démontré que celui qui possède l'image du monde, et dispose de satellites et de caméras, a déjà gagné contre celui qui est aveugle, visible, cloué au sol. Les stratèges discutent d'une supposée révolution des Affaires militaires. Elle instaurerait une dissymétrie inédite. Un camp – les États-Unis pour ne pas les nommer – disposerait d'une vision totale de tout champ de bataille par sa capacité d'observation et de calcul ; de là découlerait le pouvoir de frapper en tout point de la Terre grâce à des armes de très haute précision. En face, ceux que l'on n'ose plus nommer les adversaires, tant ils semblent plutôt destinés à subir un châtiment que capables de mener une guerre : chacun de leurs mouvements est connu, ils laissent sur le terrain ce que les militaires nomment une « signature ». Leur territoire est filmé et répertorié, ils ne savent rien de l'adversaire qui les châtie depuis Washington, ni où il est, ni d'où vont partir ses coups. Ils attendent d'être frappés du ciel.

Fantasme ? Obsession de quelques généraux maniaques des Nouvelles Technologies de l'Information et de la Communication ? Rêve d'ubiquité : observer la planète entière d'une chambre de guerre au cœur du Pentagone ? Illusion d'avoir dissipé à son seul profit ce que Clausewitz appelait le brouillard de la guerre ? Peut-être, mais aussi rappel d'une vérité éternelle : savoir où l'on est et où est l'adversaire est la condition de toute victoire.

Entre stratégie et représentation

Dans un registre moins martial, quiconque a navigué sur un bateau de construction récente a pu voir fonctionner un « GPS » (*Global Positioning System*), appareil qui renvoie au musée sextant et tables de logarithmes. Le GPS est né de la fusion de deux programmes militaires américains, un de l'US Navy, l'autre de l'US Air Force : la combinaison de leurs ressources et de leurs satellites a permis de fournir aux civils un système de positionnement en trois dimensions. L'échange de données avec quelques-uns des vingt-quatre satellites placés sur orbite permet à un utilisateur civil dit « non privilégié » de se situer instantanément avec une précision d'une centaine de mètres. Pour leur part, les militaires américains sont informés avec une précision inférieure à dix mètres sur le plan horizontal, et à quinze sur le plan vertical, les signaux qu'ils reçoivent n'étant pas soumis à la même dégradation que ceux destinés aux civils.

De même, la fusée américaine *Athena II* a lancé le satellite commercial *Ikonos* qui réalisera des photos dont la précision est de l'ordre d'un mètre, exploit comparable à celui du satellite militaire français *Hélios I.* Les images d'*Athena* commercialisées pour des usages civils, surveillance écologique, géographie, cadastre, etc., sont très inférieures à celles dont dispose le Pentagone qui avoue saisir des détails de 12 cm. Bien sûr les photos d'*Ikonos* font l'objet de restrictions sélectives en fonction de la nationalité des acheteurs. Pas question d'en vendre à ceux que les Américains nomment les « États-voyous ».

Conclusion évidente : l'information géographique n'est pas libre et est souvent soumise au secret d'État. Il n'y a pas si longtemps, les cartes russes ordinaires étaient connues pour leur imprécision. Les Occidentaux étaient étonnés de ne pas trouver en URSS l'équivalent des cartes commercialisées par l'IGN, voire de simples cartes Michelin. Celles qui étaient fabriquées à l'étranger étaient parfois plus fidèles que celles que l'on trouvait sur place. L'explication en était, tout naturellement, l'obsession soviétique de l'espionnage. Ainsi « trente villes interdites » qui abritaient des sites sensibles, usines ou installations militaires étaient purement et simplement gommées : elles étaient désignées uniquement par leur code postal. Certes, il existait des cartes d'excellente qualité, mais leur accès était restreint à quelques utilisateurs sûrs. D'autre part, pour protéger leurs secrets lorsqu'ils ne pouvaient nier l'existence d'un lieu, les Soviétiques publiaient des cartes et documents sur lesquels

Vermeer, *Le Géographe*, 1669, Francfort, Stadelsches Kunstinstitut. La Hollande devient la nouvelle capitale de la cartographie.

114

coordonnées et projections étaient falsifiées, ce qui rendait toute localisation impossible ou du moins très malaisée. L'ex-URSS accordait à la cartographie une telle importance que trois « départements spéciaux » avaient à charge la conservation des cartes authentiques. Preuve que l'on prenait au sérieux le principe selon lequel qui possède l'image de la Terre domine la Terre.

La carte ou, de façon plus générale, toute description du monde est soumise à une double logique : comme tout pouvoir, elle doit tantôt se montrer, tantôt se cacher. C'est pourquoi, tout au long de l'histoire, les cartes ont été

Manuscrit anglais du XIIIᵉ siècle : Carte du monde avec en son centre Jérusalem. Londres, British Library. La forme du monde est symbolique et la Ville sainte est en son centre géométrique.

autant exhibées pour des raisons idéologiques que dissimulées pour des motifs stratégiques. Nombre d'entre elles ont servi à représenter le monde connu à des fins d'édification, de glorification de l'œuvre divine ou d'apologie d'un souverain. Elles furent aussi objets de délectation, cadeaux appréciés, ornements des bibliothèques royales, coûteux éléments de prestige pendant tout le Moyen Âge. De nos jours encore, les cartes portent souvent un message politique, affirmant des frontières, imposant un nom à un lieu. Le simple emploi de l'expression « golfe Persique » a provoqué des controverses, réunions et conférences de presse pendant des années dans les agences des Nations unies. De même, nombre de pays ont continué a désigner le territoire d'Israël comme Palestine. Ce que l'on ne nomme pas est nié, ce qui ne se voit pas est déjà conjuré.

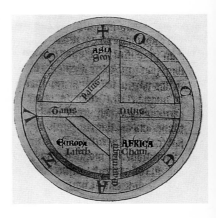

Les cartes les plus anciennes, très schématiques, qui se contentent souvent de rappeler la configuration générale du monde, proclament un message implicite, le plus fréquent étant simplement : « Nous sommes au centre du monde. » La première carte connue est mésopotamienne ; elle représente un monde rond entouré du golfe Persique et centré autour de Babylone. C'est aussi le cas des cartes chinoises qui représentent le monde en cercle, les peuples étrangers s'ordonnant autour de l'Empire du Milieu suivant leur degré de barbarie. Ou encore des cartes médiévales qui schématisent un univers circulaire dont le centre se trouve à Jérusalem.

Il y a donc cartes et cartes. Toutes ne se prêtent pas également à la pédagogie ou à la stratégie ; toutes n'ont pas la même valeur pratique. Elles ressortissent à plusieurs domaines. Tantôt c'est à la cosmographie, elles dessinent alors la Terre au sein de l'Univers ; tantôt à la géographie, et elles représentent la Terre ou une de ses parties ; tantôt à la chorographie, c'est-à-dire qu'elles offrent la figuration d'un pays, d'une région ; tantôt à la topographie qui est le dessin d'un lieu, d'une ville, d'un village ou d'un site particulier. Du plus grand au plus petit, la carte est de plus en plus détaillée, précise, et souvent de plus en plus secrète. Mais, du plus petit au plus grand, c'est souvent le sens symbolique et le message qui deviennent plus forts. La forme d'un continent importe peu à un général, le cours de la première rivière qu'il rencontrera, énormément.

Suivant les besoins, les cartes représentent le territoire que l'on doit protéger, ou le chemin que l'on veut rééditer. Dans le premier cas, on comprend

Mappemonde extraite du *Ethimologiarum Libri Virginti* de Saint Isidore de Séville, fin du XIIIᵉ siècle. Lisbonne, Bibliothèque nationale.

Tablette babylonienne (vers 400 av. J.-C.). Représentation caractéristique du monde circulaire entouré par l'océan. Au centre, la Mésopotamie.

l'intérêt, dans une optique purement défensive, de dissimuler le détail d'une route ou l'emplacement d'un site sensible dont l'existence est connue mais le lieu secret. Dans le second cas, il faut faire la course contre un concurrent, arriver le premier et gagner un comptoir, une étape où relâcher, une mine, ou toute autre ressource. Il faut consigner le résultat de nouvelles explorations ou garder l'exclusivité de connaissances précieuses. Les premières cartes répondent à la question « où ? », les autres à la question « comment ? ». Les premières cartes représentent un danger potentiel, les secondes un avantage temporaire dans une situation d'information imparfaite.

La taille et l'usage des cartes en déterminent donc, suivant les époques, les conditions politiques ou les habitudes culturelles, la valeur et la confidentialité. Mais tout cela n'est sensé qu'autant qu'elles sont vraies et utilisables.

Erreurs de cartes et secrets du monde

Du bouclier d'Achille décrit par Homère, et où l'unique continent des terres habitées est entouré par le fleuve Okéanos, jusqu'à l'Atlas de Mercator, la part des messages, symboles et secrets que comporte la carte varie. Les cartes se prêtent à une lecture a posteriori, qui explique comment leurs erreurs et leurs insuffisances ont eu des conséquences historiques. La carte de Ptolémée est peut-être la plus fameuse. Au IIᵉ siècle de notre ère, l'astronome

Icy commence le xv liure du ppetaire
L aide de dieu il
fault dire au laie
chose des pties de la
terre et des prouices
plesquelles le monde est deuise en gñal
et ne dirons pas de toutes mais seulle

ment de celles dont la sainte escripture
fait souuent mention. Icy commence
le premier chapp q parle de la diuisio du mõ
Elon ysidoire ou ex
e liure des ethimolo
gies le monde est
deuise en trois pties

et géographe alexandrin imagine un système au centre duquel la Terre se tient immobile, entourée d'astres en mouvement. Il explique le tout par une construction intellectuelle très complexe et qui perdurera jusqu'à Copernic, Galilée et Newton. Mais sa géographie est tout aussi importante que son système du monde. C'est une œuvre de synthèse des connaissances antérieures. Il y calcule astronomiquement 350 points et y localise 800 sites.

Pourtant, cet ouvrage comporte deux déformations majeures lourdes de conséquences. Claude Ptolémée s'est trompé en calculant la circonférence de la Terre qu'il a beaucoup sous-estimée et en plaçant au sud de l'Équateur un continent qui rejoindrait l'Afrique et l'Asie. Ces deux erreurs resteront insoupçonnées pendant des siècles. L'une permettra la découverte de l'Amérique, Christophe Colomb croyant le voyage aux Indes par la mer Occidentale beaucoup plus court et sans obstacle. L'autre a considérablement retardé le contournement de l'Afrique et l'exploration de l'océan Indien.

L'histoire de la cartographie jusqu'aux Grandes Découvertes est pleine d'erreurs, que l'on peut regrouper en deux catégories. Les premières se rapportent généralement à la cosmographie et sont souvent le reflet d'une conception du monde d'ordre philosophique, religieux, politique. Le monde obéit à un ordre global et les géographies sont purement symboliques : ainsi en est-il de la terre cubique des Japonais, des quatre continents aux quatre points cardinaux en Inde, de la terre en forme de mandala, des sept terres et sept mers du brahmanisme, du monde cubique avec le mont Meru dominant la terre et la divisant en quatre dans le bouddhisme, du monde plat et rectangulaire d'Anaximène, des globes sans hémisphère sud puisque Dieu n'aurait pu créer des êtres qui vivent la tête en bas et surtout les placer au-delà de l'Équateur infranchissable, là où ils n'auraient pas pu recevoir le message du Christ. Ainsi en est-il également de l'affirmation que l'Univers a la forme d'un tabernacle comme le croit Cosmas Indicopleutès, de la théorie des quatre continents destinés à équilibrer le poids de la terre, de la terre des Antichtones dans l'hémisphère sud séparée de nous par l'océan immense (idée suspecte d'hérésie : comment ses habitants, absents de l'arche de Noé, auraient-ils échappé au déluge ?), etc. La plupart des représentations médiévales de la Terre sont des cartes dites « TO » car elles ont la forme d'un cercle contenant un T qui sépare les trois continents Europe, Afrique, Asie, Méditerranée, Don et Nil formant une sorte de Tau, Jérusalem au centre de tout. Les interprétations allégoriques (la Trinité, la Croix, les trois fils de Noé,

Claude Ptolémée, *Géographie*, manuscrit du XVᵉ siècle : Ptolémée avec compas et quart de cercle. Paris, Bibliothèque nationale de France.
Claude Ptolémée, au IIᵉ siècle de notre ère, produit une *Géographie* comportant les coordonnées de 350 points, œuvre qui restera sans égale jusqu'à sa redécouverte en Europe au XIIIᵉ siècle.

etc.) qui se greffent sur cette figuration sont multiples. Ici les erreurs sont théologiques, logiques ou « symboliques ».

Les secondes erreurs affectent un lieu précis et reflètent le plus souvent l'idée que l'on se fait du lointain, déformé, magnifié. Il est peuplé d'animaux ou d'êtres étranges, composé de pays féeriques ou horribles, Enfer ou Paradis. L'origine de ces merveilles remonte généralement à la Bible, au bestiaire de l'Antiquité. Citons pêle-mêle : le royaume de Gog et Magog isolé par la muraille construite par Alexandre, le pays des Sciapodes qui n'ont qu'un seul pied, des Cynocéphales à tête de chien, celui des Astomes qui ne se nourrissent que de parfums, des Cyclopes, celui des Amazones, le Paradis terrestre, etc. Ceci vaut pour nos propres cartes médiévales, mais pas seulement en Europe. Le monde islamique bénéficie à la fois de l'héritage ptoléméen, de remarquables connaissances mathématico-astrologiques, des observations de ses marins et marchands et d'une plus grande familiarité avec le monde de la Sérinde et de l'océan Indien. Mais, même

Ci-dessus :
Carte de l'Amérique du Sud, milieu du XVIᵉ siècle. Paris, Bibliothèque nationale de France. Au milieu du XVIᵉ siècle, la géographie des terres d'Amérique est encore largement méconnue.

Double page suivante :
Lopo Homem, Atlas connu sous le nom d'*Atlas Miller*, vers 1519 : La côte arabique et l'Inde. Paris, Bibliothèque nationale de France.

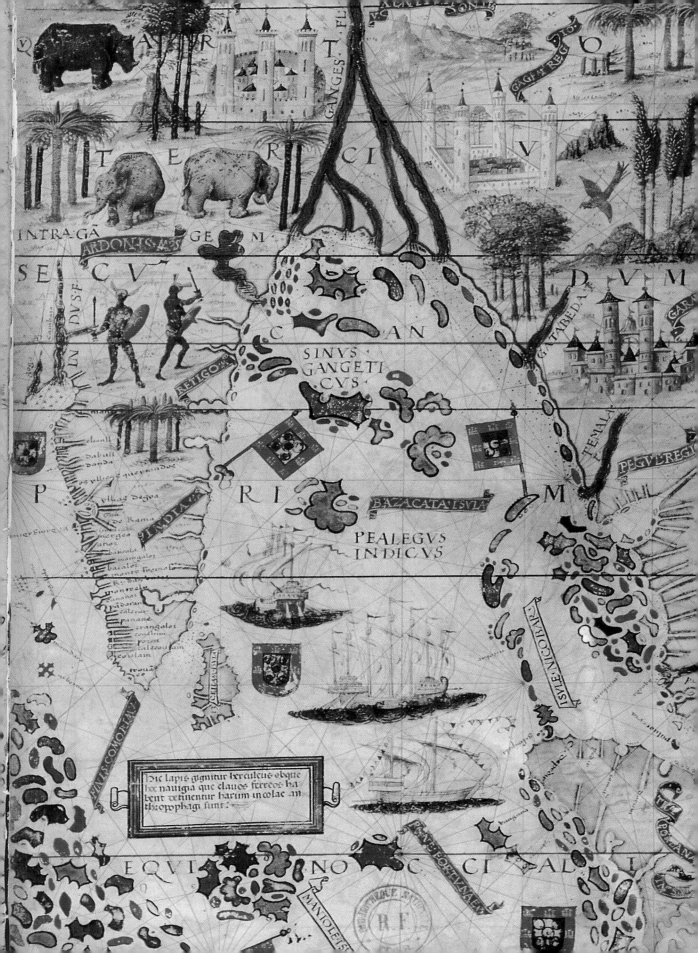

V · A · R · T · GANGES · FL · V · RE · N · ON · E · O · E

TERCI · V

INTRAGA · ARDONISAS · GE · M ·

SE CV DVM

IN DVSE

C AN GARA

SINVS GANGETICVS

RETIGOR

TEMALA

P RI M PEGV · REGI

INDIA BAZACATA · ISVLA

PEALEGVS
INDICVS

ISVLE NICOBAR

Hic lapis gignitur herculeus obque
hoc nauigia que claues ferreos ha
bent retinentur harum incolae an
thropophagi sunt

EQVI NO C CI ALI

MANIOLE

R F

le chef-d'œuvre de la cartographie islamique, le *Livre du divertissement de celui qui désire parcourir le monde,* commandé à la fin du XIIᵉ siècle par Roger II de Sicile à al-Idrisi, reste malgré quinze ans de travail sur le calcul des latitudes et des longitudes, et une énorme documentation, une représentation très schématique où persistent des erreurs classiques : un océan Indien relié à une mer des Ténèbres héritée du mythe grec, une Inde sous-dimensionnée, un continent méridional imaginaire empêchant la circumnavigation de l'Afrique, les merveilleuses îles Waq de Waq, etc. De telles représentations sont inutilisables pour tout déplacement effectif. Les historiens de la cartographie disent souvent que les six cents cartes ou relevés empiriques faits entre 300 et 1300 et qui nous sont connus ne représenteraient aucune progression quant à leur utilité ou à leur exactitude empirique. Si la légende selon laquelle on croyait que la Terre était plate au Moyen Âge est fausse, il faut attendre la Renaissance et les Grandes Découvertes pour que les cartes ne se contentent plus de décrire le monde mais servent à le conquérir. Et qu'à ce titre elles deviennent des trésors dissimulés et gardés.

Il existe pourtant, depuis longtemps, des cartes destinées à un usage pratique. Les cartes romaines en particulier sont de ce type : l'itinéraire d'Antonin permet de se déplacer dans un Empire sillonné par des bonnes routes. Les étapes sont connues, les distances marquées par des bornes et le territoire représenté, familier et ordonné, aux antipodes de toute notion de secret. Les Romains ne produisent pas de cartes routières au sens où nous l'entendons mais des listes de villes reliées par des traits et donnant une idée très approximative de leur distance en jours de trajet. Suétone parle certes de cartes secrètes dont la possession est punie de mort. Mais on exhibe, sous le portique du Champ de Mars, une carte murale qui représente tout le monde connu, et les cartes des victoires sont exposées dans les temples.

Prenons nos exemples en Chine, nous constatons alors que les cartes impériales remontent au *Tribut de Yu* attribué au fondateur de la royauté chinoise (il ne serait en fait « que » du IVᵉ siècle avant notre ère). Ces cartes ont une énorme importance symbolique. Posséder la carte est un des signes du mandat du Ciel. Du reste, comme l'enseigne Sun Tse, dans un classique de la stratégie, la connaissance de la Terre est un des cinq arts que doit maîtriser le général et, dès l'époque des Han, les Chinois semblent avoir utilisé des cartes en relief à des fins militaires.

Sous la dynastie des Chin, en 267, le ministre Phei Hsui rédige une carte en 18 feuillets, la *Carte de la Chine et des pays barbares à l'intérieur des terres*. Dans sa préface, il écrit : « Maintenant, dans les archives secrètes, on ne possède plus les cartes géographiques de l'antiquité… on possède seulement de la dynastie Han des cartes générales, ainsi que diverses cartes locales. Aucune de ces cartes ne se sert de divisions rectilignes, aucune non plus ne détermine l'orientation exacte… Parfois il s'y trouve des propos absurdes, étrangers au sujet ou exagérés, qui ne s'accordent point avec la réalité des choses et que le bon sens ne saurait admettre. L'avènement de la grande dynastie Chin a unifié tout l'espace dans les six directions. » L'œuvre de Phei Hsui, elle-même conservée au secret, est remarquable par les détails qu'elle porte, le relief, les limites des provinces, les commanderies, fiefs et cités, ainsi que les routes terrestres et voies fluviales. Elle a surtout le mérite de reposer sur un système de quadrillage et de projection orthogonale qui n'est pas nouveau (il existe depuis au moins un siècle) mais qu'elle exploite à fond. Une grille rectangulaire indique ainsi, avec une approximation honorable, l'abscisse et l'ordonnée de tout point du territoire chinois, et établit des principes d'orientation. Cette grille se prête à des usages pratiques, même si elle ne prend pas en compte la rotondité de la Terre, pour l'excellente raison que les Chinois d'alors la croient plate et carrée. Cette carte, et celles qui la suivront en Chine servent davantage au recensement qu'au déplacement, mais il est difficile d'évaluer leur valeur stratégique. Sous les Tang, en 801, une gigantesque carte de l'Empire, de plus de 10 mètres sur 10, est complaisamment exposée jusque dans les bains royaux. Les deux plus anciennes cartes chinoises qui nous soient parvenues, du XIIe siècle, sont gravées sur des stèles de pierre, ce qui, là encore, se concilie mal avec l'idée de confidentialité. De même, quand les Mongols font exécuter une carte de l'Empire, ils l'intègrent dans l'encyclopédie de l'administration.

Information et monopole

L'usage du secret est lié aux pratiques concurrentielles et la naissance du capitalisme en favorise l'habitude : l'information est aussi une marchandise ou du moins un moyen de production. Il y a un lien évident entre secret, accumulation des informations et monopole. Tout commerçant a intérêt à se garder un temps d'avance sur ses concurrents, tout capitaine est tenté de garder pour lui la connaissance des courants ou des configurations stellaires d'après lesquelles se diriger. Dans une société en commandite qui pratique le commerce lointain, par exemple celui des épices, il y a avantage à ce que le moins de monde possible sache les trajets des navires, leur fret, les sources d'approvisionnement, les cours sur les marchés lointains, les meilleurs, itinéraires, etc. Là non plus, pas de règle. À l'époque de la chasse aux épices et des expéditions au Levant, les Génois choisissent la discrétion. Ils ne publient guère de récits de voyage ou de guides pour les marchands. Seul le capitaine est au courant de la destination du navire et quand il faut signer des papiers chez le notaire pour monter le financement, on note en général que les navires iront « où ils préféreront aller » ou encore « où Dieu les conduira ». Les éternels rivaux des Génois, les Vénitiens, semblent beaucoup moins discrets. Les récits de voyage ou les traités de conseils pour les commerçants sont riches de détails géographiques et de conseils pratiques. En 1320, un patricien vénitien, Torsello, réunit toute l'information géographique et cartographique qu'il peut (dont de précieuses cartes marines) pour convaincre le pape de lancer une nouvelle croisade. Il existe pourtant des cartes secrètes à Venise, ville où l'on est obsédé par l'espionnage et la délation. On en connaît une appartenant au Proveditore Mocenigo, montrant les possessions de la Sérénissime et la route qui passe par Rhodes, Corfou, Cerigo (Cythère), Candia (la Crète) pour mener en Syrie. Il est vrai que cette carte secrète est beaucoup plus tardive puisqu'elle date de 1638.

De fait, la notion de carte secrète ou d'itinéraire secret prend une autre ampleur quand la découverte devient affaire d'État. La découverte suppose l'accumulation et la vérification de l'information avant sa rétention. Plus que des exploits individuels de tel ou tel voyageur, elle requiert que ce qui a été fait une fois puisse être réédité, que les avancées de chacun profitent à tous. Il faut transformer les milles marins en kilos d'archives. Il faut distinguer routes terrestres et routes maritimes. L'explorateur par voie de terre accumule des observations vraies ou fausses, note des descriptions de pays, et publie parfois ses récits à son retour. Ceux-ci restent rarement longtemps inconnus. Pour reprendre l'exemple de Venise, on sait que ses marchands étaient avides de toute information sur les pays lointains et qu'ils s'enquéraient de ce qu'avaient vu et appris leurs concitoyens. Le voyageur terrestre a rarement le loisir de faire des relevés astronomiques ou de dessiner des cartes, soit parce qu'il n'est pas géographe de profession ou tout occupé à autre chose, soit parce qu'un tel travail se réalise rarement seul. Les relevés terrestres sont généralement effectués par des spécialistes accompagnant une armée de conquête, dans la tradition des géomètres qui suivaient des expéditions d'Alexandre.

La carte maritime est une autre affaire : elle se vérifie par des performances. Ce qu'un capitaine a fait, un autre doit pouvoir le rééditer. Les marins ne peuvent se reposer sur leur seule mémoire et ils ont tout intérêt à noter leurs observations. De plus, un pilote peut facilement comprendre quelle valeur a une carte maritime, indiquant des directions et courants, ou encore des tables de configurations astrales qui aident à évaluer sa latitude en fonction de la hauteur de certaines étoiles par rapport à l'horizon et en visant avec un astrolabe. Il est bien plus difficile de calculer la longitude qui suppose un méridien de référence et des calculs d'angle complexes par rapport à la position du Soleil ou des étoiles à une heure très précise. La boussole, invention chinoise datant au moins de l'an mille, passée en Europe à la fin du XIIe siècle, fixée par pivot sur une rose des vents au XIVe. siècle n'est pas seulement un instrument qui permet de choisir un cap plus précis ou de naviguer lorsqu'il est difficile de se situer par rapport à l'étoile du Nord ou au Soleil : elle permet de noter une direction. Elle sert autant à viser un point qu'à en garder le souvenir. Elle permet de noter une ligne de rhumb qui rappelle le cap à suivre. Elle prouve toute son efficacité dans l'élaboration des portulans, cartes pratiques et secrètes par excellence.

Les premières cartes-portulans apparaissent vers le début du XIVe siècle et portent des lignes de rhumb, des aires de vents, des rivages où les ports et obstacles ont été déterminés par triangulation, des distances, et des échelles des instructions nautiques. Elles reflètent une expérience et visent à une pratique : elles accumulent des connaissances sur des zones de plus en plus lointaines. Les portulans peuvent être améliorés par leurs usagers. Les capitaines portugais, après avoir reçu une formation théorique qui les oblige à faire un usage quotidien du compas et de la boussole, doivent pratiquer des relevés et compléter les cartes de leurs prédécesseurs. De leur côté, les cartographes, même s'ils ne quittent pas leur atelier, sont avides de nouveautés et leurs dernières productions sont recherchées par les cours d'Europe.

Il existe des écoles de cartes, c'est-à-dire des centres de production de ces richesses appréciées dès le XIVᵉ siècle. La concurrence joue : les Italiens, les Pisans en particulier, se voient remplacés par une école majorquine et catalane. Les experts sont réputés et passent d'une cour à l'autre. Chacun conserve la discrétion habituelle de qui veut préserver son fonds de commerce. C'est déjà une prudence commerciale ; ce n'est pas une politique systématique du secret d'État.

Celle-ci naît avec les Portugais qui font du silence un principe. Cela accréditera toutes les légendes, notamment le bruit absurde selon lequel les Portugais avaient découvert l'Amérique. La preuve : ils ne la mentionnaient nulle part !

Tout commence avec l'infant de Portugal, Henri le Navigateur, qui pendant près de quarante ans, jusqu'à sa mort en 1460, réunit toute la documentation littéraire ou cartographique, rassemble tous les navigateurs et cosmographes qu'il peut, encourage les recherches astronomiques ou de technologie nautique, fait construire des caravelles et surtout lance expédition après expédition. Elles sont conçues comme de vraies entreprises scientifiques ; chaque capitaine doit gagner des milles de côte et tracer des centimètres de cartes. Il doit effectuer des relevés avec l'astrolabe ou l'« arbalète », sa version rustique, savoir estimer la hauteur du Soleil, mesurer distances et directions, observer les étoiles, faire des croquis, tenir un journal de bord, compléter les cartes. Henri inaugure un mouvement de chasse aux cerveaux. Il attire dans son centre de recherches, à Sagres, les meilleurs experts étrangers, y compris des musulmans où des juifs espagnols en délicatesse avec l'Inquisition espagnole comme le cartographe Jehuda Cresques, fils d'un géographe célèbre. Henri achète des cartes de toute l'Europe et lance le processus d'accumulation, comparaison et vérification qui permet la découverte systématique du monde. Cette œuvre prépare l'accès à l'océan Indien par le contournement de l'Afrique, l'exploit de Vasco de Gama qui ouvrira pour quelques années la manne des épices orientales aux Lusitaniens.

Les découvertes ne sont pas seulement affaire d'exploits individuels, elles se cumulent et se stimulent. Elles dépendent de la collecte, de la conservation et de l'exploitation d'informations antérieures. Ce processus est très tôt systématisé : réunion de théoriciens et de navigateurs, commissions de savants, obligation faite à tout capitaine de vérifier et compléter les cartes de ses prédécesseurs et de procéder à des relevés astronomiques, etc. C'est aussi toute

Astrolabe planisphérique, Fès, 1217. Fès, Musée des arts et traditions. L'astrolabe est l'outil par excellence de la science arabe et l'instrument indispensable aux grandes découvertes.

cette bureaucratie de l'aventure qui fait qu'il existe finalement une confrontation entre les affirmations et des critères pour déterminer comment on va aux Indes et s'il est vrai qu'il y a des champs de pierres précieuses à Ceylan.

Voies inventées

Sans refaire une histoire des découvertes, rappelons brièvement ce qui caractérise ces voies inventées, au double sens où elles sont « trouvées » mais aussi pensées et projetées avant d'être réalisées :

– Elles naissent, d'une certaine façon, du déclin d'anciennes routes marchandes : la route de la soie qui, après la coupure de l'Asie centrale, ne fournit plus suffisamment de produits de luxe orientaux ; la route des épices qui, après la mer Rouge, est inaccessible aux non-musulmans ; enfin la route de l'or (ou de l'argent), peu efficace, et qui aurait permis de combler le déficit chronique de l'Europe en métaux précieux.

– Elles requièrent l'accumulation de connaissances préalables, pas seulement les techniques comme le gouvernail d'étambot, la boussole, la caravelle maniable, etc. : il faut des progrès dans les sciences théoriques comme l'astronomie et dans la science appliquée. Il faut réunir des mappemondes, des portulans, des descriptions de voyage, mais aussi des gens compétents (astronomes juifs, navigateurs arabes, capitaines génois ou vénitiens et autres comme à « l'académie de Sagres » d'Henri le Navigateur), il faut se tenir à l'affût des nouveautés (une récente expédition, une nouvelle théorie astronomique). Il faut parfois faire un peu d'espionnage (voire de vol de cartes) ou du moins préparer ses expéditions par des missions de renseignements préalables. Ainsi la navigation de Vasco de Gama est précédée non seulement par des missions maritimes qui poussent chacune plus loin, mais aussi par des agents envoyés aux Indes qui rassemblent des précisions sur le chemin à parcourir depuis son point de départ jusqu'à son point d'arrivée. Il faut enfin que l'État investisse les moyens, l'effort de recherche et la patience nécessaires à cette œuvre de plusieurs générations. Car la découverte se planifie et se prépare : elle récompense celui qui investit à long terme.

– Corollairement, chaque expédition doit ramener sa contribution aux archives et enrichir les connaissances. Ce processus cumulatif va de pair avec la prise de conscience de la valeur que représente une richesse volatile mais qu'il faut néanmoins aller chercher loin : l'information. Certes, l'imaginaire de la route ne disparaît pas (il a même tendance à se projeter aux Amériques avec leur Eldorado, leur pays des Amazones,…) mais aucune mythologie ne peut survivre à la banalisation du voyage. Le désenchantement du monde est aussi le fruit de son exploration.

– La route fait l'objet d'un monopole d'appropriation (et c'est d'ailleurs sa raison d'être) : elle est protégée militairement bien sûr, mais aussi par le secret, dont celui des cartes qui, en Espagne comme au Portugal, sont gardées avec rigueur. Parfois, cette route est aussi protégée par des documents juridiques. La route de monopole manifeste clairement une autre forme de pouvoir : « avoir » la route, c'est-à-dire savoir la découvrir ou la garder, c'est posséder une puissance sans rapport avec la force de ses armées ou l'étendue de son royaume. La nouveauté se révèle comme une force irrésistible. La prise en compte de l'importance des découvertes de tous ordres (théorique, technologique, empirique) qui régiront notre destin s'impose insensiblement.

Ci-contre :
Fra Mauro,
Mappemonde,
xvᵉ siècle, Venise,
Biblioteca Marciana.
Cette œuvre d'un
moine de Murano,
la carte la plus exacte
du Moyen Âge, fut
une commande
portugaise. Elle reflète
à la fois les récits de
Marco Polo et la science
de Ptolémée ainsi que
toutes les données
disponibles à l'époque.

Page de droite :
Atlas catalan, 1375,
planche III. Paris,
Bibliothèque nationale
de France. Ce chef-
d'œuvre de l'école
catalane porte la
représentation de
légendes anciennes
comme le pays de
Gog et Magog. C'est
sans doute l'œuvre
d'Abraham Cresques,
un des maîtres de la
cartographie médiévale.

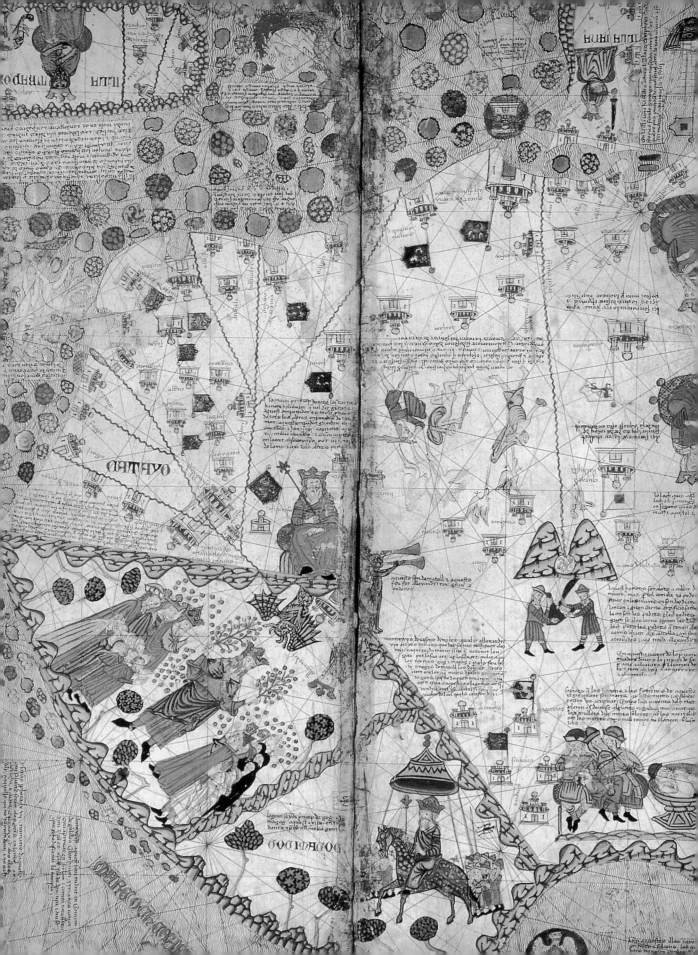

Croire qu'une carte est meilleure parce que plus récente et mieux documentée, ou qu'il est normal que les connaissances progressent, traduit une nouvelle attitude face à l'actualité des avancées concrètes ou théoriques. Ainsi, une des cartes du milieu du XVe siècle, celle du moine de Murano (1459), Fra Mauro, commandée par Alphonse V de Portugal, reflète ces mouvements de l'information : on y retrouve, à côté des inévitables pays mythiques (royaume de Gog et Magog, Paradis terrestre, îles peuplées uniquement d'hommes ou de femmes, Indes où vivent fourmis géantes et autres monstres obligatoires), des allusions à Marco Polo ou à d'autres voyageurs comme Niccolo dei Conti, des données fort récentes sur les explorations lusitaniennes recueillies grâce à un assistant à la fois cartographe et capitaine de galères, Andrea Bianco, des références à Claude Ptolémée, le tout corrigé par des déductions personnelles (un calcul différent de la dimension du globe, l'évocation d'une très audacieuse hypothèse : il y aurait un passage maritime entre Atlantique et océan Indien). Sources antiques, sources arabes, sources livresques et surtout sources contemporaines fournies par la République internationale des découvreurs, voilà lancé le grand mouvement de confrontation des connaissances.

Cela n'implique nulle disparition des légendes géographiques. Pour reprendre les mêmes exemples, le royaume du prêtre Jean, le Paradis ou le pays de Gog et Magog enfermés au-delà d'un mur, facilement identifié à la Grande Muraille de Chine, subsistent dans les cartes des plus célèbres des grandes découvertes : atlas dit catalan d'Abraham Cresques de 1375, globe de Martin Behaïm de 1492, etc., mais désormais le monde représenté va se mettre lentement en conformité avec le monde parcouru.

Cette histoire est davantage celle des grandes découvertes ou de la route des épices, mais il suffit de remarquer combien le monde terrestre des routes de la soie, pourtant parcouru par des milliers de voyageurs, sera bien plus tardivement représenté avec exactitude que le monde des navigateurs : la forme de la Chine est plus longue à dessiner que celle de l'Amérique et son nom exact, Seres, Thina, Cathay plus difficile à fixer.

Cartes, coffres et espions

Les souverains portugais qui prolongent l'œuvre d'Henri le Navigateur, Jean II et Manuel le Fortuné, suivent les mêmes principes et appliquent la même philosophie. Ils sont conscients que d'autres peuvent descendre le long de la côte africaine les concurrencer, et qu'une carte, surtout si on la confie à un capitaine étranger quelque peu mercenaire, pourrait être revendue à des adversaires. Partant du principe que le secret le plus secret est celui qui porte sur l'existence même du secret, ils imposent le *sigila*, un mot lusitanien qui signifie à la fois sceau et secret. Jean II interdit même à ses pilotes de dire qu'ils ont navigué le long de la côte de Guinée ; il envisage un moment d'interdire l'installation des Italiens, présumés voleurs de cartes, sur son territoire. Il a bien raison de se méfier des agents secrets : lui-même n'a-t-il pas envoyé en mission Paiva et Corvilha, deux hommes qui doivent se faire passer pour des marchands et découvrir l'emplacement du mythique royaume du prêtre Jean ? Ils ne le trouveront pas, mais le second renverra une information qui valait toute cette peine : il existe un passage au sud de l'Afrique qui en permet la circumnavigation ; on peut aller de l'Atlantique à l'océan Indien. C'est une indication précieuse pour la future expédition de Vasco de Gama.

Manuel Ier ne sera pas moins méfiant : il faut protéger de toute indiscrétion le secret de l'accès aux épices orientales par l'Afrique. « Il est impossible de se procurer une carte du voyage, car le roi a décrété la peine de mort pour quiconque en ferait parvenir une à l'étranger », écrit un agent italien.

Les Espagnols suivent l'exemple de leurs rivaux lusitaniens. Ils conservent leurs cartes dans un coffre à deux serrures. Une clef est remise au pilote-major, l'autre au cosmographe-major. De surcroît, il est établi une sorte de carte mère destinée à authentifier et vérifier toutes les autres : elle est dessinée par un groupe formé des meilleurs pilotes, révisée en fonction des découvertes et mieux gardée encore que les autres : c'est le *Padron Real* de Séville à la *Casa de la Contratacion de las Indias*, équivalent du *Padrão Real* à Lisbonne. Il est réalisé par une junte de capitaines et de géographes. Les pilotes ne sont autorisés à en emporter qu'une copie. La fonction du *Padron*, présidé par le pilote-major Amerigo Vespucci, était en particulier d'organiser scientifiquement le relevé cartographique du Nouveau Monde et d'empêcher que les navires ne commercent dans les possessions espagnoles sans autorisation. Les cartes et instruments de tout capitaine doivent être vérifiés par le pilote-major. Cela donne lieu à des trafics : le pilote-major examine les cartes des candidats aux expéditions transatlantiques, en recueille les informations utiles, mais refuse, dit-on, de donner son autorisation à ceux qui ne s'adressent pas à ses amis cartographes. Bureaucratie, corruption, tentations, et surtout bien des aventuriers prêts à prendre des risques… Le système ne pouvait guère être efficace longtemps et les licences de navigation délivrées par les Espagnols sont des obstacles faciles à tourner. En tout état de cause, comment assurer un véritable contrôle à des milliers de kilomètres ? Assurément il y a des fuites. Les expéditions privées se multiplient, si bien que la junte du *Padron Real* n'est pas forcément la mieux informée et que la *Casa de las Indias* ne sait plus trop ce qui se passe sur place.

La rivalité hispano-lusitanienne se poursuit sur un plan légal et le secret cartographique y joue son rôle. La bulle *Inter cetera,* prolongée par le traité de Tordesillas de 1494, est négociée par les Espagnols et les Portugais sous l'arbitrage du pape : une ligne tracée sur la carte détermine le partage du monde connu et des voies et terres à découvrir. La carte « fait » le territoire. Mais surtout, durant les négociations, les experts s'affrontent, se mentent, dissimulent ce qu'ils savent et abattent leurs cartes maritimes comme un joueur dévoile ses atouts à la table de jeu.

Mais rien n'y fait, avec le temps tout se sait. Il y a, d'une part, les audacieux qui vont commercer dans les zones interdites. Tel est le cas d'Eustache Delafosse, commerçant flamand qui, en 1479, est capturé alors qu'il pénètre dans une zone de la côte africaine dont les Portugais se réservent le monopole. Il est condamné à mort et s'échappe pour raconter son histoire. Il y a, d'autre part, les capitaines qui vendent leurs talents et les cartes qu'ils ont acquises au service d'un autre. C'est ce que font les Cabot père et fils, capitaines génois devenus vénitiens : le père, qui prétend s'être infiltré à la Mecque déguisé, se met au service des Espagnols puis des Anglais ; le fils, Sébastien, au service de Charles Quint, essaie de vendre à Venise et à l'Angleterre le secret d'un passage par le nord-ouest de l'Atlantique vers l'océan Indien.

Par définition, un secret cartographique ne peut être éternel : là où une caravelle est allée, une autre battant un autre pavillon peut suivre. Les marins parlent, les nouvelles circulent. Malgré les efforts des États, les cartographes indépendants se tiennent au courant de l'actualité. Ainsi, un des plus productifs du XVIᵉ siècle, Battista Agnese, produit en chambre une centaine de cartes réputées, entre 1536 et 1564. Elles sont plus décoratives que destinées à un usage pratique, mais surtout elles reflètent l'actualité des découvertes en Amérique et en Extrême-Orient. Il est le premier à publier et reporter les résultats d'explorations espagnoles en Arizona et au Nouveau-Mexique et les historiens ignorent toujours d'où il tirait ses informations.

Avec le temps de nouveaux venus prennent la place des Portugais aux Indes. Le péril vient de Hollande, où imprimerie et cartographie se développent. Sur place, la Compagnie hollandaise des Indes, parallèlement à sa féroce politique de répression contre toute tentative de lui voler des plants d'épices, pratiquent aussi une politique du secret systématique. Elle se fait confectionner 180 cartes des routes vers l'Inde, la Chine et le Japon qu'elle garde soigneusement sous clef. Le gouvernement hollandais publie ses propres cartes : elles ne sont pas publiques, du moins tant que les informations qu'elles contiennent ne sont pas de notoriété publique. Le secret des cartes ne peut plus désormais assurer qu'un avantage éphémère, tant les progrès de la cartographie sont rapides. Vers la fin du XVIᵉ siècle, le centre mondial des cartes s'est déplacé à Amsterdam malgré la rivalité des Anglais. Mais surtout, ces cartes sont maintenant imprimées, et les secrets de s'échapper.

LA POUDRE, SECRET DE LA GUERRE

« L'artillerie par laquelle une balle à la débandade, venant on ne sait d'où, lâchée on ne sait trop comment par quelque fuyard épouvanté peut-être par la flamme et la détonation de son arme infâme, tranche en un instant les pensées et la vie de celui qui méritait d'en jouir longtemps. » Le Don Quichotte de Cervantes n'a pas de mots assez durs pour dénoncer le canon et la poudre grâce à laquelle le lâche tue un brave à cent pas. Il reprend les malédictions de son maître l'Arioste contre l'invention par qui « la gloire militaire est détruite et le métier des armes a perdu son honneur ». Le mélange d'un peu de salpêtre, de soufre et de charbon implique la fin de ce monde de paladins, de tournois et d'exploits, ce monde qu'exaltaient la *Jérusalem délivrée* ou le *Roland furieux*, les romans de chevalerie dont s'est délecté tout le XVIe siècle. Qu'un gueux vaille un preux s'il a une arquebuse, voilà qui scandalise : le pape Innocent III (1198-1216) tente d'en interdire l'usage. Souvent, jusqu'au XVIe siècle, les arquebusiers pris au combat ne sont pas considérés comme des combattants : il arrive qu'on leur crève les yeux ou qu'on leur coupe les mains.

La plainte aristocratique contre l'arme plébéienne n'est pas sans objet. Quand finit la guerre noble à l'arme blanche, la noblesse même est condamnée. À mesure que l'arme à feu se répand, elle affaiblit le rôle stratégique du chevalier, richement équipé, longuement entraîné. La bombarde et le canon, que seul un État a les moyens de fabriquer, jouent pour le prince contre le

Free Woldemar, *Rade de Macassar*, 1660 : les navires hollandais attaquent la flotte portugaise pour pouvoir s'emparer du comptoir de Macassar à Célèbes. Paris, Société de géographie. Portugais et Hollandais s'affrontent militairement pour la possession des territoires de l'océan Indien, comme ils s'affrontent secrètement pour la possession des cartes.

seigneur : ils sont facteurs de centralisation. Le mousquet, c'est la prééminence de l'infanterie, or l'infanterie est faite d'hommes du commun : c'est un paradoxal facteur de démocratisation. L'égalité devant la guerre joue dans le sens de l'égalité politique. Quand des bataillons de paysans qui apprennent en quelques mois à marcher en ordre serré, à tenir sous la mitraille et à viser droit décident du sort des guerres, commence l'ère des levées et des massacres de masse. « Dieu a créé les hommes, Samuel Colt les a rendus égaux », diront les Américains. Mais cette égalité des hommes se paie d'une inégalité des peuples. Les États qui possèdent le fusil et le canon gagnent un avantage décisif sur leurs adversaires. Si cet avantage se combine avec l'usage de la boussole, de la carte et de la science des navigations lointaines, la colonisation devient possible. Une poignée de mousquets domine une population. Les principes qui régissent l'ordonnancement, l'entraînement des troupes, la hiérarchie des vertus guerrières ou simplement l'importance des effectifs militaires en sont bouleversés.

La peur et le bruit

Bien sûr, pareil changement n'est ni immédiat, ni simple. Des bombardes de Crécy à la Grosse Bertha l'évolution ou la révolution est lente et ses effets complexes. Longtemps, les premières armes à feu sont peu précises, peu transportables, peu puissantes, difficiles à approvisionner, lentes de cadence. Elles servent d'abord à faire du bruit et à tirer sur des masses immobiles et relativement proches. L'artillerie vaut surtout dans les batailles navales ou dans la défense et les sièges de villes. Elle est utilisée en conjonction avec les mines et, au moins jusqu'au XVe siècle, en concurrence avec des catapultes ou autres trébuchets guère différents de ceux qu'employait l'Antiquité. En rase campagne, bombarde et canon sont d'une efficacité douteuse. Selon les historiens militaires, ces bouches à feu ne tiennent vraiment de place notable qu'au cours des guerres d'Italie. Plus précisément, quand on leur demande dans quelle bataille l'artillerie joue un rôle véritable pour la première fois, ils répondent : Marignan, 1515.

L'historien florentin Guichardin, témoin des batailles de la fin du XVe siècle, affirme que ces « pernicieuses machines » (les canons) avaient été introduites par les Vénitiens lors de la guerre contre Gênes en 1380 mais qu'à l'époque de l'arrivée des campagnes de Charles VIII en Italie, elles étaient toujours encombrantes et incommodes même si les pierres grossièrement

Le Siège d'Orléans, miniature du XVe siècle. Paris, Bibliothèque nationale de France. Les bombardes, sont une des armes de siège les plus utilisées lors de la guerre de Cent Ans.

taillées servant de projectiles étaient remplacées par des vrais boulets en fer au diamètre régulier. Il précise dans son *Histoire des guerres d'Italie* : « Quoique l'invention de l'artillerie fût encore très imparfaite, elle effaçait déjà par ses effets surprenants, causés par la violence du salpêtre enflammé, par le fracas horrible du coup et l'impétuosité des boulets volants, elle effaçait, dis-je, et faisait même mépriser toutes les anciennes machines militaires qui avaient fait tant d'honneur à Archimède et aux autres inventeurs. » En 1494, lors de la bataille de Fornoue, les artilleries françaises et italiennes se canonnent toute la journée sans faire dix morts. Quant à l'arme individuelle portative, d'une abominable imprécision et d'une mise à feu aléatoire, sa supériorité sur l'arbalète ne sera reconnue qu'au XVIe siècle. Au XVIIIe siècle, il se trouvera encore des théoriciens militaires aussi éminents qu'Henry Lloyd ou le général Souvoroff pour comparer les inconvénients du feu aux vertus supposées de la pique ou de la baïonnette.

La poudre en soi n'est rien ; pour que son pouvoir se révèle, il faut la synergie d'autres techniques : progrès de la fonderie, amélioration des systèmes d'allumage depuis la mèche jusqu'à l'amorce, développement de la balistique, etc. Mc Luhan suggère même qu'il y a un lien entre le perfectionnement du canon et l'invention de la perspective en peinture. La poudre implique des changements mentaux et stratégiques, mais aussi économiques et industriels, puisqu'elle coûte cher, qu'il faut la fabriquer en grandes quantités, la transporter… Mettre le feu à un mélange chimique qui se transforme en gaz n'est pas en soi une idée qui change le monde. Mais la poudre ouvre un cycle d'innovation militaire rapide. Une course au secret s'ouvre avec les progrès du savoir-tuer. Que cela se produise en Europe au moment de la Renaissance, où le Prince devient savant en l'art de dissimuler, expert en feintes et arcanes, est-il si étonnant ? Le secret de l'État appelle le secret des armes.

L'emploi de substances explosives ou incendiaires n'est pas récent. Le plus ancien livre de stratégie connu, au IVe siècle avant notre ère, le *Traité de poliorcétique*, ou art d'assiéger les villes, d'Énée le Tacticien, est un catalogue de ruses ou recettes d'espionnage : il expose des méthodes d'intoxication et de manipulation. Pour autant, il ne néglige pas la panoplie de la guerre et donne la formule d'un mélange pour projectiles qui doit déclencher un feu que l'ennemi sera incapable d'éteindre : poix, soufre, étoupe, grains d'encens, bois résineux. Ce serait la recette des pyrophores

Ci-dessus :
Canons portatifs
du XVIe siècle.

Page de droite :
Jean Fouquet, *Grandes
Chroniques de France*,
XVe siècle, Saint Louis
meurt devant Tunis.
Paris, Bibliothèque
nationale de France.
Lors des Croisades,
les Francs découvrent
la puissance des feux
grégeois utilisés par
les Maures.

grecs, littéralement des engins porte-feu, une des premières armes de ce type. Dès l'Antiquité, des ingénieurs améliorent ces mélanges en ajoutant des huiles de naphte, de térébenthine ou de genièvre préparées dans des alambics. Les engins à combustion spontanée apparaissent également très tôt. Les Byzantins en seront grands utilisateurs. Les pyrophores sont propulsés par des frondes ou par des lanceurs balistiques. Un ouvrage d'Héron d'Alexandrie sur les machines de guerre évoque des lance-flammes qui ressemblaient à des soufflets exhalant des substances enflammées. Les défenseurs de Byzance, en 675, auraient utilisé une seringue qui produisait un jet continu de matières enflammées et était alimentée par une pompe foulante. De telles trouvailles restent pourtant d'un usage limité, essentiellement à l'attaque ou à la défense des forteresses.

Livre de l'excellence, siège d'une forteresse chétienne par Soliman, Turquie, 1588. Istanbul, Musée Topkapi.

Dès le Ier siècle, les Byzantins utilisent des grenades à main. Elles contiennent une pâte de naphte, salpêtre et soufre. Marc le Grec, personnage sans doute légendaire du début du VIIIe siècle, mentionne dans son traité dit *Le Livre des Feux* des « bâtons de feu », c'est-à-dire des compositions à base de salpêtre enfermé dans un tuyau. La mise à feu d'une extrémité produit à l'autre bout ce que nous appellerions des feux d'artifice. Marc le Grec distingue des bâtons ou bambous longs et fins remplis d'une poudre bien tassée qui projettent en l'air des flammes ou étincelles et, d'autre part, des tubes plus courts et épais destinés à produire le bruit du tonnerre. Ce n'est pas de la poudre à canon mais ce catalogue prouve que les recherches pyrotechniques occidentales sont en plein essor.

Les Byzantins auraient donc connu ou découvert plusieurs formules. Presque au même moment, la Chine emploie, elle aussi, une grande variété d'engins incendiaires, intoxicants, projetés mécaniquement par des arbalètes ou catapultes, voire jetés à la main comme nos grenades modernes. Y a-t-il eu simultanéité des découvertes, influence, transfert de technique ? Si oui, dans quel sens ?

D'autant que les inventions de ce type ne sont pas rares. Au hasard de l'histoire, citons les vapeurs toxiques et soporifiques dont le savant arabe Hassan Abrammah, mort à la fin du XIIIe siècle, avait trouvé la formule, des barriques de chaux vive aveuglante que les navires anglais catapultaient sur la flotte française au XIIIe siècle, ou encore les grenades à l'arsenic que les Serbes lancent sur les envahisseurs turcs au cours de la défense de Belgrade en 1456.

Feux, grenades et diableries

Parmi toutes les armes chimiques, le feu grégeois mérite une place à part, ne serait-ce qu'au titre de prestigieux ancêtre de la poudre. Les Byzantins connaissent ce « feu liquide » qu'ils emploient contre les Arabes dans les années 670 de notre ère ; ils protègent le secret de cette première arme chimique avec autant d'énergie que celui de la soie. Des légendes prétendent que la composition du feu grégeois avait été révélée à l'empereur Constantin par un ange. On prétendit que son secret s'en serait perdu avec la chute de Constantinople en 1453. C'est inexact : le feu grégeois se retrouve dans l'arsenal des Turcs au XVe siècle et il était passé au monde islamique bien avant.

Quelle en était la composition ? Peut-être un mélange de soufre, naphte, bitume et chaux vive. Léonard de Vinci, alors qu'il est ingénieur militaire de Ludovic le More, croit en deviner la recette, laquelle comprendrait aussi de la poix, du camphre et de l'alcool. Les historiens penchent aujourd'hui pour une composition à base de pétrole brut importé d'Asie Mineure dans des outres. Les artificiers le mélangeaient à de la poix liquide, de l'huile et du soufre, avant de faire reposer le tout deux semaines recouvert de fumier de cheval. En définitive, un produit que l'on peut conserver dans des poteries ou des fioles de verre et qui se consume au contact du soleil. Il n'est pas sans évoquer les modernes cocktails Molotov, dits « au choc », qui s'enflamment au moment où le chlorate de potasse collé sur l'extérieur de la bouteille entre en contact avec l'essence à l'intérieur.

Le feu grégeois servait sur terre mais aussi sur mer car il brûlait même au contact de l'eau. Il fit des ravages contre la flotte islamique. Les navires lance-flammes étaient dénommés siphonophores ; ils projetaient le feu grégeois grâce à des siphons, alimentés par des outres pleines du liquide. Leur débit se réglait en exerçant une pression du pied sur une planche. À une date mal déterminée, les Arabes s'emparent du secret du feu grégeois qui rejoint, dans leur arsenal, les engins incendiaires à base de naphte. Les Byzantins auraient ils été victimes d'espions ? Ce serait l'ironie de l'histoire, si l'on se souvient combien ils y ont eux-mêmes recours à des espions. « Ils [les Byzantins] ont envoyé leurs navires avec des marchandises de commerce en pays musulman ; les équipages parcouraient le pays et le visitaient avec soin, prenaient secrètement des informations, puis revenaient bien renseignés sur la situation de la région, et rapportaient ces renseignements à leurs compatriotes », écrit Ibn Hawql.

À l'époque des croisades, le feu grégeois est considéré comme une des diableries caractéristiques des Maures. Cette arme nouvelle a un impact psychologique puissant sur les Francs. Joinville en témoigne dans son *Histoire de Saint Louis* : « Ils [les Maures] nous amenèrent un engin que l'on nomme pierrière, ce qu'ils n'avaient pas encore fait, et mirent le feu grégeois dans la fronde de l'engin. Quand Messire Gautiers d'Escuré, le bon chevalier qui était avec moi, vit cela, il nous dit : "Seigneur, nous voilà au plus grand péril que nous ayons rencontré ; car s'ils mettent le feu et que nous demeurons, nous sommes perdus." […] le feu grégeois faisait un tel bruit qu'il semblait que ce fut la foudre du ciel. » Les Arabes lancent également leurs compositions fixées aux carreaux de grandes arbalètes à tour. Le projectile produisait une telle clarté, nous dit Joinville, qu'on y voyait comme en plein jour ; avec la queue de flammes qui le suivait dans les airs, chaque projectile semblait un dragon volant. Et Saint Louis de prier Dieu toute la nuit qu'il garde ses Francs d'un tel péril. Il est vraisemblable que le feu grégeois s'est répandu dans toute l'Eurasie et, étape par étape, de guerre en guerre, jusqu'en Chine à travers l'Asie centrale.

« Prise de Constantinople par les Turcs le 29 mai 1453 ». Extrait du *Feu grégeois au siège de Constantinople*, gravure sur bois d'après un dessin de Léon Lhermitte (1844-1925).

Lorsque le feu grégeois pénètre en Chine, l'empire du Milieu maîtrise déjà une trouvaille destinée à révolutionner l'art de la guerre. Vers 300 de notre ère, l'alchimiste Ge Hong note une recette à base de salpêtre, de soufre, de mica, d'argile, etc. Le mélange chauffé doit produire une « poudre pourpre » pour transformer le plomb en or ou fabriquer de l'argent avec du mercure, contenu dans un récipient en fer. Ge Hong ne cherche pas une substance explosive, mais il fournit la première mention d'une opération chimique à base de soufre et de salpêtre, donc une étape vers la fabrication de la poudre. Une autre formule du même alchimiste comporte du salpêtre, du soufre, un matériau carbonné et du réalgar (du bisulfure d'arsenic) ; elle est destinée à produire des vapeurs d'arsenic. Là encore, le chercheur approche la formule de la poudre noire.

Des textes plus tardifs, du VIIe et du IXe siècle, montrent que d'autres alchimistes chinois travaillaient sur des produits incendiaires à base de soufre et de salpêtre. Ainsi sont probablement nés les pétards, engins sifflants, fusées de feu d'artifice et curiosités du même genre signalées bien avant la poudre. Ils produisent du bruit, des étincelles et servent même à faire voler des engins très légers. Les stratèges les emploient très tôt, plus pour effrayer l'ennemi que pour infliger un réel dommage.

La poudre, découverte accidentelle ? Cela se peut. Un texte de 850, l'*Abrégé du Tao de la véritable origine de tous les êtres*, raconte que des alchimistes, taoïstes, chauffaient ensemble du réalgar, du soufre et du salpêtre (cela rappelle la formule de Ge Hong, cinq siècles plus tôt), plus du miel, le tout devant composer un élixir de longue vie. L'expérience ne fut pas concluante : il y eut de telles flammes que les alchimistes se brûlèrent le visage et qu'un incendie se propagea dans la maison. L'auteur du traité craint que ces pratiques occultes et quelque peu cafouilleuses ne discréditent la vénérable doctrine de Lao Tseu. S'il s'agit là d'une description des effets de la poudre, elle serait placée sous le double patronage de la très ésotérique alchimie et du très pacifique taoïsme.

En Chine encore, la première représentation graphique d'une grenade est peinte sur une bannière de soie du Xe siècle du trésor des grottes de Dunhuang, au cœur des routes de la soie. La scène représente Mara, le destructeur, déchaînant tous ses démons contre le Gautama Bouddha. Il tente de troubler sa méditation et de l'empêcher de trouver la voie qui mènera les hommes à la délivrance. Pour cela, Mara recourt successivement à la

Lanceur portatif de flèches-fusées en osier tressé, utilisé au XIVe siècle. Ces lanceurs de fusées étaient, dit-on, capables de lancer des milliers de flèches empoisonnées avec une portée approchant 200 mètres au cours des batailles chinoises du XIe siècle.

tentation au moyen des images les plus lascives et aux menaces les plus effroyables sans parvenir à troubler l'Éveillé. Un des démons tient en main une grenade à la mèche allumée ; elle semble remplie de poudre et préfigure les grenades à main des batailles navales européennes du XIXe siècle. Un second démon pointe vers le Bouddha un tube emmanché d'où jaillit une flamme. L'instrument ressemble à une lance ou une bouche à feu, similaire aux premières armes portables européennes employées à Pérouse en 1364 et Augsbourg en 1381. Ces tubes, placés au bout d'un manche d'un mètre de long, étaient tenus sous le bras et allumés par une mèche. Après quoi, il restait à prier pour qu'au cas improbable où le tout n'aurait pas explosé ni fait long feu, l'ennemi eût l'obligeance d'attendre sans bouger le projectile approximativement parti dans sa direction. Bref, les apparences suggèrent que le démon emploie un prototype de mousquet quatre siècles avant l'Europe. Ce serait une erreur : plutôt que d'un fusil tirant une balle par la force de l'explosion de gaz, l'engin est proche du bâton de feu décrit par Marcus le Grec, d'un lance-flammes à main ou d'une « lance à feu » à poudre noire connue en Chine au XIIe siècle et qui projetait des flammes à une dizaine de pas.

Le premier emploi certain de la poudre en Chine remonte à 919. Son rôle militaire est alors secondaire. Elle sert à allumer les lance-flammes. En effet, tout comme les Byzantins, les Chinois avaient mis au point des lance-flammes en bronze activés par un soufflet à piston. La mèche fournissait une flamme permanente à la sortie du tube au moment où l'engin aspergeait l'ennemi d'un liquide en combustion. C'était de l'essence, plus exactement du pétrole grossièrement distillé dans un alambic, un produit comparable à notre kérosène. Les manuels militaires de l'époque recommandent de stocker le liquide dans des récipients en verre. Ils représentent également des chariots projetant un liquide enflammé et qui, lancés au milieu de l'infanterie adverse, étaient censés provoquer terreur et carnage. Des textes du Xe siècle font allusion à des machines à feu volantes provoquant des incendies durant l'assaut de forteresses. Cette pyrotechnie de cauchemar était-elle d'usage courant ? La chronique chinoise en fournit quelques indices.

En 975, sur le fleuve Bleu, nous dit l'historien Shi Xubai, les troupes des Song se battent contre un amiral séditieux du nom de Zhu Lingbin. Ce dernier dirige sa flotte depuis le navire principal, puissant bâtiment à dix ponts. Les jonques impériales, plus légères et manœuvrables, l'entourent et le criblent de flèches. L'amiral recourt à des lance-flammes alimentés au pétrole. À ce moment, se lève un vent du nord qui rabat la fumée et les flammes sur les rebelles. Cent cinquante mille hommes périssent ainsi et leur chef désespéré se jette dans les flammes. Le nombre de victimes est énorme pour une bataille navale, même à l'échelle du pays et en tenant compte du goût des Chinois pour les chiffres ronds, pour ne pas dire symboliques. En revanche, que de pareilles armes puissent se retourner contre leur camp sous l'effet du vent paraît tout à fait vraisemblable.

Une encyclopédie du milieu du XIe siècle, intitulée *Les Grandes Techniques militaires,* décrit en détail les lance-flammes de telle manière que n'importe quel bricoleur un peu adroit pourrait fabriquer l'engin chez lui. Mais, à l'époque des Song, était-ce possible ? De tels textes étaient-ils vraiment publics ? Les manuels techniques auraient alors été traités avec bien moins de précaution que les traités de pure stratégie, considérés comme des livres magiques. Les généraux les consultent en secret, et parfois la transmission est quasi ésotérique. La détention de certains textes est punie de mort sous les Ming.

Ladite encyclopédie donne trois variétés de poudre : une pour les bombes lancées par catapulte, une seconde pour les bombes incendiaires, dotées de crochets qui se fichent dans les structures de bois qu'elles doivent consumer, et une troisième qui émet des fumées nocives, ce que nous appellerions une bombe asphyxiante. Aucune de ces poudres n'est encore capable de libérer dans un temps très bref une grande quantité d'énergie et de gaz sous forte pression. Elles produisent une combustion accompagnée de bruit, de fumée et d'étincelles sans rapport avec la puissance destructrice d'une poudre explosive et comprimée. En revanche, l'impact psychologique est indéniable. Ainsi un certain général Li Gang emploie des bombes « coup de tonnerre » qui font grand bruit pour repousser l'attaque nocturne d'un château : elle sèment la terreur parmi les assaillants qui s'enfuient. La recette est connue : « La bombe contient une longueur de deux ou trois entre-nœuds de bambou sec d'un diamètre de 4 cm, non fissuré. [...] Trente morceaux de fine porcelaine brisée, grands comme des pièces de monnaie de fer, sont mélangés à 1,5 à 2 kg de poudre noire. Le tout est serré autour du bambou dont quelques centimètres dépassent à chaque extrémité. Cette boule est alors couverte d'un mélange de poudre noire. »

En concurrence avec ces projectiles sophistiqués, on emploie des flèches incendiaires « classiques » : un sachet de poudre collé à leur extrémité avec de la cire est enflammé par une mèche. Les chefs de guerre comptent leurs réserves en centaines de milliers de ces flèches incendiaires et pensent logistique. La production de ces armes devient industrielle.

Le salpêtre

C'était un bien grand dommage, oui vraiment,
Que cet infâme salpêtre ait été tiré
Du flanc de notre terre inoffensive,
Pour détruire tant d'hommes beaux et forts, si lâchement.

Ainsi s'exprime un personnage du *Henri IV* de Shakespeare. C'est bien le salpêtre, en effet, qui donne toute sa puissance destructrice à la poudre.

Lorsqu'on parle de la poudre, il est difficile de ne pas penser aux feux d'artifice : mélangée à des sels différents, la poudre produit les couleurs désirées. L'indigo donne du bleu, le cinabre du rouge, les sulfures d'arsenic du jaune, etc. Chandelles romaines, roues, pétards… tout ce qui participe à la réussite d'un Nouvel An ou de n'importe quelle fête chinoise réussie existe depuis des siècles. Il existe aussi des pétards autopropulsés qui courent au sol en sifflant. Ces engins, que les enfants de chez nous surnomment « souris », s'appellent « rats de terre ». D'ingénieux « rats d'eau » posés sur une petite planche de bois léger filent en tous sens à la surface de l'eau comme des hors-bord devenus fous.

Contrairement à la légende, les Chinois n'ont pas réservé la poudre à des usages pyrotechniques sous l'influence de l'humanisme confucéen ou par incapacité à tirer les applications pratiques d'une découverte théorique : ils ont cherché à fabriquer des engins de guerre en tout genre.

L'éfficacité dépend des proportions. À partir de 75 % de salpêtre, la poudre devient mieux détonnante au sens technique, c'est-à-dire qu'il se produit de fortes compressions de gaz dues à la combustion intégrale et instantanée. Ce phénomène est assez puissant pour propulser avec force une balle ou un boulet, et d'autant plus effectivement qu'il y a moins de déperdition de gaz. Au plus tard au XIIIᵉ siècle, les Chinois se servent de canons cerclés de bambou ou en métal lançant des engins autopropulsés. Ils sont employés contre les Mongols. Des fusées éclairantes, dites « bombes signaux », éventuellement colorées, n'explosent qu'à une certaine hauteur.

Miniature de Levni illustrant *Le Livre des fêtes de Vehbi (Sürname-i Vebbi)*, 1720 : feu d'artifice nocturne. La technique héritée des Chinois s'est largement répandue dans le monde musulman.

Visibles de très loin, elles servent à faire des signaux à des troupes hors de portée de voix, comme les fusées de signalisation qui servaient à lancer l'assaut dans les guerres de tranchées.

Il existe des bombes à poudre noire riche en salpêtre, sous enveloppe métallique. Leur puissante détonation projette tout autour des éclats, plus précisément des morceaux de fonte, un matériau également inventé en Chine. Ces engins dénommés « éclats du tonnerre », les seules armes capables, disait-on, d'effrayer les Mongols, sont largement utilisées. Les Jin, une peuplade nomade qui occupe la Chine du Nord au début du XIIIᵉ siècle et qui est en voie de sinisation, recueille le secret de la poudre des « vrais » Chinois (l'Empire chinois est alors confiné au Sud, dominé par la dynastie des Song). Les Jin font grand usage des éclats de tonnerre. Le récit du siège de Kaifeng, leur capitale, témoigne de l'utilisation de ces bombes.

Les Mongols, presque invincibles en rase campagne grâce à l'extraordinaire souplesse de leur cavalerie, ont vite appris l'art d'assiéger les citadelles. Pour cela, ils comptaient sur leur réputation de terreur (à chaque sommation de se rendre qu'ils faisaient, ils menaçaient d'un massacre plus terrible encore, et ils respectaient soigneusement l'arithmétique de leurs promesses), sur leurs espions et sur leur toute nouvelle science des sièges, parfois apprise d'ingénieurs étrangers. Les Mongols creusaient des tranchées pour installer des sapes au pied des murs. Afin de s'abriter des grenades, ils protégeaient les boyaux sous des peaux de vache. Plutôt que de lâcher du haut des murs des grenades qui rebondissaient sur ces peaux, les Jin eurent l'idée de les faire descendre doucement au bout de chaînes de manière qu'elles explosent à bonne hauteur en faisant un maximum de dégâts. On raconte que le bruit de l'explosion s'entendait à des kilomètres et que plusieurs hectares de végétation autour des forteresses étaient dévastés par les grenades des assiégés.

Les Jin vaincus, les Mongols s'en prennent au royaume des Song, du Sud, et là encore les bombes à main sont utilisées en masse. En 1257 le savant chinois Li Zengbo se plaint : il faudrait fabriquer des centaines de milliers de bombes en fer, le rendement des arsenaux chute, la pénurie menace. Bref, il s'exprime comme un stratège moderne qui sait bien que les guerres sont affaire de logistique et de puissance industrielle.

Les engins à base de poudre, bombes, lances à feu, fusées, etc. prolifèrent, et les techniques se déclinent de multiples manières : bombes à poison, à gaz, remplies d'excréments, bombes dites « valant dix mille ennemis », ou la poétique « bombe magique à sable volant libérant dix mille feux ». Les mines apparaissent à peu près au moment de la guerre contre les Mongols. Les ingénieurs imaginent des machines infernales, telles des lances fichées dans le sol qui semblent constituer un trophée tout prêt à être emporté, mais qui se déclenchent sous l'action d'un système d'allumage souterrain lorsque l'ennemi s'approche. Ces mines anciennes, comme celles d'aujourd'hui, servent à garder les champs près des frontières, à piéger des sentiers étroits ou des zones de passage obligatoire… Les Chinois lancent également des mines flottantes enfermées dans des vessies de bœuf : leurs mèches d'encens, bien protégées de l'eau, se consument exactement à la vitesse voulue.

La formule de la poudre noire n'est plus un secret, mais le schéma des armes explosives ou des systèmes de déclenchement de mines l'est. Il faudra attendre le XVIe siècle pour en connaître les mécanismes et comprendre comment, en touchant un objet ou en tirant sur une corde, la victime communiquait une étincelle à une mèche d'amadou reliée à la réserve de poudre.

Sous les Song (Xe-XIIIe siècle) les fusées également se perfectionnent. Elles peuvent être disposées en batteries, fixes comme les orgues de Staline, ou mobiles, d'autres attachées à des flèches empoisonnées. Certaines sont savamment stabilisées par un système d'empennage, elles devaient larguer une charge explosive sur les troupes ennemies, ou lâcher des fumées toxiques. Toujours contre les Mongols, Jin et Chinois ont recours à des lances à feu perfectionnées : ces pots tenus au bout d'un manche ne contiennent plus seulement de la poudre, mais des débris, de la mitraille, des produits comme l'arsenic. Elles sont réputées projeter leur charge à plus de 40 mètres. En revanche, leur puissance de choc est bien inférieure à celle d'un fusil de chasse, les projectiles n'étant pas forcés dans le canon. Le même principe est appliqué à des bouches à feu de grande dimension que l'on considère comme des ancêtres des canons. Les chercheurs ont découvert en Mandchourie un véritable fusil en fonte d'une trentaine de centimètres daté de 1288 : c'est le premier connu.

La poudre aussi massivement utilisée ne pouvait que s'échapper de l'empire du Milieu. En revanche, les dosages exacts des composantes de la poudre étaient gardés secrets comme les inventions que nous venons d'évoquer, du moins le temps que l'ennemi s'en empare et en comprenne le principe.

Significativement, les appellations de la poudre dans le monde islamique se réfèrent à la Chine. Hassan Abrammah nomme « fleur de jasmin », « nénuphar vert » ou « roue de Cathay » (c'est-à-dire la Chine) des mélanges à base de salpêtre qui servent pour les feux d'artifice colorés ; ses indications sur la chimie du salpêtre, sa purification, sa dissolution, etc., sont d'une grande précision. Au même moment, les Perses appellent la poudre « sel chinois » et les Égyptiens la connaissent sous la désignation de « neige chinoise ». Au XIVᵉ siècle, les Maures de Castille et les troupes tunisiennes emploient des « tonneaux de fer » qui lancent la foudre et font un bruit infernal. Pourtant, un siècle plus tard, dans les affrontements avec les Portugais en Afrique ou lors de la fin de la Reconquista espagnole, les Maures emploient encore des catapultes et des trébuchets face à l'artillerie des chrétiens. Pareil décalage ne doit pas surprendre : à cette époque une révolution militaire n'est ni immédiate ni uniforme.

La poudre en Occident

En dépit de son origine chinoise incontestable des légendes courent sur une invention occidentale de la poudre. Roger Bacon, au XIIIᵉ siècle, donc à un moment où les formules de la poudre n'étaient pas parvenues en Occident, note des compositions destinées à produire du tonnerre et des éclairs. Dans son traité de la *Nullité de la magie* il cite une méthode de fabrication à base de soufre, nitre et charbon, à mélanger dans un récipient bouché. Plus tard, dans une épître de 1247, il affirme : « On peut provoquer dans l'air le tonnerre et des éclairs beaucoup plus affreux que ceux produits par la nature, puisqu'une petite quantité soigneusement préparée, et ne dépassant pas le volume d'un pouce, fait un bruit et une lueur extraordinaires. » Il faut pour cela de la pierre de sel, du soufre et, ajoute-t-il en langage codé, « *Lur voro vir can utriet* ». Cette formule chiffrée ou anagramme à la façon des alchimistes a suscité des interprétations aussi différentes qu'invérifiables.

Bacon aurait-il imaginé ces formules ? Les aurait-il recueillies de la bouche de quelque voyageur revenu de l'Extrême-Orient, plus précisément de chez les Mongols ? De Guillaume de Rubrouck ? Ce franciscain est parti pour Caracorum en 1253, muni d'un sauf-conduit de Louis IX. Le rapport de son voyage est destiné au monarque. Ce texte, remarquable travail d'observation plein d'informations vraies, a peu de lecteurs. Mais, parmi eux, Roger Bacon qui s'enthousiasme.

Rubrouck, esprit scientifique, était peu enclin, à l'inverse d'autres missionnaires, à croire les légendes qui couraient les ports et les caravansérails. Aurait-il pu recueillir la formule de la poudre d'artifice, voire en rapporter, même s'il ne la mentionne nulle part dans son récit de mission ? Aurait-il pu rencontrer Bacon et lui transmettre le procédé ? Cette hypothèse, pourtant soutenue par des sinologues, n'est étayée par aucun élément de preuve. À ce compte-là, pourquoi pas Marco Polo, qui, dans son *Devisement du Monde*, ne mentionne non plus ni arme à feu ni feu d'artifice ? Cary Grant, jouant le rôle du Vénitien dans un film en noir et blanc, revient en Italie pour diffuser le secret de la poudre, des spaghettis et du billet de banque. Faut-il préciser que ce sont trois erreurs ?

Pourquoi aller chercher d'aussi illustres intermédiaires ? Les suspects anonymes ne manquent pas. Il y avait des Perses, des Arabes, des chrétiens nestoriens ou arméniens auprès des khans, et des visiteurs occidentaux n'étaient pas rares chez les Mongols, à Caracorum (Oulan-Bator) avant qu'ils n'aient conquis la Chine, puis à Kambalik (Pékin) après l'invasion. Ou encore, pourquoi ne pas soupçonner ce Mongol du nom de Qi Wuwen qui se serait rendu en Europe en emportant des secrets militaires au milieu du XIIIe siècle ?

Une autre légende attribue l'invention à Albert le Grand (1193-1280), maître de Thomas d'Aquin, encyclopédiste et commentateur d'Aristote, grand diffuseur de la pensée arabe. Même si un opuscule de recettes de bonne femme, intitulé *Le Grand Albert,* a donné à l'authentique philosophe une déplorable réputation d'alchimiste de bazar, cette paternité-là est plus que douteuse.

Un troisième alchimiste, lui totalement fictif, est crédité de l'invention de la poudre par une tradition plus persistante encore : c'est un certain Bertold Schwartz, ou Bertoldus Niger (le Noir) en latin. Ce moine allemand du XIVe siècle, maître es arts et en quête du Grand Œuvre aurait un jour cherché à fabriquer une teinture d'or. Il aurait mélangé dans un récipient fermé de la saumure, du soufre, du plomb et de l'huile, mis la mixture sur le feu, d'où une explosion qui aurait projeté en l'air les morceaux du récipient. Esprit curieux, Bertold aurait cherché à reproduire l'expérience jusqu'à ce qu'il imagine le moyen de propulser des pierres à l'aide de cette nouvelle énergie. Il aurait même enseigné cette science aux Vénitiens en 1380 et ceux-ci l'auraient employée contre Laurent de Médicis. « Toute l'Italie s'en plaignit comme d'une contravention manifeste aux lois de la

La découverte de la poudre à canon par Berthold Schwartz, gravure du XIXᵉ siècle. Une légende attribue l'invention de la poudre noire à un accident au cours d'une expérience menée par un moine alchimiste.

bonne guerre », ajoute l'*Encyclopédie* de Diderot qui rapporte l'histoire sans trop y croire. Elle est, en effet, trop belle pour être vraie.

La poudre n'implique donc pas le canon ou, plutôt, la technologie de l'artillerie n'est pas celle de la poudre. Il se peut même que les deux techniques se soient croisées, la poudre venant d'Orient tandis que le canon, apparu, lui, en Occident, se serait propagé vers l'Orient. Dès le XIIIᵉ siècle, il est fait usage de bombardes dans le siège de villes italiennes. Les canons ou bombardes apparaissent de façon certaine en Flandres vers 1314, à Florence et en Angleterre en 1326. Ils sont attestés en 1346, à Crécy, où les bouches à feu anglaises provoquent plus d'étonnement que de morts. En Chine, leur existence ne serait attestée qu'en 1356, et dans le monde islamique, au Caire, en 1366. Une invention européenne du canon répondrait-elle à l'invention chinoise de la poudre ? S'agirait-il de trouvailles autonomes ? Dans tous les cas, l'artillerie européenne ne tarde pas à se développer et à jouer un rôle sans équivalent dans les armées orientales. Les

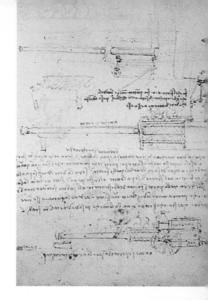

Chinois eux-mêmes reconnaîtront la puissance de l'artillerie européenne, à tel point qu'au XVIIᵉ siècle leurs traités affirmeront que la poudre est une invention des Barbares occidentaux.

Dès le XVᵉ siècle, les problèmes de l'artillerie sont au centre des préoccupations des ingénieurs. Ghiberti est fondeur de bronze et travaille sur les problèmes techniques de la fabrication des canons. De son côté Léonard de Vinci imagine des canons hydrauliques, des batteries qui pourraient être des ancêtres des mitrailleuses, des canons avec hausses et mille machines de ce genre. La qualité du fer forgé des canons s'améliore avant que n'apparaissent ceux en bronze, et en fonte au siècle suivant. Le système d'allumage de la poudre progresse, tout comme le transport, la technique des boulets de fonte ou de fer, les boulets creux, la mitraille, la normalisation des calibres. La poudre elle-même demeure un sujet de recherches. Sous sa forme primitive, un amalgame de soufre, salpêtre et charbon, elle est coûteuse, sujette aux accidents. Dans les poudreries qui sont apparues dès le XIVᵉ siècle on cherche donc à en améliorer et la fabrication et la composition afin de produire, suivant le cas, de la poudre à canon, à mousquet, pour les mines, les feux d'artifice, etc.

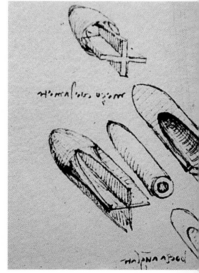

Longtemps le salpêtre est, en grande partie, importé des Indes à partir de nitre recueilli au sol. Les différentes opérations de cuisson et de purification qui le rendent propre à se mêler à la poudre sont également fort délicates. Au XVIIᵉ siècle, les salpêtreries royales françaises sont organisées avec minutie : des ordonnances imposent les qualités de salpêtre, les règles de fabrication, la dimension des cuves, bref régissent le moindre détail, et édictent des règles de sécurité draconiennes. Tout ce qui touche à l'artillerie ressortit à ce que nous appellerions la recherche de pointe. Et intéresse le souverain. Louis XV fera graver sur ses canons deux devises, la sienne : « *Nec pluribus impar* » (à nul autre pareil) et celle du canon : « *Ultima ratio regium* » (le dernier argument des rois). L'idée est claire : la puissance d'un royaume se mesure en bouches à feu.

Des recettes nouvelles permettent de faire varier la composition, mais aussi le grain de la poudre, ce qui la rend moins dangereuse qu'en fine poussière. Et pourquoi pas une poudre idéale sans fumée ? Quiconque a observé des tirs d'armes anciennes imagine combien les batailles, autrefois, se déroulaient à l'aveugle dès la deuxième ou troisième salve : la fumée, non

Léonard de Vinci, *Canon à vapeur*, Ms. B, fol. 33r. Paris, Institut de France. Léonard, ingénieur du duc de Milan, Ludovic le More, envisage le canon hydraulique comme alternative à l'artillerie à poudre.

Léonard de Vinci, *Obus à ailettes*, Codex Arundel, fol. 54r. Londres, British Library.

seulement indiquait la position du tireur, mais dressait devant lui un épais brouillard. Un maître armurier, Abraham de Memmingen, propose une recette dans son *Livre des feux* paru en 1410. Sa formule comprend de l'acide nitrique, de l'acide sulfurique, de l'ammoniaque liquide et de l'huile

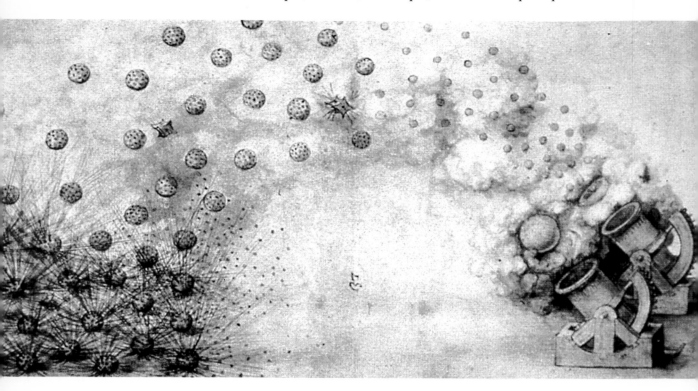

Léonard de Vinci, *Mortier à boulets explosifs*, Codex Atlanticus, fol. 9 v-a. Milan, Bibliothèque Ambrosiana.

de goudron en proportions très précises. Le tout doit garantir un tir sans fumée portant jusqu'à trois mille pas. Mais la formule se termine par cet avertissement qui décourage toute velléité expérimentale : « Mets-y le feu en toute hâte pour pouvoir te sauver. » Comme de surcroît, le mélange est coûteux, la formule tombe dans l'oubli.

Le vrai progrès viendra bien plus tard, au XIXᵉ siècle, avec l'invention du fulmicoton par Christian Friedrich Schoenbein à Bâle en 1845. Ce produit, d'abord obtenu en plongeant du coton dans des bains d'acide nitrique et d'acide sulfurique, est instable et dangereux. Les nombreux accidents, en particulier les déchirements des canons, le font même interdire par plusieurs pays. Puis la formule s'améliore. Ses qualités militaires sont indéniables : puissance, absence de fumée, explosion facile grâce à une capsule de fulminate. Le coton-poudre, idéal pour les munitions, reste limité à ce domaine. Et la nitroglycérine, inventée pratiquement au même moment, va le concurrencer bientôt. Cela n'empêche pas Jules Verne d'imaginer de faire propulser la fusée, ou plutôt l'obus habité, de son roman *De la Terre à la Lune* par du fulmicoton amélioré. Le romancier retrace l'histoire et la composition des poudres et conclut ainsi : « Ainsi donc, au lieu de seize cent mille livres de poudre, nous n'aurons que quatre cent mille livres de fulmi-coton, et comme on peut sans danger comprimer cinq cents livres de coton dans vingt-sept pieds cubes, cette matière n'occupera qu'une hauteur de trente toises dans la Columbiad. De cette façon, le boulet aura plus de sept cents pieds d'âme à parcourir sous l'effort de six milliards de litres de gaz, avant de prendre son vol vers l'astre des nuits ! »

L'invention des alchimistes chinois mise au service des rêves de conquête de la Lune est sans doute le dernier épisode notable de l'histoire de la poudre, modeste composante d'effrayantes panoplies, depuis longtemps dépassée.

LE PAPIER ET L'IMPRIMERIE, SECRET DE LA MÉMOIRE

Rabelais, à ce joyeux nom/Tous les verres, quittez la table/Rabelais dit que le canon/Est une invention du Diable/Mais que par contre le Bon Dieu/Pour combattre l'artillerie/Opposant la lumière au feu/Nous a donné l'imprimerie. C'est ce que chantent encore les compagnons imprimeurs… Ils citent là une lettre de Gargantua à Pantagruel, qui accompagne bien leurs libations. La rime est mauvaise, l'intention est louable. Et l'idée rejoint celle qu'expriment des traités plus savants. Que l'imprimerie soit un instrument à répandre la connaissance, la Raison, les Lumières, c'est une évidence pour notre culture. L'associer au secret sonne comme un paradoxe : imprimer un texte, c'est, nous semble-t-il, aider connaissances et idées à vaincre le temps, les garantir contre les risques de perte, de destruction, d'altération inhérentes au manuscrit. C'est aussi les aider à vaincre la distance, en favoriser la propagation là où elles ne seraient parvenues que difficilement ou parcimonieusement. L'imprimerie, premier instrument à reproduire industriellement les messages, semble synonyme de publicité : du seul fait qu'ils se multiplient, les textes augmentent leurs chances d'échapper à l'oubli comme à la censure et au pouvoir. Avec cette technique du multiple, au lieu de se dégrader avec le temps sous l'effet des copies fautives, d'édition en édition un livre est censé s'améliorer, tandis que son contenu s'ajoute à la masse des ouvrages conservés. Quant à la prolifération des textes, elle offre au lecteur une possibilité jusque-là réservée à quelques-uns : posséder plusieurs

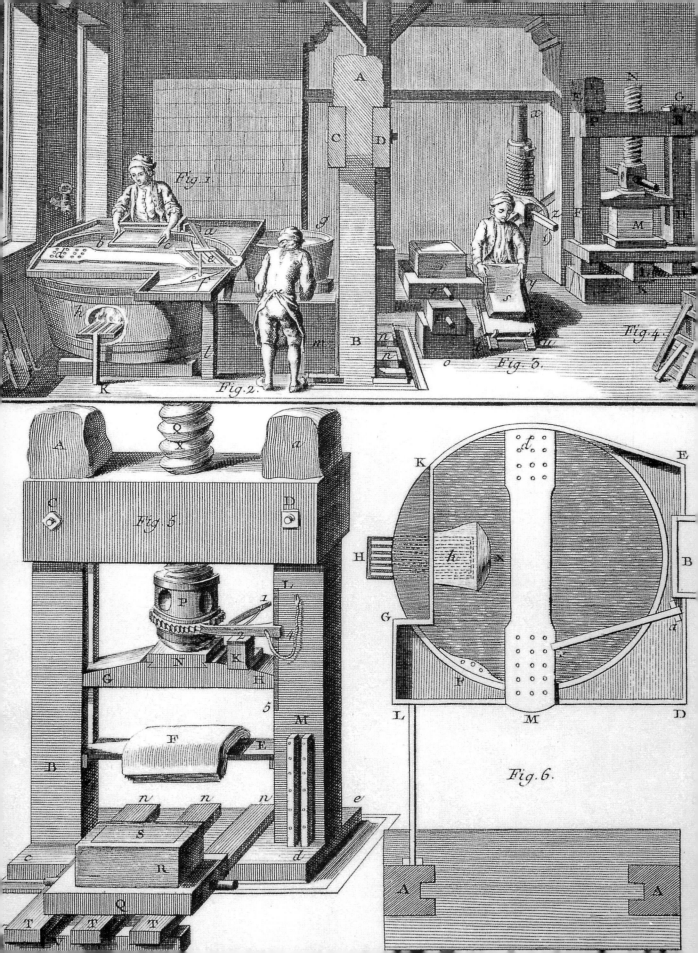

Fig. 1.

Fig. 2.

Fig. 4.

Fig. 5.

Fig. 3.

Fig. 6.

livres sur le même sujet, mettre face à face et évaluer deux versions, deux idées, deux représentations. Un principe de concurrence intellectuelle est sous-jacent à toute profusion du texte imprimé.

Ajoutez à ce panégyrique les habitudes de rapprochement critique, de réflexion individuelle loin des contagions collectives, de libre examen, de réflexion rationnelle, tout ce qui est opposé au mystère, à l'obscurité… La triple qualité du livre, de garder commodément des traces, de se transporter aisément, et d'offrir à chacun un texte auquel se confronter à son gré, tout cela appelle un culte du livre dont nous sommes imprégnés, les auteurs de ces lignes les tout premiers. Il appelle aux célébrations et aux hyperboles. « Pour gouverner il faut répandre la connaissance des lois et des livres de façon à remplir la raison et à rendre droit le cœur des hommes : de la sorte on réalisera l'ordre et la paix… Je veux qu'avec du cuivre on fabrique des caractères qui serviront pour l'impression, de façon à étendre la diffusion des livres : ce sera un avantage sans limites. » Quel est l'homme des Lumières, l'humaniste, le progressiste qui dit cela? Un roi coréen qui en 1403, cinquante ans avant l'invention de Gutenberg, décide d'encourager l'imprimerie dans son royaume, aux frais de l'État. Conformément à ce décret, on fabrique trois jeux de cent mille caractères, que compléteront sept autres au cours du siècle. C'est énorme pour l'époque. Donc vive Rabelais, les rois de Corée et les imprimeurs. Mais…

Support et transport

Mais tout n'est pas si simple. Si l'on considère que l'imprimerie est essentiellement la conjonction de deux facteurs – un support commode, le papier, plus des caractères mobiles qui permettent de reproduire mécaniquement des textes variés –, il faut constater que l'histoire de leur rencontre et conjonction ne fut ni rapide, ni simple. Ces deux techniques de transmission ont elles-mêmes rencontré de singuliers problèmes. On peut couramment relever dans les encyclopédies que la formule du papier a été gardée secrète jusqu'au VIIIe siècle ou encore que le procédé d'impression par des caractères mobiles, pourtant connu en Orient, était si secret que Gutenberg le réinventa sans le savoir. La technique de la pâte de papier ou celle des caractères mobiles ne furent pas protégées par des lois, des interdits, ni par un impératif de confidentialité comme celles de la soie ou de la porcelaine, mais il y eut au moins secret ou non-divulgation de fait. Et si l'on ajoute le rappel des obstacles auxquels se heurta le livre, il faut conclure

Encyclopédie de Diderot et d'Alembert. La fabrication du papier dans une papeterie

qu'à défaut d'un vrai secret de l'imprimerie, il y eut autour d'elle de nombreux secrets ou tentatives d'imposer le secret.

Première bizarrerie : les silences de l'histoire du papier. Toute notre culture repose sur ce discret serviteur auquel elle a mis longtemps à rendre justice, et dont elle a été longue à reconstituer l'histoire. Ainsi l'*Encyclopédie* de Diderot qui exalte le papier, « merveilleuse invention qui est d'un si grand usage dans la vie, qui fixe la mémoire des faits, et immortalise les hommes ». Elle propage la légende d'un papier dit de linge, « invention des modernes », qui n'aurait rien à voir avec celui de la Chine : « C'est là le papier européen : il est nommé papier de linge parce qu'il se fabrique avec de vieux linges qu'on a

portés et qu'on ramasse même dans les rues et que par cette raison les Français nomment chiffons... Ce papier donc se fait avec des haillons de toile de lin ou de chanvre, pourris, broyés, réduits en pâte dans l'eau, ensuite moulés en feuilles minces, carrées qu'on colle, qu'on sèche, qu'on presse et qu'on met en rames ou en mains pour la vente. Il faut d'abord observer que les anciens n'ont jamais connu cette sorte de papier... » dit l'auteur. Suit une assez longue discussion sur l'origine de cette invention que certains attribuent à des Grecs de Constantinople, d'autres aux Arabes, mais que l'on ne croit guère antérieure à 1 300 à cette époque. L'*Encyclopédie* cite l'opinion des jésuites qui tiennent pour chinoise l'origine du papier. D'où cette hypothèse : « Anciennement les Chinois écrivaient avec un pinceau sur des tablettes de bambou ; ensuite ils se servirent du pinceau pour écrire sur du satin ; enfin, sous la dynastie des Han, ils trouvèrent l'invention du papier, vers 160 av. J.-C., suivant le père Martini. Cette invention se perfectionna insensiblement, et leur procura différentes sortes de papier. » Cette brève mention est plutôt une exception qui sera omise dans bien des livres postérieurs. L'origine du papier est donc longue à se préciser, problème contaminé par la légende d'un papier de lin occidental qui serait fondamentalement différent du chinois.

Fabrication traditionnelle du papier chinois. Aquarelles du XVIIᵉ siècle. Paris, Bibliothèque nationale de France. Le papier chinois est produit feuille à feuille dans des formes comme le seront les papiers en Europe

Le pauvre Marco Polo a encore une part de responsabilité dans cette affaire, ou plutôt ses interprètes : sur la foi de quelques lignes de lui où il signale le papier chinois et le compare au coton à cause de son aspect un peu pelucheux, ils déduisent qu'il existait un papier de coton oriental différent du papier fait de chiffons, alors qu'il s'agit du même procédé. S'ajouteront les inévitables légendes, telle celle qui veut que le croisé Jean Montgolfier, capturé lors de la seconde croisade de 1147, ait été employé comme esclave dans une fabrique de papier de Damas, se soit enfui, et, ren-

jusqu'à l'invention de la machine de Robert en 1798. Le papier, s'il est plus économique que les supports qu'il remplace, reste un produit relativement cher.

tré au pays après dix ans d'absence, ait créé en France le premier moulin à papier. Les Chinois eux-mêmes ayant passablement mythifié l'exploit de l'inventeur supposé du papier, le marquis Cai Lun fit même l'objet d'un culte sous les Tang. Le mortier qu'il aurait utilisé pour piler la première pâte de papier à base de chiffons et de filets de pêcheur devint un objet emblématique et quasi sacré. Dans ces conditions, la genèse du papier s'est longtemps enveloppée d'un certain flou.

Son apparition fut arbitrairement datée de 105. En cette année-là un rapport de l'eunuque, marquis et ministre de l'Agriculture Cai Lun décrit le procédé de fabrication du papier à l'empereur. Le fils du Ciel en félicite son bon serviteur, ce qui donne le signal de la fabrication en masse du papier et de son emploi systématique par l'administration chinoise. Le rapport de Cai Lun correspond davantage à la prise de décision officielle de passer à ce nouveau support qu'à son invention, bien antérieure. Des découvertes archéologiques de ces dernières années permettent d'en faire remonter l'apparition au moins trois cent ans avant notre ère. Quant à son utilisation comme support d'écriture, elle date de façon certaine du début du IIe siècle avant notre ère. Des fragments de carte de l'époque des Han de l'Ouest ont été découverts dans le Ganshu.

L'adoption du papier par l'Empire a d'immenses répercussions, des incidences pratiques (l'énorme bureaucratie chinoise sera grande papivore) mais aussi symboliques : le choix d'un support n'est pas neutre. Après les bambous, reliés par des cordelettes – chacun portait donc une colonne de caractères, pesants, encombrants, quasi inutilisables en nombre sans l'aide de serviteurs –, après la soie, chère par définition, le papier représente une révolution par sa légèreté et sa modestie. Son usage ne cesse de se développer. Il atteint son apogée sous la dynastie Tang (618-907) : l'empereur T'ai Tsong, second de la dynastie, homme cultivé et grand propagateur du bouddhisme, possède 200 000 volumes, ce qui est infiniment plus que les plus importantes bibliothèques européennes de la même époque. On commence à faire de la xylographie sur papier. Sous les Tang également apparaissent les premiers journaux, tandis que le papier, en cette époque de relations culturelles intenses, passe en Corée et au Japon. Il est fabriqué dans neuf provinces à l'époque de Nara qui coïncide à peu près avec le VIIIe siècle. Au Japon, terre d'élection de la papeterie, on commence également à recycler le papier usé vers le tournant du millénaire.

Sans entrer dans les détails techniques, notons que la formule du papier oriental évolue. Les Chinois ont d'abord produit un proto-papier de soie brute (le radical de la soie se retrouve dans le nom du papier) puis ont inventé des mélanges d'écorce de mûrier, rotin, bambou, paille de lin et de blé, et autres formes de fibres végétales, tandis que les méthodes de broyage et préparation de la pâte (le fameux mortier de Cai Lun) s'amélioraient. Mouillée, tamisée, la pâte prend la forme de feuilles sur un support souple, puis est séchée, recouverte d'une fine couche d'amidon qui la rend imperméable et propre à recevoir l'encre. Il y a donc des recettes du papier pour le rendre moins duveteux, plus lisse, parfois coloré, etc. Fabriqué à la main, feuille à feuille, il reste encore un produit, sinon luxueux, du moins cher. Le meilleur papier pour l'écriture, celui qui se prête au trajet délié et élégant du pinceau, le beau papier résistant et qui dure cent ans cher au calligraphe, est fait d'un mélange de paille et de bois de micocoulier. L'encre chinoise, surtout composée de bois de pin, commence à partir du Xe siècle à se fabriquer avec le noir de diverses sortes d'huiles ou de graisses de porc par exemple. La formule de l'encre n'est pas neuve : les Égyptiens en possédaient bien avant les Chinois et la fabriquaient avec du noir de fumée et du cinabre.

Le papier ne sert pas que de support à l'écriture : on fabrique de multiples objets en papier, des jouets, des éventails, des masques, des guirlandes, des parois huilées, des pièces de vêtement, sans compter deux usages grands consommateurs de ce matériau : les cérémonies religieuses où l'on brûle de nombreux objets de papier et l'hygiène. La coutume chinoise de s'essuyer avec du papier suscite l'étonnement, voire le dégoût, des visiteurs islamiques mais c'est une véritable industrie. Il ne faut pas oublier deux autres usages du papier : les vêtements chauds et plus solides qu'on ne l'imaginerait et, plus étonnant encore, les armures. Celles-ci, faites de couches de papier ou de carton, résistaient si bien à la pénétration des flèches qu'au XIIe siècle on échange volontiers deux armures de fer contre une bonne armure de papier. Si le papier support de l'écriture est le plus prestigieux et le seul qui nous importe ici, son usage pour l'imprimerie consomme aujourd'hui 45 % du papier seulement. La majorité de la pâte produite est destinée à l'emballage et à l'hygiène.

Les chemins de l'Occident

Dès la fin du VIIe siècle, le papier chinois est exporté vers l'Ouest. Chosroès II de Perse n'emploie pour les documents royaux que du papier de Chine teint au safran et parfumé à l'eau de rose. En suivant le chemin du papier, nous rencontrons une fois de plus sur le grand axe de transmission eurasiatique : la route de la soie. En 751 se déroule au cœur de l'Asie centrale une bataille qu'ignorent assez superbement nos manuels d'histoire : celle de la rivière Talas, dans l'actuel Kirghizistan, à l'est du Syr-Daria. Elle voit s'affronter soldats chinois et conquérants islamiques. Les Chinois sont défaits. Cette bataille entraîne, entre autres conséquences, ce que nous nommerions aujourd'hui un transfert de technologie : la déportation d'artisans chinois faits prisonniers. Parmi eux des sériciculteurs et des papetiers.

Le califat abbasside de Bagdad a déjà adopté le papier pour ses bureaux, il pourra désormais le fabriquer, comme le feront les Fatimides du Caire un peu plus tard. On ne tarde pas à créer des moulins ; la méthode chinoise de défibrage manuel et de malaxage au pilon actionné au pied est remplacée par l'usage de moulins. Leurs grandes meules sont mues par des animaux ou des esclaves. Le papier du monde musulman a sa propre recette : chanvre, lin et chiffon qui remplacent le papyrus traditionnel d'Égypte. La conjonction de plusieurs facteurs – bureaucratie, milieux lettrés, bibliothèques importantes, développement du commerce et de ses écritures, souci religieux de recopier le Coran – se conjuguent pour en stimuler l'usage.

Le chemin du papier, bien étudié et bien daté, se suit en quelques dates : Samarcande en 751, Bagdad en 793, Le Caire en 900, Fez en 1100, Palerme en 1109 et Fabriano en 1276. Le passage au monde européen, qui s'est fait via l'Espagne islamique et en particulier par la ville papetière de Xativa près de Valence, coïncide avec l'usage de moulins hydrauliques à roues à aubes et arbres à cames. Apparaissent de nouvelles améliorations : malaxage de la pâte par des maillets mécaniques, meilleures formes à puiser avec un fil de laiton qui suppose une technologie métallurgique assez avancée, meilleur collage à la colle de gélatine animale. L'adoption du papier ne va pas sans résistances culturelles : Frédéric II interdit l'usage de ce support peu fiable, Roger II de Sicile fait détruire les documents officiels sur papier après copie sur parchemin. En 1494, Jean Tritheim écrit encore : « Ce qui est écrit sur le parchemin durera un millénaire, ce qui est écrit sur papier durera deux cents ans au plus. » Le prophète était un peu en avance : c'est seulement au XIXe siècle que le papier commencera à perdre considérablement de sa durée de vie, sous l'effet de l'adoption de colles à la colophane. Mais si le problème des papiers dits acides et bien moins résistants au pliage et à la manipulation

Filigranes.
Le filigrane est inventé en Europe au XIIIe siècle. Son premier rôle est d'identifier le papetier pour éviter la fraude.

46 Constantius benedicti galassini

47 Rodolphus maffioli

48 Sebastianus franc toccae celi

49 Angelus sr Zaphirj

50 fremt vici borghag maff

51 Alexander bent romaldj

52 franciscus amoruij

53 Pasimon Constantinj

54 Pasimon hieronimi joīs Nicholaj

Coupeuses de chiffons à la fin du XIXᵉ siècle. Plus on utilise de papier, plus les matières premières se font rares. Au XIXᵉ siècle, il y a même une véritable pénurie de chiffon et les prix explosent. On se lance alors dans la recherche de produits de substitution : ortie, fougères, maïs, etc.

préoccupe fort les bibliothécaires depuis un bon siècle, la durabilité des papiers de chiffon de la Renaissance est remarquable.

Le passage au papier est irréversible. On commence à en produire en masse avec des chiffons de lin abondants à cette époque. On les collectera. La mode des tissus de lin utilisés pour les chemises dès le XIIIᵉ siècle garantit longtemps la matière première. Le chiffonnier devient une figure familière du paysage urbain. Le transport des tonnes de chiffon nécessaires engendre tout un système de collecte et de transport, généralement fluvial, jusqu'aux moulins où il sera humidifié et malaxé. Au moment de sa diffusion dans toute l'Europe, en particulier vers le Nord au XIVᵉ siècle, la papeterie est devenue une technique quasi industrielle mais qui ne changera guère jusqu'au XIXᵉ siècle.

Parmi les innovations techniques des débuts de la papeterie européenne, il faut signaler le filigrane. Le premier filigrane connu est celui de Fabriano, il date très exactement de 1282. Lorsque la pâte de la feuille en formation se dépose, elle est, très logiquement, un peu moins épaisse là où elle recouvre les reliefs des vergeures. Ce dessin en creux inscrit dans la pâte, à ce premier stade de sa fabrication, produit une transparence. Un fil de laiton cousu sur le treillis, ou plus tard une toile métallique emboutie à l'aide d'une forme, peut laisser l'image fantôme que l'on désire dans l'épaisseur du papier. Initialement, c'est une signature du papetier qui entend ainsi manifester sa fierté d'artisan mais aussi se protéger des contrefaçons. Plus tard, ce sera un moyen de contrôle pour l'État. Un arrêt de la cour de Louis XV règle très précisément l'emplacement, la forme, la nature de ces signatures : elles doivent permettre de connaître avec certitude le nom ou surnom du maître papetier, sa province, la qualité du papier… et ce afin de prévenir toute fraude.

Le filigrane est un identifiant ; ceci joue pour le papier-monnaie, dont il sera question dans le chapitre suivant, mais cela a aussi une conséquence : le filigrane constitue le moyen de datation et le certificat d'origine le plus sûr d'un papier. Une véritable science des filigranes se développe ainsi qui contribue beaucoup à l'expertise des œuvres d'art. Parmi les petits secrets du filigrane, on peut citer celui de Chagall qui avait fait réaliser un papier portant en filigrane l'inscription : « Ceci est une reproduction », et qui prenait grand soin de signer ses œuvres destinées à l'édition à cet emplacement précis afin qu'on ne puisse pas les faire passer pour des originaux. Il est intéressant de noter que le papier lui-même parle énormément à l'expert et qu'il lui en livre ses secrets bien plus aisément que ne le croit le profane. Les analyses des pâtes, des encres, l'analyse chimique et optique (par fluorescence, etc.) des papiers permettent une identification très précise.

L'art de multiplier

L'histoire du papier, encombrée de quelques légendes, fut assez longue à reconstituer, mais que dire alors de celle de l'imprimerie, polluée davantage encore, de faux bruits et de mystères.

En 1893, on écrit encore dans *Les Grandes Inventions modernes*, un livre de vulgarisation scientifique, que l'imprimerie « a été découverte et mise en pratique au milieu du XVe siècle. On ne saurait rapporter à aucune époque antérieure l'origine de cette invention immortelle, car les Chinois et quelques autres peuples de l'Europe auxquels on a voulu l'attribuer n'ont jamais fait usage que de moyens de reproduction qui servent à obtenir des estampes, c'est-à-dire, de tablettes de bois gravées en relief et en creux. » Ce qui est faux : les caractères mobiles existent bien avant le XVe siècle. Ces erreurs sont d'autant plus étonnantes que, via les Portugais, les bibliothèques européennes ont possédé des livres chinois imprimés dès le XVIe siècle. Montaigne, qui en avait vu à la bibliothèque du Vatican, s'émerveillait de l'imprimerie, mais ajoutait : « D'autres hommes à l'autre bout du monde, à la Chine, en jouissaient mille ans auparavant. »

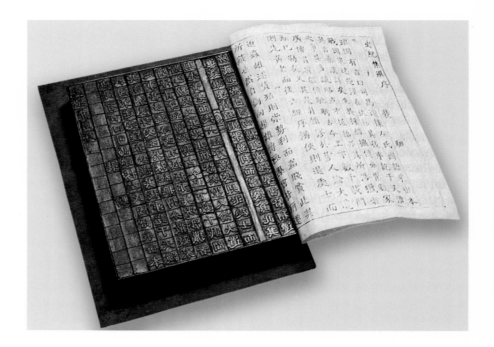

Mille ans est un peu exagéré : le plus ancien texte imprimé connu est un rouleau porte-bonheur bouddhiste, découvert en 1966 près de Kyonju, en Corée, mais imprimé en Chine dans la première moitié du VIIIᵉ siècle. Ce rouleau, réputé pour apporter des bénédictions extraordinaires, fut également exporté au Japon où il fut imprimé à un million d'exemplaires. Chine, Japon, Corée, rapprochés par l'intensité des relations commerciales et culturelles sous les Tang, ont en commun le bouddhisme. Le milieu est favorable à la première éclosion de l'imprimerie. Les taoïstes impriment aussi des images et des charmes sur de petits rouleaux de papier. Et comme une planche de bois peut servir pour des milliers d'exemplaires, les courts textes de piété fleurissent dans tout l'Extrême-Orient.

Le plus ancien « vrai » livre imprimé à une date connue le fut « par Wang Kie le 11 mai 868 pour être distribué gratuitement à tous et perpétuer la mémoire de ses parents », dit la préface d'un exemplaire du *Soutra de diamant*, découvert en 1907, une fois encore, à Dunhuang où ont subsisté des milliers de rouleaux. La plupart sont sur papier chinois, concurrencé par le cuir, l'écorce de bouleau et la soie (support des écrits d'importance). Le climat sec du désert du Taklamakan en a fait un des milieux les plus favorables à la conservation de ses riches archives. Le livre de Wang Kie lui-même, actuellement gardé au British Museum, est un texte xylographié : il est reproduit à partir d'une planche de bois gravée à l'envers. Il se présente sous forme de rouleau, non feuille à feuille en codex.

Le livre xylographié est l'aboutissement de techniques plus anciennes. Dès le IIe siècle, des textes sacrés des trois grandes religions, confucianisme, taoïsme et bouddhisme sont gravés sur des pierres qui étaient encrées ; une feuille de papier était alors appliquée sur cette surface et en frottant on obtenait une copie. Ce principe de la matrice fixe permettait au dévot ou au lettré de rapporter le texte chez lui. Ainsi les sept grands classiques du confucianisme de « la forêt des tables de pierre » près de l'ancienne capitale de Xian, ou les sept mille tables de pierre portant des textes bouddhique étaient à la disposition des passants. Outre le domaine religieux, ce principe était utilisé dans les domaines profanes, par exemple pour les décrets.

Le bouddhisme, tout particulièrement, a contribué aux progrès de l'imprimerie. Il encourage la multiplication des images, des prières et textes sacrés, considérés comme des contributions au progrès de chacun vers la libération. Les bouddhistes chinois inventent un procédé. Ils imaginent d'employer un pochoir en carton percé de trous très fins et que l'on applique pour encrage sur des feuilles blanches : la technique est proche de celle du moderne stencil. Elle est bon marché et fournit un grand nombre d'exemplaires de qualité acceptable. Il s'y mêle une part de superstition : vers la fin du VIIIe siècle, on voit proliférer des millions de formules et d'images pieuses. Le bouddhisme stimule la xylographie.

Aux IXe et Xe siècles des textes plus légers, poésies, biographies comme celle de l'alchimiste Li Hong, voire de simples calendriers prolifèrent. Leur impression illustre déjà les rapports entre les médias de masse et le pouvoir. Le calendrier, en Chine, est chargé d'une forte connotation symbolique et politique. Profondément persuadés qu'événements célestes et événements politiques sont en rapport, les Chinois étaient avides de toute information sur les jours fastes, les influences astrales, la prédiction des éclipses, les constellations visibles, le moment approprié aux rituels, le bon ordre des mois, des fêtes et des saisons… Inversement les désordres d'ici-bas, telle l'inconduite de l'empereur exerçant mal le mandat du ciel, pouvaient troubler l'ordre cosmique, provoquer des catastrophes. Les fonctionnaires chargés de calculer tout cela étaient en même temps astronomes, astrologues et faiseurs de calendriers. La production d'un calendrier par un particulier fut parfois tenue pour un crime de lèse-majesté ; à

d'autres époques l'enseignement de l'astrologie fut interdit, la simple communication entre un fonctionnaire chargé du calendrier et un homme du peuple réprimée. Mais le commerce était lucratif, tant la vente des calendriers sur les marchés que la production de calendriers privés pour les grandes familles. En 835, un fonctionnaire du Setchouan écrit à son administration pour demander l'interdiction de ces calendriers qui sortent avant celui de la bureaucratie impériale. L'incident montre non seulement que l'imprimerie favorise la propagation d'écrits subversifs et attire la répression, ce dont on se doutait, mais que dès ses débuts le nouveau média introduit un facteur temps dans la compétition éternelle entre parole officielle et information privée.

Pour que l'imprimerie triomphe vraiment, il lui faut vaincre la résistance des milieux lettrés, essentiellement confucéens, qui hésitent à confier la reproduction des grands textes classiques à cette invention mécanique. En 932, le ministre Fong Tao suggère à l'empereur de faire fixer les classiques de cette façon : la sculpture sur pierre est devenue d'un coût prohibitif. Cette transcription sur papier prend jusqu'à la fin du siècle et mobilise un ministre qui y travaille vingt-deux ans sous dix souverains. Résultat : 130 volumes vendus au public par l'Académie chinoise.

Mais, une fois encore, ce sont les bouddhistes qui sont les plus papivores. Ils procèdent à l'impression du *Tripitaka*, le canon bouddhique, littéralement « les trois corbeilles » : il est composé d'une corbeille de textes relatifs à la discipline monastique, une seconde de sermons ou soutras du Bouddha ou de ses disciples, et de la dernière composée de textes philosophiques et psychologiques. Cette énorme masse, dont chaque école bouddhique a sa propre version, est là encore source d'une énorme production de textes imprimés. On connaît le cas d'un traité du Xe siècle dont il subsiste 400 000 exemplaires. Même rapporté aux proportions de la Chine, cela donne idée de l'ampleur du phénomène.

Le souci de conservation de l'écrit stimule ainsi toute une industrie de la xylographie dans l'Empire. Nous lui devons la perpétuation d'une grande partie de la culture chinoise. L'étape suivante est la fabrication de caractères mobiles. Intervient un nouvel alchimiste : Pi Cheng, forgeron et chercheur, a l'idée de produire des caractères au moyen d'argile et de colle liquide vers l'an 1040. Ceux-ci sont insérés dans des cases sur des plaques de fer enduites d'un mélange de cendre, de cire et de résine et maintenus à chaud. Les caractères sont récupérables après usage et refroidissement. Pi Cheng apporte ainsi des solutions au principal problème de l'imprimerie. Non pas de fabriquer un caractère par lettre ou idéogramme, mais de savoir les maintenir en place et les réutiliser. Un problème spécifique à la Chine est, bien évidemment, celui du nombre énorme de caractères : il faut les fabriquer, ce qui coûte cher, mais aussi les classer facilement selon un principe d'abscisse et d'ordonnée. Un fonctionnaire érudit, Wang Tchen, qui composa un traité d'agriculture à la fin du XIIIe siècle fit, dit-on, réaliser un jeu de 60 000 caractères de bois qui lui servit à imprimer une feuille périodique locale à une centaine d'exemplaires. Il avait également imaginé une roue tournant autour d'un axe et permettant d'accéder aisément à ces jeux de caractères rangés selon un ordre typographique logique. Mais c'est l'exception : l'usage des caractères mobiles, surtout en bois, comme la production de journaux sont pratiquement réservés à l'administration. Cela durera longtemps. Ainsi, au XVIIIe siècle, l'impression d'une encyclopédie impériale de dix mille chapitres requerra, outre un investissement que n'aurait pu envisager aucun particulier, un système de classement à 214 clefs, avec dictionnaires et règles d'usage, ce qui ne simplifiait rien. Le secret de cette imprimerie est peut-être dans sa complexité.

Écritures et artifices

Le problème se pose au moment des conquêtes mongoles du XIIIe siècle : à la cour des khans on parle vite quatre langues et on utilise quatre écritures : le « tartare » (le mongol), l'ouïgour, qui devient langue de chancellerie, le persan, et l'arabe en raison des nombreux fonctionnaires et marchands musulmans. Ajoutons le syriaque et quelques langues turques pour les relations avec l'extérieur. En revanche, le chinois est peu pratiqué par les Mongols même après la conquête. Les envahisseurs, à peine descendus de cheval, comprennent l'importance des archives et de la paperasse, pour la bonne administration de la Chine. Koubilaï Khan pense même faire réaliser par un moine tibétain un système universel qui permettrait de transcrire phonétiquement les diverses langues de l'Empire. L'initiative ne prendra pas. En tout cas, sous la dynastie mongole des Yuan, l'imprimerie sera prospère, ne serait-ce que pour réaliser des billets de banque (il est vrai xylographiés), une nouveauté que remarquent les voyageurs occidentaux, ainsi que des cartes à jouer.

Il existe au moins un pays pour lequel l'imprimerie est toute contraire à l'esprit de secret. Les caractères mobiles apparaissent dans d'autres pays : en

Corée, il se fabrique des polices fondues avec du plomb et du cuivre au XVᵉ siècle (il ne faut pas moins de 100 000 caractères pour imprimer du coréen). Un temple du mont Kaya, au sud du pays, a conservé plus de 80 000 blocs de bois de magnolia gravés des deux côtés et qui ont servi à imprimer des classiques du bouddhisme dans la première moitié du XIIIᵉ siècle. Les souverains coréens sont particulièrement favorables à l'imprimerie : dès le début du XVᵉ siècle les ateliers royaux pourvus de jeux de caractères mobiles en cuivre produisent des livres imprimés et ce jusqu'au XIXᵉ siècle. Le passage du caractère mobile en bois ou en terre cuite qui s'use vite et prend mal l'encre au véritable caractère en métal représente un progrès considérable. Le roi Séjong, qui règne de 1418 à 1450, demande même aux lettrés de produire un système d'écriture alphabétique simplifié. Ce système phonétique de vingt-cinq lettres, le « Han g'ul », doit faciliter l'apprentissage de la lecture par le peuple. Sans trop de succès. Les livres produits par les ateliers royaux ne sont pas vendus publiquement mais distribués aux lettrés et aux grands fonctionnaires, conformément à une vision très hiérarchique et confucéenne où le savoir est distribué par en haut. L'imprimerie coréenne a une réputation insurpassable. Il est vrai qu'au XVᵉ siècle on ne plaisante pas avec la précision : chaque faute d'impression ou chaque caractère mal imprimé est puni de trente coups de fouet. La piste s'arrête en Corée.

Le secret de l'imprimerie est-il parvenu de l'Extrême-Orient à Mayence où Gutenberg le recueille ? L'hypothèse n'est pas neuve. Déjà, en 1585, Juan Gonzales de Mendoza écrivait : « Les Chinois affirment que l'imprimerie a été inventée dans leur pays et que l'inventeur est un homme qu'ils vénèrent comme un saint : il est évident que de nombreuses années après son invention l'imprimerie a été apportée en Allemagne, passant par la Russie et la Moscovie. » Il suppose aussi que des marchands de l'Arabie Heureuse (la péninsule arabique) auraient pu apporter un livre chinois. Il serait parvenu jusqu'à Gutenberg et lui aurait donné l'idée de son invention…

Dans tous les cas, copiée, inspirée ou redécouverte, l'innovation en question suppose la maîtrise de plusieurs techniques complexes : savoir fabriquer des caractères réutilisables sans usure excessive, trouver le moyen de les disposer de manière ferme et commode à leur place, et enfin pouvoir les appliquer commodément et précisément sur la feuille de papier. Trois choses sont donc nécessaires : le caractère mobile, l'encre grasse et la presse.

Atelier d'imprimerie, France, début du XVIᵉ siècle. Dès l'invention de Gutenberg, les ateliers d'imprimerie prolifèrent en Europe.

Page de droite,
de gauche à droite :
Isaac Bonifacio,
*Une imprimerie au
XVIᵉ siècle*. « Comme
une seule voix peut être
entendue par une
multitude d'oreilles,
d'un seul texte ils font
mille pages. »

Forme imprimante
utilisée par Gutenberg
pour la réalisation du
Psautier de Mayence.
Le secret de
l'imprimerie, réinventée
en Europe au milieu
du XVᵉ siècle, est avant
tout celui d'assembler
et de maintenir réunis
des caractères mobiles.

Planche de
l'*Encyclopédie* de
Diderot et d'Alembert :
atelier d'imprimerie.

Ci-dessous :
Habit d'imprimeur
en lettres.

La première n'est pas très compliquée en son principe ; en revanche, la réalisation pose des problèmes de métallurgie assez ardus. C'est le principal mérite de Gutenberg, aidé par sa formation d'orfèvre, que d'y être parvenu. L'histoire de son invention, célébrée et racontée cent fois, laisse des zones d'obscurité. Divers bruits ou indices laissent supposer l'existence de prédécesseurs de Gutenberg ou du moins des recherches parallèles comme celles d'un certain Coster aux Pays-Bas. Que seraient ces « choses appartenant à l'imprimerie » que Gutenberg acheta 100 florins en 1436, donc antérieures à son invention, à un orfèvre de Francfort ? Ou encore qu'ont inventé Waldfoghel et Ferrose, orfèvres et serruriers, qui travaillent en Avignon à un « art d'écrire artificiellement » mal identifié, nécessitant des alphabets d'acier ? À l'occasion d'un invraisemblable procès qui oppose Gutenberg à ses premiers associés à Strasbourg en 1439 (ces héros des Lumières fabriquaient, entre autres, des miroirs destinés à être fixés sur les chapeaux de pèlerins afin de mieux capter les grâces des reliques), un témoignage révèle que Gutenberg possédait déjà une presse qu'il cachait soigneusement. Vers 1440 il aurait commencé ses recherches en typographie, travaillant sur les métaux à employer pour fondre les lettres : ni fer trop dur, ni plomb trop mou, il fallait donc un alliage. La découverte de l'imprimerie, lente et progressive, résulta sans doute de la conjonction de plusieurs recherches.

Après le décès de ses premiers associés, Gutenberg revient à Mayence. Il s'associe avec un banquier local, Pierre Fust, et avec un jeune clerc, Pierre Schoeffer, gendre du premier et qui contribue sans doute à perfectionner la formule des lettres à base de plomb et d'antimoine. Le reste est connu : Fust réclame ses avances et intérêts à Gutenberg, le traîne en justice, le ruine et le dépouille de son matériel, et probablement de sa première œuvre, la fameuse Bible latine, imprimée sur deux colonnes, dite « à quarante-deux lignes ». Une tradition veut que Fust se soit précipité à Paris pour y vendre ses bibles mais qu'il se serait heurté à la solide Confrérie des libraires, qui l'accusent de sorcellerie : un homme ne peut disposer de tant de manuscrits par des moyens humains ; il faut donc que le diable l'ait aidé. Fust prend la fuite pour échapper au bûcher. Par la suite, le fils de Schoeffer rendra justice à Gutenberg, et l'archevêque de Mayence, persuadé de son bon droit, le protégera, le pensionnera et l'aidera à rétablir une imprimerie.

Les débuts de l'imprimerie se déroulent dans cette bizarre atmosphère de complots et de dissimulation. Fust, pendant la période où il est à la tête de

l'imprimerie dont il a dépouillé son associé, prend grand soin de faire jurer le secret à ses ouvriers. On dit même qu'il les fait chanter en les menaçant de faire payer des billets à ordre au cas où ils parleraient et qu'il les enferme sous clef dans l'atelier obscur où il dissimule son industrie. Il est vrai que Fust se livrait à quelques vilenies : il faisait, en particulier, passer des livres imprimés pour des manuscrits qu'il revendait fort cher à Paris. Les tout premiers livres imprimés s'attachent à imiter la calligraphie en ses moindres détails. Certains, comme un Missel de Lyon imprimé en 1482, sont des copies quasi parfaites des versions manuscrites ; les imprimeurs n'hésitent pas à faire rajouter des initiales et pieds de mouche peints à la main pour rendre leur fac-similé encore plus semblable à son concurrent, le manuscrit. Les impressions bicolores ne sont pas rares. Avec le temps s'impose une logique de simplification et de standardisation du texte imprimé qui ne cache plus sa nature et ne tente plus de rivaliser avec le manuscrit désormais condamné.

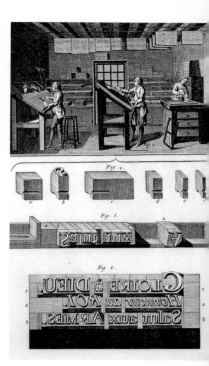

En 1458, un notaire de Strasbourg passe un accord avec l'official de l'évêque, et s'associe à lui pour lancer une imprimerie. Les deux hommes se jurent aussitôt le secret : le nouvel art ne devra être révélé à quiconque. Le mouvement est cependant lancé et favorisé par les voyages fréquents des premiers typographes : dès 1470 des livres imprimés paraissent à Paris, les imprimeurs-libraires s'installent au Quartier latin. Dans toute l'Europe, de Prague à Venise en passant par Lyon, dans tous les centres culturels et commerciaux, les artisans imprimeurs s'installent. En 1480, onze villes ont des presses à imprimer, en 1500, il y en a plus de 238. Avant la fin du siècle, l'imprimé est devenu un objet commercial important.

Censures

Dans son *Esquisse d'un tableau historique des progrès de l'esprit humain*, Condorcet décrit la suite de l'histoire avec enthousiasme : « Dès lors la faculté d'avoir des livres, d'en acquérir (…) a existé pour tous ceux qui savaient lire. Ces copies multipliées se répandant avec une rapidité plus grande, non seulement les faits, les découvertes acquièrent une publicité plus étendue, mais ils l'acquièrent avec une plus grande promptitude. » Pour autant, il serait faux de faire de l'imprimerie un miracle répandant les lumières et entraînant la confrontation des opinions selon les seuls critères de véracité et de rationalité. Le processus prend plusieurs siècles et, paradoxalement, l'édition contribue souvent à répandre vieilleries et fariboles, parce que l'on imprime d'abord des textes dont l'autorité s'appuie sur la tradition ou qui auront du succès en confirmant les croyances établies. Le texte ou la carte imprimés ne reflètent pas nécessairement l'état le plus récent de la science. Bien au contraire, c'est souvent la vérité la plus ancienne, voire le dogme antique qui sont ainsi répandus. Un des plus gros succès de l'imprimerie naissante est le *Secret des secrets*, faussement attribué à Aristote ou à Albert le Grand, et qui voisine sur les rayonnages avec le *Miroir du Monde* de Jean de Beauvais, encyclopédie scientifique au succès assuré, qui ne datait jamais que de deux siècles. La *Géographie* de Ptolémée, véritable bible géographique de la Renaissance, est un exemple typique : elle rend accessible une science antique quasi oubliée, mais le respect pour Ptolémée entraîne la perpétuation de ses plus importantes erreurs tant et si bien que l'on retrouve jusqu'en 1487 des éditions de Ptolémée ignorant les découvertes portugaises ou faisant cohabiter la configuration traditionnelle ptoléméenne avec des textes ou cartes additionnelles qui la contredisent.

Un second paradoxe est que l'imprimerie fait beaucoup pour l'institution de la censure, qui n'est jamais qu'un secret imposé. Certes, les cas de destruction délibérée de manuscrits sont nombreux : ainsi en Chine, où le phénomène s'est répété, l'empereur Shi Huang-ti, en 213 av. J.-C., décida de faire détruire tous les manuscrits existants, rien de moins. Même les Athéniens faisaient brûler les œuvres impies de Protagoras. Les destructions de grimoires à Éphèse, après la prédication de saint Paul, les manuscrits ariens détruits en masse après le concile de Nicée en 325, les bûchers de livres de notre Moyen Âge ou de l'Islam en sont d'autres exemples. Mais détruire un texte « physiquement » n'était pas la méthode la plus sûre ni la plus simple pour empêcher une idée de se propager. Durant la plus longue partie de notre histoire, les idées n'ont voyagé que par « portage », voire par colportage, parcimonieusement et difficilement, avec une escorte humaine progressant lentement et dangereusement. Un texte condamné n'a guère le temps de proliférer sous forme de copies privées. Un prédicateur est plus dangereux.

Des siècles durant, la censure s'exerçait tout simplement en arrêtant des hommes et en les empêchant de parler : les possesseurs de manuscrits subversifs ou hérétiques, de livres de sorcellerie existent, mais le danger qu'ils représentent n'est rien par rapport à celui d'une prise de parole publique. À l'époque de la scolastique médiévale plusieurs facteurs se conjuguent pour rendre nécessaire un contrôle plus adapté : la pratique de la lecture publique commentée dans les facultés (la *lectio* et la *disputatio*), la prolifération des ateliers de copistes et, à partir du XIIIᵉ siècle, l'arrivée, le plus souvent par le monde arabe, d'une multitude de textes philosophiques grecs. Un manuscrit d'Aristote ou un commentaire par un philosophe islamique comme Averroès trouvera facilement un public lettré prêt à en croire l'autorité. C'est sur cette réalité que repose toute l'intrigue du roman médiéval d'Umberto Eco *Le Nom de la rose*, où un abbé fou tue pour empêcher que soit révélée l'existence d'un texte inconnu d'Aristote sur le rire, thème subversif par excellence. Mais l'Église, tout en établissant un système très strict de condamnation des doctrines prohibées et d'identification des articles de foi auxquels contreviennent des propositions très précises, distingue des degrés d'interdiction : professer une doctrine impie, posséder le texte qui l'exprime, le lire publiquement, l'interpréter devant les étudiants, l'approuver ostensiblement sont des actes de gravité différente. Certes, il advient que des livres, voire des cahiers de notes d'étudiants, soient brûlés, ou encore que la lecture privée ou publique de certains textes, comme les livres naturels d'Aristote, vaille excommunication, mais de telles interdictions sont assez rares ou théoriques. La destruction des originaux entre les mains de quelques doctes ou la recherche systématique de tout exemplaire sont rarissimes. En revanche, la persécution des hommes, les

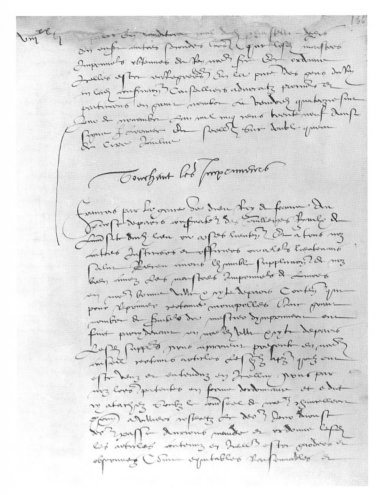

Ordonnance
de François Iᵉʳ
réglementant la
profession d'imprimeur,
faite à Compiègne,
le 14 octobre 1539
Paris, Archives
nationales.
Dès ses débuts,
l'imprimerie est
surveillée par l'État
et soumise à
réglementation.

interdictions d'enseigner certains points ou les listes de propositions condamnées sont fréquentes.

Avec l'imprimerie, les autorités sont confrontées à un problème inédit. Dès 1475 l'université de Cologne reçoit privilège du pape pour censurer auteurs et éditeurs de livres hérétiques ou pernicieux. En 1496 à Mayence, berceau de l'imprimerie, il est défendu sous peine d'excommunication de publier un livre sans approbation de l'archevêché. Il en va de même en Italie. À partir d'une bulle pontificale d'Alexandre VI en 1501, la papauté impose un régime de censure préalable, tandis que l'empereur d'Allemagne nomme une commission de censure.

Le lien entre la nouvelle invention, l'imprimerie, et les grands affrontements religieux et philosophiques s'affirme très clairement lorsque les thèses de Luther, affichées en 1517 à Wittenberg, déclenchent une floraison d'éditions, appels, manifestes, textes de partisans et d'adversaires de la Réforme, caricatures, pamphlets, sans compter bien entendu les traductions de la Bible favorisées par le protestantisme. Et en prônant la lecture privée de la Bible, en exaltant le modèle de la méditation solitaire ou familiale sur le texte sacré, en inondant l'Europe de textes polémiques, la Réforme révèle qu'un média est une arme. Dès que les protestants possèdent des lieux où ils règnent en maîtres, comme à Neuchâtel, ils s'en servent pour propager leurs ouvrages ou même des affiches. Lorsque certains de ces placards moquant la messe parviennent à Paris en 1534, ils sont affichés jusque sur la porte de la chambre du roi à Amboise. Furieux du double crime, de blasphème et de lèse-majesté, François Iᵉʳ ordonne un répression où périssent quelques présumés protestants dont Étienne de la Forge, ami de Calvin. En riposte à ces « brûlements », Calvin publie un livret clandestin : son *Institution chrétienne.* Un cycle nouveau est inauguré où imprimerie clandestine et autorités ne vont cesser de lutter pendant des siècles.

La censure, longtemps exercée par l'université de Paris qui en tenait l'autorité du pape, se verra sous Charles IX confinée aux écrits religieux, un cabinet de censure informel s'occupant des affaires politiques. En 1563, le Parlement décide de ne laisser publier que les livres qui ont reçu une autorisation préalable, le privilège. En 1599, l'Inquisition publie le premier *Index* des livres interdits, dont le caractère obligatoire ne sera aboli qu'en 1965. En un siècle d'imprimerie, l'Europe entière a adopté le principe de la censure préalable. L'interdiction est la loi et la permission l'exception.

Toute découverte est secrète, au moins un moment : cette notion paraît évidente alors que la concurrence est devenue, suivant une expression à la mode, « hyper-compétitive ». La valeur économique de techniques, mais aussi de dessins, de slogans, d'idées, de tout produit original de l'esprit humain qui se prête à une exploitation, dépend pour une large part du monopole, souvent temporaire, dont jouissent ses propriétaires. L'économie dite de l'immatériel augmente la désidérabilité de l'information, la valeur financière de son exclusivité ou de son antériorité. La globalisation offre un champ à des acteurs qui mènent une stratégie économique planétaire par des moyens dits de guerre de l'information économique et que l'on pourrait appeler, plus crûment, vol de secrets, sabotage de systèmes d'information des concurrents, espionnage et désinformation. Le poids économique mondial du crime organisé n'est pas non plus un facteur qui favorise la transparence ou l'adoucissement des mœurs.

Le secret devient une revendication des simples citoyens, soucieux de défendre leur sphère privée, inquiets des systèmes de surveillance et de fichage qui se développent, souci quelque peu contradictoire avec une exigence croissante de protection des mêmes citoyens. Avec les nouvelles technologies, le simple rapprochement d'informations qui, en elles-mêmes, n'ont rien de très mystérieux (l'identité de quelqu'un, sa profession, ses achats habituels, ses lectures, ses déplacements…) forme des bases de données dont la confidentialité constitue un enjeu grave.

Quant à l'État, il n'a plus seulement à garder cachés quelques traités compromettants, quelques armes de pointe ou quelques vilenies de ses espions ou de ses sbires : ce sont des millions de documents que tout État démocratique doit garder secrets pour des raisons stratégiques, économiques, techniques ou de libertés publiques.

Le tout sur fond de technologies de la communication qui permettent la pénétration clandestine, voire la falsification de millions de données, communications, archives…

Face à cette omniprésence du secret dans les sphères privées, publiques ou économiques, trois domaines se détachent pourtant qui marquent particulièrement notre époque : celui de l'atome qui a déterminé les grands équilibres géopolitiques et la façon de les penser, celui de l'argent qui prendra toute son importance dans une économie de l'immatériel, celui du code dont la prolifération et la sophistication sont bien la preuve que la société dite de l'information est aussi celle du secret. Chacun de ces secrets touche à un besoin fondamental : comprendre la structure du réel, échanger en toute sécurité, protéger la confidentialité des messages.

3

IMAGINER ET DÉCHIFFRER

LA MONNAIE, SECRET DE L'ÉCHANGE

L'argent est affaire de croyance. Pour être un moyen d'échange à vocation universelle, bon pour payer une heure de travail ou un sandwich, il doit d'abord susciter la confiance. Celle-ci dépend de ce que l'on sait ou croit savoir. Donc de l'acquiescement à des affirmations qui portent sur la nature de la monnaie (c'est du franc ou du dinar), sur sa quantité (ce lingot pèse tant), sur sa valeur d'échange (avec telle monnaie j'aurai tant de telle autre ou je pourrai acquérir tel bien), sur sa valeur de thésaurisation (demain cela vaudra encore), etc. D'où le besoin d'une confiance en la confiance des autres : si je suis tout seul à croire que telle monnaie s'échange à tel taux ou que ces bons du Trésor m'aideront à embellir ma retraite, ils ne me servent pas plus que des billets de Monopoly. La croyance porte sur des faits ou bien vrais ou bien faux (c'est ou ce n'est pas un écu d'or pesant tant de grammes) mais aussi sur des virtualités. En effet, elle repose sur les comportements futurs d'autres acteurs (l'État donnera tant de métal pour mes billets sous le régime de la convertibilité, la banque paiera ce chèque, cette devise sera toujours cotée dans un an, tous les autres Français ne voudront pas se débarrasser de leurs francs pour acquérir du dollar). Tantôt il faut croire quelqu'un, fût-il représenté par une signature ou un sceau, tantôt croire en quelque chose qui doit bien être ce pour quoi on le donne.

Si on nomme « monnaie fiduciaire » les billets de banque, toute monnaie suppose un minimum de foi. Foi en une personne (le signataire du chèque, par exemple), en un État (qui affirme que ce bout de papier est capable de payer des dettes), en une chose (cet écu d'or est authentique), en une affirmation explicite (ceci équivaut à tant) ou implicite (en tapant quatre chiffres sur un clavier A promet à B qu'il sera crédité). C'est souvent une foi en des affirmations ou apparences. L'argent est de l'information.

Les trois fonctions que la pensée économique attribue à la monnaie – mesurer, échanger, thésauriser – supposent, soit un message que l'on s'adresse à soi-même, soit un message destiné à un autre pour convenir d'une substitution, soit un message conservé pour réaliser des opérations encore en puissance. Qu'est-ce que l'argent ? Des données numériques, plus des symboles qui changent les rapports entre hommes (par exemple en libérant d'une dette), plus une chose durable.

Depuis que nous avons cessé de payer avec des bœufs comme dans Homère, avec des briques de thé ou des rouleaux de soie comme en Chine ancienne, avec des boucliers comme les guerriers celtes, avec du tabac, avec des coquillages ou des perles de verre, bref depuis que nous utilisons des monnaies métalliques, fiduciaires, scripturales, électroniques, il faut croire ce que nous dit la monnaie elle-même et d'elle-même. Par une image de souverain ou de grand homme, en un chiffre, via quelques lignes, grâce à quelques pixels, la monnaie nous parle d'elle et nous vante ses pouvoirs. Or ces pouvoirs reposent sur le secret.

Silences et accès

Toute foi en la monnaie suppose une délimitation entre ce qui est su et ce qui est dissimulé, et partant la confiance en certains détenteurs de secrets. J'accepte ce billet parce que je crois que la Banque de France conserve la formule de son papier, je consens à donner mon numéro de code dans la mesure où je suis persuadé qu'il restera confidentiel. Les informations publiques, authentiques, vérifiables que proclame la monnaie supposent que d'autres soient inimitables ou inaccessibles.

Il y a un mystère intellectuel de la monnaie dont on discute depuis Aristote ou Marx : qu'est-ce que cette abstraction qui mesure tous les biens et possède pourtant sa vie autonome (elle change de valeur, de nom, disparaît, s'autoproduit, se dévalue se réévalue, produit des effets par sa seule circulation, etc.) ? Il y a des secrets concrets de la monnaie. Telle personne morale (l'État, le souverain, la Banque centrale…) publie un message (elle a confiance en Dieu, Paul Cézanne est un grand homme, César règne, la transaction est maintenant sécurisée, vous pouvez appuyer sur « Valider », la contrefaçon est punie, ceci vaut cent…). En contrepartie elle assure conserver par devers soi certaines connaissances, certaines recettes, contrôler cer-

tains accès. Ne serait-ce que pour garantir son authenticité et sa valeur. Toute monnaie réclame au moins le secret de sa recette ou signature. La monnaie, ce n'est pas la foi plus le secret, c'est la foi en un secret et en son détenteur.

Cette part du secret varie considérablement suivant les époques. La monnaie a une longue histoire qui se confond avec celle de sa dématérialisation. Du rouleau de soie, du coquillage ou du cube de sel à la piécette de cuivre, de la sapèque au billet d'encaisse, du Pascal non convertible en or au chèque, du chèque à la monétique, du jeu d'écriture au jeu d'électron la monnaie subit un mouvement unidirectionnel : du lourd vers le léger, du concret vers l'abstrait, du tangible vers le flux, de la chose vers la donnée… tandis que la

La pesée de l'or. Fresque de la tombe de Nebamon et Ipouky à Thèbes, environ 1375 av. J.-C. Londres, British Museum. Pendant des siècles, la monnaie est une quantité de matière déterminée, et étalonnée.

part du mystère s'épaissit. Qui fait quoi, et comment, qui est qui deviennent de plus en plus difficiles à comprendre. Le contrôle de l'information remplace la détention des choses. La part du secret s'accroît.

Au sens strict, la monnaie est autoréférentielle : elle ne sert qu'à signifier qu'elle est de la monnaie. Elle peut se voir attribuer secondairement d'autres fonctions de proclamation, voire de propagande. Le premier soin d'un nouveau César, dès l'époque impériale romaine, est de s'assurer que son profil frappé se répande dans tout l'Empire. La monnaie exalte la gloire et la puissance d'un Prince, l'avènement d'un nouveau régime, l'indépendance d'un nouvel État : en ce sens, elle est un média qui propage des nouvelles. Sa simple diffusion, sa présence ici ou là, ne sont pas moins chargées de sens : c'est la traduction de phénomènes géopolitiques, psychologiques, symboliques. Quand le petit-fils de Clovis, le prince franc Théodebert (504-548), qui n'a pas laissé un souvenir impérissable dans l'histoire, frappe des monnaies d'or à son effigie, cela signifie que l'Empire romain est vraiment mort. La monnaie traduit toutes sortes de réalités non monétaires. Mais si l'on revient à la chose elle-même, à commencer par une pièce bien ronde, une réalité s'impose : entre toutes les choses qui valent et s'échangent et circulent, la monnaie se reconnaît d'abord en ceci qu'elle dit ce qu'elle est et ne prétend pas à d'autre usage que d'être prise pour telle.

À l'époque des pièces de métal, tout est relativement simple : elles portent un sceau invoquant une chose (parmi les premières monnaies connues, il y a des plaques imitant des vêtements ou des peaux de bêtes en souvenir d'un premier instrument de troc auquel le métal précieux commençait à se substituer). Elles invoquent un dieu ou un monarque. Cela garantit qu'il y a bien là tant d'or ou d'argent. Il suffit que la pièce soit bien ce qu'elle prétend être, telle quantité estampée d'une ressource rare. Ou, plus subtilement, telle valeur dont le souverain décide qu'elle vaudra tant de tel métal. Il se peut que le souverain dissimule, triche, qu'il rogne sa monnaie, ou qu'il mêle quelque peu la quantité d'or ou d'argent, tel un mauvais épicier qui mouille son vin. Ce peut être délibéré, pour tromper un adversaire : en 540 avant notre ère, Polycrate de Samos paie les Spartiates avec de fausses pièces d'or. Plus généralement, le Prince rogne sa monnaie ou y introduit des métaux de moindre prix pour diminuer la dette de l'État ou pallier une carence de métal précieux.

Philippe IV le Bel acquit une réputation de faux-monnayeur qui le mit en délicatesse avec le pape : on lui reprochait d'altérer la qualité des pièces. Et Dante le maudit :

On verra là le deuil que répand sur la Seine,
Falsifiant la monnaie
Celui qui mourra d'un coup de sanglier.

En d'autres temps, on a vu fleurir des monnaies imitant des devises recherchées. Sous l'Empire romain, sur les côtes indiennes, pour les nécessités du commerce, on refondait des monnaies à l'imitation des deniers, des *aurei* et *solidi* romains. Au XIIIe siècle on fabrique de la « fausse monnaie sarrasine », pour le commerce avec les pays d'Islam. Il ne s'agit pas à proprement parler de falsifications mais d'imitations pour un usage pratique.

Il se trouve de vrais faussaires, c'est-à-dire des gens qui imitent la monnaie qu'un autre seul devrait battre, partout et à toutes les époques. En atteste la liste des châtiments effroyables qui les menacent : être ébouillantés vifs, roués, etc. Ils méritent une fin atroce en ce bas monde et, s'il faut en croire les tympans des cathédrales, dans l'autre ils seront torturés par des démons qui leur verseront éternellement du métal en fusion dans la gorge. Leur crime est concrètement dommageable, et symboliquement abominable : parodier ou concurrencer le pouvoir arbitraire qu'a le souverain de régler l'échange des choses. Techniquement, il s'agit d'une tromperie : feindre une qualité (la composition d'un métal) ou une quantité (son poids), opérations concrètes, simples en leur principe, même si l'exécution peut en être complexe. L'alchimie a auréolé d'un halo d'ésotérisme la production de faux métaux, mais la plupart des faussaires se contentent de recouvrir d'une couche de

Ci-dessus, à gauche :
Lingot de bronze romain, Rome, première moitié du IIe siècle av. J.-C. Paris, Bibliothèque nationale de France. Beaucoup de monnaies antiques consistent en lingots portant la représentation des moyens de troc qu'ils ont remplacés.

Ci-dessus, à droite :
Sicle d'argent du roi Crésus de 561-546 av. J.-C. figurant un lion et un taureau. Bruxelles, Musée numismatique et historique de la Banque nationale de Belgique.

Page de gauche,
en haut et au centre :
L'Écu d'or de Saint Louis, 1270. Paris, Bibliothèque nationale de France.

En bas :
Monnaie byzantine de Philipiccus (711-713). Paris, Bibliothèque nationale de France.

métal précieux un autre de moindre valeur. Les recettes sont aux frontières de l'ésotérisme alchimique et du bricolage artistique.

Avant même les billets, toutes sortes de monnaies concurrencent les pièces dans des systèmes où le troc tient longtemps une grande part ; mais elles ne s'imitent pas de la même façon, pour l'excellente raison qu'elles consistent en choses. La « chose » en question peut être un animal, voire un esclave puisqu'on a employé cette unité au moment de la traite des Noirs. La monnaie peut consister en quotités de choses (carrés de fourrure dans la Russie de Pierre le Grand, cubes de sel, tissus-monnaie de différentes lon-

Ostraca bancaires, très répandus pendant la période hellénistique. Leiden, Rijksmuseum. Les *ostraca* ou tessons de poteries de l'époque hellénistique étaient des quittances de paiement signées par un banquier.

Page de droite : Frontispice du *De Moneta* de Nicholas Oresme figurant un atelier de monnayeur du XVᵉ siècle. Paris, Bibliothèque nationale de France. Avant sa mécanisation au XVIᵉ siècle, la monnaie est frappée à la main.

gueurs standardisées). Il y a peu d'espace pour l'ingéniosité du contrefacteur dans une économie qui fonctionne à l'aide de harengs séchés (Islande du XVᵉ siècle), ou de zimbos, escargots de mer qui se récoltaient sur les rivages du Congo et servirent de monnaie du XVIᵉ siècle à nos jours. Pourtant la fausse monnaie existe même dans des systèmes de ce type. Les Indiens d'Amérique du Nord utilisaient des coquillages taillés enfilés en colliers et appelés « wampums », et les colons dans leurs échanges avec les indigènes s'en servirent jusqu'au début du XVIIIᵉ siècle. On découvrira des ateliers de faux wampums, imités en pâte de verre, au XIXᵉ siècle.

Il est difficile aujourd'hui de dissocier monnaie et métal. Les premiers exemples en sont des quantités brutes de matières, certifiées par une estampille. Ainsi en était-il des barres de cuivre de la vallée de l'Indus au IIIᵉ millénaire ou des poids standard mentionnés dans le code d'Hammurapi vers 1760 av. J.-C. et qui se référaient à un porc, ou à un mouton. Les monnaies métalliques se trouvent en concurrence avec des objets manufacturés et autres marchandises. Mais la grande révolution monétaire aura lieu bien plus tard, au VIIᵉ siècle avant notre ère.

Sibusdam bidetur q̃
aliquis rex aut prĩ
ceps auctoritate pro
pria posset de iure
bel privilegio libere mutare

En Lydie on utilisait des lingots certifiés par les monarques ; lorsque Crésus fait battre les premières pièces, elles sont frappées des deux côtés. Elles sont authentifiées par un symbole et leur valeur en métal précieux certifiée par un poinçon et vérifiable grâce à la pierre de touche. La monnaie qui, intellectuellement, fait appel à des notions de mathématiques et de comptabilité, repose aussi sur deux innovations techniques : le raffinement de l'or, stade sophistiqué de la métallurgie, et la pierre de touche. Sans instrument de mesure et de vérification, pas de monnaie : le mode de preuve précède la chose.

Durant l'Antiquité, la coexistence des monnaies, de différents métaux, de différentes origines géographiques, leur concurrence et leurs correspondances sont déjà complexes. Mais la monnaie en soi est simple pour autant que coïncident ce qu'elle dit et ce qu'elle est : une quantité manufacturée de métal, longtemps moulée ou frappée au moyen d'un coin. La fabrication n'est mécanisée qu'au milieu du XVIᵉ siècle : Léonard de Vinci et Benvenuto Cellini, entre autres, imaginent des systèmes de laminoir, de découpe et de frappe qui facilitent la production de masse de pièces standardisées. Si les faussaires ont des secrets et recettes, la monnaie en elle-même n'en a guère : son processus de fabrication est transparent. Les faux-monnayeurs ont surtout besoin de talent. Beaucoup sont de véritables artistes. L'histoire a retenu le cas d'au moins deux sculpteurs renommés qui se tirèrent de vilaines affaires de fausses pièces grâce à des protecteurs puissants : Leone Leonelli, protégé par Charles Quint, et Jean Warin, protégé par Richelieu.

Promesses de papier

Le secret s'accroît avec l'apparition des premières écritures qui attestent de l'existence d'une valeur quelque part. Dès le début du XVᵉ siècle, les orfèvres, qui sont les premiers banquiers, produisent des lettres de change dans lesquelles on voit le début de la monnaie papier en Occident… Ils utilisent même de véritables chèques. L'idée de remplacer des espèces par une écriture n'est pas nouvelle : elle date de Babylone. Au IIᵉ millénaire avant notre ère, les marchands se passaient par écrit des ordres et promesses. La Mésopotamie, qui avait inventé la comptabilité et sa fille, l'écriture, en avait compris le pouvoir magique : remplacer des choses par des signes.

Il faut attendre le début du XVIIᵉ siècle pour que des banques d'Amsterdam ou de Hambourg émettent des certificats de dépôt. C'est un système de crédit, ou plutôt d'ordres : commandement est fait de verser tant à la personne qui possède tel papier authentifié par une signature. S'il y a possibilité de fraude, elle ne joue que par rapport à quelque chose de public. Un ordre de paiement émanant d'une personne ou d'une institution d'honorable réputation est d'autant plus respecté qu'elle est réputée. Le papier se substitue à la parole pour ordonner de donner tant à X ou pour assurer que Y a déposé tant ailleurs. La première lettre de change endossée que nous connaissons date de 1410. La monnaie se détache de la personne de l'émetteur ou du bénéficiaire pour se rapprocher de l'anonymat du billet. Change et rechange, endossement par de multiples bénéficiaires se banalisent progressivement.

En Chine, pourtant, on avait confié depuis longtemps au papier le rôle de monnaie. C'est ainsi que naît le billet de banque, à la fin du VIIIe siècle ; il est fait sur du papier si léger qu'on le nomme « monnaie volante ». Il s'agit d'abord d'effets à vue qui certifient qu'un marchand possède une certaine somme en un certain lieu comme une simple lettre de change… Au fil du temps, ils se transforment en instrument administratif, servant à payer les impôts, s'échangeant contre du sel ou du thé, bref deviennent un « bon pour » émis par les fonctionnaires et plus seulement par des banquiers. C'est ce que nous appellerions la capacité libératoire de l'argent.

Assignat. Émission de papier-monnaie gagé sur les biens immobiliers du clergé.

Bon de six sols, billet de confiance. La monnaie repose avant tout sur la confiance, comme le montre la calamiteuse expérience des assignats.

Le passage subtil au vrai billet garanti par une réserve se produit au Xe siècle. Le billet de banque acquiert son caractère d'anonymat et d'universalité. Il représente une quantité d'argent, qui existe théoriquement quelque part, mais plus les dépôts de X ou Y. Preuve qu'il ne vaut que comme signe et qu'il est comme désubstantifié : il est remplaçable quand il est usé, car même le papier chinois qui, dit-on, sent bon finit par vieillir.

En 1023 la première banque d'État chinoise émet du papier-monnaie. Curieusement, comme si ses inventeurs hésitaient encore à faire le grand saut qui transforme le billet en pur signe, ils lui donnent une durée de vie limitée. Le billet est à utiliser dans les trois ans après la date d'émission. Au

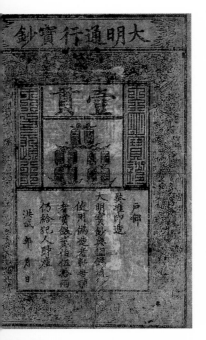

Billet chinois, XIVᵉ siècle.
Paris, Bibliothèque
nationale de France.

XIIᵉ siècle il est imprimé sur bois gravé de six couleurs, ce qui rend l'imitation plus difficile, puis au moyen de plaques de cuivre. Les Chinois découvrent un principe : le faux billet n'est pas l'imitation d'une substance, mais celle d'un dessin et accessoirement de son support. Ainsi s'engage une compétition où l'émetteur complique, rajoute des signes surabondants, et où l'imitateur découvre ses procédés. Du coup, il faut ajouter de nouveaux raffinements, plus de couleurs, un papier plus rare, et ainsi de suite.

Au XIIᵉ siècle, se produit l'inévitable : l'État découvre les délices de la planche à billets. Les émissions officielles augmentent, perdent toute relation avec les encaisses d'argent qui doivent en garantir la valeur, d'où une énorme inflation. Comme les dépenses gouvernementales, tel le paiement des soldats et des fonctionnaires, sont payées en papier, le phénomène s'aggrave, les prix montent, et la pièce de cuivre commence à être très recherchée. Autre découverte : si le papier-monnaie remplace le métal qui, lui-même, tient lieu de moyen d'échange des richesses, la quantité de papier n'est bornée que par la bonne volonté ou la bonne foi de l'émetteur. Le cours forcé existe depuis longtemps : il fixe autoritairement un taux de conversion pour une monnaie de compte, différent des cours nominaux des pièces de métal. Avec le billet, les dangers de cet arbitraire se multiplient.

Quand les Mongols conquièrent la Chine, curieux de toutes les nouveautés, ils adoptent ce système. Leurs billets ne sont plus gagés sur de l'argent mais sur des rouleaux de soie. Les billets du nouveau pouvoir remplacent progressivement ceux des Song et la confiance revient. On est bien documenté sur la fabrication des billets mongols. Marco Polo la décrit minutieusement, notant au passage la méthode de fabrication du papier à base d'écorce de mûrier. En bon marchand, il calcule le change de chaque billet en gros d'argent de Venise. S'il ne met pas l'accent sur la nouveauté de la xylographie, base de l'impression des billets, il en décrit le processus d'authentification : les billets sont signés par les fonctionnaires, marqués de leur sceau, puis, solennellement, on y appose la marque du Khan à l'encre vermillon. Le tout se déroule en grande cérémonie, le processus devait être lent et la production de billets relativement modeste.

Marco Polo n'en revient pas de ce miracle de l'autorité : ces bouts de papier sont reconnus partout. « Et quand ces feuilles sont faites de la manière que je vous ai dite, il [le khan] en fait faire tous les payements et les fait répandre dans toutes les provinces, les royaumes et les terres sur

lesquelles il a seigneurie : et personne n'ose les refuser de crainte de perdre la vie. Et je vous assure que tous les gens de tous les fiefs qui sont sous sa seigneurie prennent bien ces papiers en règlement, car là-bas, ainsi se font tous les payements de marchandises, de perles, de pierres précieuses, d'or et d'argent. » À en croire le Vénitien, l'échange fonctionnait dans les deux sens et la convertibilité des billets ne semblait pas susciter la moindre inquiétude. Il est vrai que le grand sire Koublilai avait la réputation d'avoir les plus grandes richesses du monde ; c'était un garant dont personne ne se serait permis de douter. À date fixe, nous dit toujours le Vénitien, des négociants étrangers viennent proposer leurs plus belles marchandises au Khan qui les fait priser par ses experts et règle en papier-monnaie. Si Marco Polo a décrit les billet de banque mongols en détail, il n'est pas le seul à les mentionner : Guillaume de Rubrouck les avait signalés avant la conquête de la Chine.

Le billet des Yuan, après celui des Song, est poursuivi par la malédiction de l'inflation. En 1295, le gouverneur mongol qui dirige la Perse imprime des billets bilingues en chinois et en arabe, datés de l'hégire. Ils portent un avertissement à l'égard des faussaires à qui ils promettent le supplice, et assurent aux honnêtes gens qu'avec la monnaie de papier la pauvreté disparaîtra et que les prix baisseront. La prophétie est mauvaise : en quelques semaines la surabondance de billets engendre un chaos économique. Les Vénitiens, qui sont nombreux à Tabriz, rapportent certainement la nouvelle de ce fiasco. Il est donc vraisemblable que la mauvaise réputation de la monnaie de papier précède en Italie la description qu'en fait Marco Polo : de retour à Venise en 1295, il n'écrit son livre qu'en 1298.

Un guide de voyage plus tardif, rédigé en 1340 par le Florentin Pegolotti qui n'est jamais allé en Chine mais à recueilli toutes les informations utiles aux marchands et voyageurs intéressés par le commerce avec le Cathay, explique le système ainsi : « Tout l'argent que les marchands pourront transporter avec eux jusqu'au Cathay, le seigneur du Cathay le leur prendra et le mettra dans son trésor. Aux marchands qui auront ainsi apporté de l'argent, on donnera en échange le papier-monnaie du pays. C'est un papier jaune, portant le sceau dudit seigneur. Cet argent se nomme *balishi* et il vous servira facilement à acheter de la soie et toute autre marchandise que vous désirerez acquérir. Tous les gens du pays devront l'accepter. » À leur retour, les marchands récupèrent leur numéraire.

Page précédente :
Quentin Metsys,
Le Prêteur et sa femme,
1514. Paris, musée
du Louvre. Le crédit
et le billet à ordre
sont les ancêtres
de la monnaie fiduciaire
en occident.

Lorsque la dynastie des Ming remplace celle des Yuan en 1368, les nouveaux maîtres de la Chine, entre autres manifestations d'autorité, émettent un « billet précieux du grand Ming », qui rappelle que l'argent porte aussi un message politique. Comme leurs prédécesseurs ils annoncent que les contrefacteurs seront décapités. Leurs billets précisent même que toute personne qui fournira des informations menant à l'arrestation d'un faux-monnayeur recevra 250 onces d'argent et tous les biens du criminel. L'empereur Wou (1396-1398), au moment de choisir un papier-monnaie, consulte des sages qui lui conseillent de mêler les cœurs de quelques écrivains à la pâte à papier. L'impératrice le persuade d'interpréter la chose de façon symbolique et de faire mélanger à la pâte en écorce de mûrier du papier recyclé : les écrits de ces lettrés qui sont leur véritable cœur.

Comme le billet du grand Ming porte un montant unique, donc d'une valeur unique, et qu'il subsiste pendant deux cents ans, il s'ensuit certains inconvénients pratiques. Dans la vie quotidienne, il faut bien en diviser la valeur ou rendre la monnaie. Il faut ajuster le système avec des monnaies de cuivre. Au fil du temps, l'inflation réapparaît : si le billet s'échangeait au début à peu près contre son équivalent en pièces, les fameuses sapèques chinoises de cuivre, trouées en leur milieu, vers le milieu du XVe siècle, il faut mille billets pour trois sapèques. Finalement le système tombe en quasi-désuétude. Il réapparaît en Europe aux XVIIe et XVIIIe siècles, au moment où, en Chine, les paiements importants se font en lingots, voire en morceaux de lingots découpés « à la tranche ». Ces lingots étaient souvent en argent, métal qui pendant longtemps en Chine fut plus important que l'or…

Le première banque européenne à émettre des billets est celle de Stockholm en 1656, une expérience qui ne dure guère. En Angleterre, ils apparaissent en 1694. On passe progressivement du billet, reçu d'espèces portant sur des sommes précises, aux vrais billets correspondant à une somme ronde, ne portant plus intérêt, échangeables anonymement et non plus endossables. Ils sont payables à vue et représentent l'encaisse métallique dont ils sont théoriquement l'équivalent.

En France, chacun sait combien la calamiteuse expérience de Law en 1720 nourrira la méfiance traditionnelle envers le billet de banque, méfiance que renforcera l'échec des assignats. En 1845 le directeur de la Banque de France écrit encore « que les espèces d'argent doivent rester comme le fonds de paiement des transactions et que les billets de banque ne doivent former que l'exception ». Il faut attendre la veille de la Première Guerre mondiale pour que la masse des billets dépasse en valeur celle des pièces dans notre pays.

Les billets, qui constatent une émission de monnaie et non plus seulement un dépôt, s'inscrivent dans la continuité de multiples instruments de paiement par écrit : tels les billets vénitiens du XVIIᵉ siècle émis par des banques, garantis par des dépôts, échangeables et remboursables en or et argent. Ou tels les *banker's notes* ou *goldsmith's notes* au porteur sans indication de nom ou encore les *orders*, émis à Londres au cours du XVIIᵉ siècle : ce sont des intermédiaires entre la lettre de change endossée qui passe de main en main et le billet tel que nous le connaissons. De la même façon, le système de Law repose sur un mécanisme mixte : non seulement le financier agréé par la Couronne émet des billets garantis par une encaisse métallique déposée par le public, et acceptés en paiement par l'État, mais il lie cette création monétaire aux activités de la Compagnie perpétuelle des Indes. Celle-ci absorbe les précédentes compagnies des Indes nées des nécessités du commerce des épices, et, par accord avec la Banque royale, elle perçoit des impôts et émet de la monnaie. Les deux banques fusionnent finalement en 1720. Dans l'esprit du public il y avait un lien évident entre les affaires de la Compagnie et la valeur des billets : l'effondrement des actions de la première entraîne la banqueroute. C'est seulement avec le franc germinal de 1803, gagé par des encaisses métalliques, que le billet de banque est enfin parfaitement accepté dans notre pays. Le reste est de l'histoire : la convertibilité en or du franc suspendue pendant les crises et surtout lors du premier conflit mondial, les crises de l'entre-deux-guerres, les accords de Bretton Woods qui font du dollar une monnaie de réserve internationale, puis enfin la fin de la convertibilité du dollar en or. Chacun de ces épisodes peut être interprété comme une confirmation que la monnaie est un pur signe qui n'acquiert son efficace que par sa force de persuasion.

La monnaie comme objet

Le papier-monnaie peut s'étudier d'un point de vue économique : par quels mécanismes est réglée sa production, comment il agit ou n'agit pas sur la quantité des richesses disponibles, etc. Mais du point de vue qui nous intéresse ici, le billet de banque est une œuvre dotée de caractéristiques physiques. Il naît de la réunion d'un dessin unique et inimitable, d'un support,

à savoir du papier aux caractéristiques très définies, et d'une procédure (d'impression, de transport…) très réglementée. Ce sont les trois terrains sur lesquels se déroule la lutte entre l'institution et le faussaire.

Il faut d'abord que soit bien déterminé qui a le droit d'émettre des billets et en quelle quantité. Qui en tire combien? Cette question peut paraître saugrenue dans un système comme le nôtre. Nous tenons tous pour acquis que les employés de la Banque de France ne font pas de tirage privé pendant leurs heures de loisir et que le président de la République ne téléphone pas qu'on lui fabrique assez de liquidités pour faire face à une dépense imprévue de l'État.

Le Livre des Merveilles de Marco Polo. Folio 45. Marco Polo explique le système monétaire instauré par le Grand Khan. Il y décrit notamment la fabrication des billets à partir de l'écorce du mûrier. Paris, Bibliothèque nationale de France.

Pourtant, dans au moins un cas, il s'est produit des excès de cet ordre : l'Amérique de l'époque de la guerre de Sécession où, dit-on, un tiers de la monnaie en circulation était fausse. Une part de ces billets était imitée par des faussaires mais l'autre résultait d'une production « sauvage » et clandestine par des banques privées. Après leur indépendance, en 1792, les États-Unis adoptent le bimétallisme or et argent, instituent une monnaie nationale, le dollar (déformation du mot *thaler*), et créent un hôtel de la Monnaie qui frappe les pièces d'or et de cuivre. Au XIXe siècle, les banques privées se multiplient et émettent leurs propres billets. La profession étant peu contrôlée, l'impression très acces-

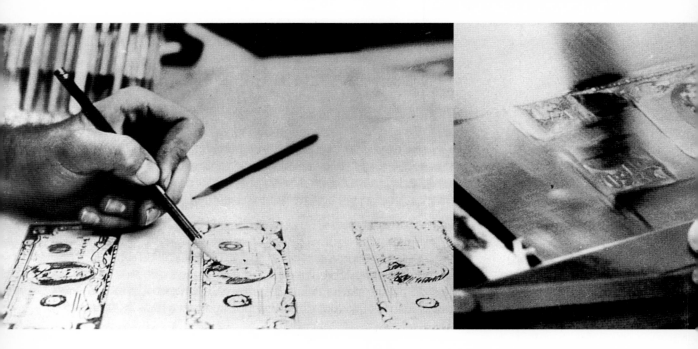

Étapes de la fabrication d'un billet de banque : la conception graphique et la gravure.

sible, s'ensuit ce qui était prévisible : les forbans profitent d'une situation où 1600 banques émettent jusqu'à 7 000 types de billets différents. Personne ne sait plus à quoi ressemble un vrai billet et certains profitent de la situation. Le record est battu par cette banque du Massachusetts qui émet 5700 fois plus de dollars qu'elle ne possède de réserve métallique. Pour couronner le tout, l'impression commandée par les banques est confiée à des imprimeurs privés, d'où une multiplication de contrefaçons ou de tirages clandestins. La situation est assainie par l'adoption d'une monnaie nationale, et désormais l'impression des billets (les fameux *greenbacks* qui n'ont pas changé depuis) est réservée exclusivement au département du Trésor. Il est pourvu d'un service de gravure et d'impression qui ne tarde pas à réunir toutes les fonctions de fabrication. Un bureau des services secrets destiné à lutter contre les faux-monnayeurs et la fraude est institué dans le cadre du département du Trésor en 1865.

L'imitation de la gravure du billet est une performance qui frappe l'imagination. Le graveur surdoué dont des gangsters exploitent le talent est un personnage populaire du cinéma français des années 1960. Mais il existe un authentique faussaire dont les exploits valent ceux des héros d'Audiard : Bojardski. Celui qui inspira le personnage joué par Jean Gabin dans le film *Le Jardinier d'Argenteuil* exerçait son petit artisanat dans les années 1950.

Installé dans la cave de son pavillon de banlieue, il produisit des gravures si parfaites que même les spécialistes de la Banque de France les confondirent avec de vrais billets et refusèrent de croire à l'imitation. Le seul indice pour distinguer vrais et faux était, paraît-il, qu'il manquait un pétale à une des fleurs représentées sur les billets de Bojardski. Il avait lui-même introduit cette erreur pour pouvoir distinguer sa propre production du billet authentique. Il allait d'ailleurs échanger ses contrefaçons contre des bons du Trésor par petits paquets et n'aurait jamais été pris si un membre de sa famille n'avait fait une opération trop importante avec la fausse monnaie et provoqué des soupçons. Bojardski bricolait également son papier avec filigrane, fabriquait sa propre pâte, donnait la souplesse voulue au papier, le vieillissait et l'usait. Le résultat n'aurait pas supporté les tests d'un laboratoire moderne, mais était assez convaincant pour tromper un simple observateur. Le graveur aux mains d'or est un personnage dépassé depuis que le scanner permet une reproduction parfaite : des adolescents ont récemment utilisé ce procédé pour produire de faux billets graphiquement parfaits mais sur un papier très grossier.

Reste le support du billet. Il est plus facile de reproduire ce que l'on voit que ce que l'on ne voit pas, ou plus exactement que ce qui ne se détecte pas sans instruments. Depuis longtemps, la France est son propre papetier et son propre imprimeur de billets. Dans le reste de l'Europe neuf papeteries fiduciaires produisent le papier destiné à ce seul usage et sont strictement contrôlées. Outre le filigrane, et des caractéristiques physiques propres – résistance, sensation au toucher, composition chimique, grain, fluorescence sous rayon ultraviolet –, le papier recèle des systèmes de sécurité de haute technologie, telles des bandes magnétiques introduites sous vide, des pastilles colorées ou des fils produisant une luminescence qui s'intègrent au papier, etc. Il va de soi que la formule de chacun de ces éléments est hautement confidentielle. Et surtout que l'imitation demanderait tant de technologies compliquées que le coût de fabrication excéderait le seuil de rentabilité d'un faussaire individuel, à supposer même qu'il puisse se procurer machines et matériaux. Peut-être n'a-t-on pas exploré toutes les possibilités de compliquer la contrefaçon. Il y a quelques années il fut question d'argent odorant, grâce à l'introduction dans le papier de produits chimiques qui auraient donné à chaque coupure une odeur caractéristique

Comme pour les codes secrets, il s'agit moins de produire un objet inimitable qu'un objet assez complexe pour décourager les tentatives. Resteraient alors les entreprises de déstabilisation politique par de la fausse monnaie. L'idée n'est pas neuve : le ministre anglais Pitt favorisait la production des faux assignats pour combattre la Révolution et Napoléon fit produire des devises autrichiennes et russes. De même, l'Allemagne nazie fabriqua dans ses camps de prisonniers de fausses livres anglaises. Elles n'avaient qu'un défaut : faites avec du papier de la bonne formule et au bon filigrane, elles étaient de trop bonne qualité. Elles résistaient mieux au pliage et à l'usure que les vraies livres sterling car leur pâte était faite avec de la toile dite de Ramie neuve, là où les Anglais employaient de la toile usagée.

Premier filigrane ombré utilisé par la Banque de France. Le filigrane offre longtemps une grande sécurité contre les faussaires puisqu'il est intégré dès la fabrication de la pâte à papier.

La fausse monnaie fait partie du répertoire des actions subversives menées aussi bien par les Oustachis croates dans les années 1930 que par le FLN algérien qui imprimait de faux francs en Hollande dans les années 1960. Le chef-d'œuvre en ce domaine est le projet des Services secrets français qui avait envisagé d'intoxiquer les intoxicateurs et de fournir au FLN (moyennant de vraies devises) de faux billets mieux imités que tous les autres (et pour cause) mais qui auraient changé de couleur au bout de quinze jours.

Tentative politique ou pas, la fabrication de faux billets risque surtout d'apparaître comme obsolète par rapport à la fraude informatique. En effet, si le chèque représente, en particulier dans notre pays, un volume énorme de transactions, c'est une technologie ancienne. Du point de vue de l'histoire du secret, la carte de crédit et son descendant, la monnaie électronique, présentent des caractères plus significatifs.

Numéraire contre numérique

Cette évolution qui s'est produite au cours des trente dernières années mérite un bref rappel. Au début sont apparues les cartes de crédit simples. Ces rectangles de plastique certifient que X a bien un compte auprès de la banque Y (ou auprès du magasin qui lui accorde le droit de payer ses achats en différé, s'il s'agit de cartes émises par des commerçants). Elles servent d'élément de preuve (oui, X a bien du crédit chez Y) en conjonction avec des papiers d'identité qu'il faut parfois présenter au commerçant (je suis bien X), voire avec une procédure de vérification téléphonique (oui, X a bien droit à un crédit chez Y). De ce point de vue, la carte première manière rappelle encore un chéquier classique, mis à part le report dans le temps du paiement, et la procédure d'enregistrement.

La piste magnétique des cartes, cette discrète bande noire qui traverse le plastique, a une importance pratique (elle permet de retirer de l'argent dans un distributeur) mais aussi symbolique : pour la première fois, l'argent porte un message dans un langage non humain. La bande magnétique, si elle ne parle plus de Dieu, de César, de Cézanne ni des travaux forcés que risquent les contrefacteurs, porte bien un message invisible à l'œil nu : « Je suis bien la carte numéro tant du compte tant qui a droit a tel crédit. » Ceci ne peut être lu que par une machine, dans un double but. Il s'agit d'abord de rendre l'imitation plus difficile : il ne suffit plus de rendre l'aspect graphique ou physique du signe-argent pour l'imiter mais il faut connaître certaines données confidentielles. D'autre part, la piste a une fonction que nous pourrions appeler de proclamation redondante : « Je confirme être la carte numéro tant comme il est écrit en lettres à côté. » Mais ce message-là s'adresse à un réseau technologique : distributeurs, modems, bases de données, etc.

Cela n'empêche pas les pistes magnétiques d'être relativement peu fiables : les premières pistes répondant aux standards les plus simples pouvaient assez facilement être décodées et dupliquées par des informaticiens. Leur secret était mal défendu. Au seuil des années 1990, Visa et Mastercard annonçaient ainsi des pertes de 500 millions de dollars dues à la fraude et à la contrefaçon.

La carte à mémoire est introduite parallèlement à divers systèmes d'identification/complication/secret (hologrammes, inscriptions laser…). La technologie de la carte à mémoire introduit une dimension inédite : l'argent devient trace, il témoigne de sa propre histoire. Elle ne se contente plus de proclamer son identité, comme un numéro d'immatriculation d'où se déduit l'identité et le crédit de l'utilisateur, elle stocke, elle compte, et elle raconte. Elle mémorise des dépenses hors ligne et dialogue en ligne avec des terminaux, elle échange des données, elle est comme un palimpseste toujours réécrit. De l'argent comme signe à l'argent comme témoignage d'un passé, le changement n'est pas mince.

Que se passe-t-il désormais lorsque nous réglons un achat? Nous ne donnons plus une certaine quantité d'unités de compte, nous ne certifions même plus par une signature de note dettes à l'égard du vendeur, nous appuyons sur cinq touches, les quatre de notre code, et celui de la validation. En fait, nous réalisons une sorte de performance : faire des choses dans un certain ordre. L'apparente simplicité des gestes leur donne un côté quasi magique : quel plaisir d'enfant que d'avoir ce qu'on désire comme en claquant des doigts! La dématérialisation de la monnaie atteint son comble : un mouvement, une pensée, une seconde et c'est payé. Où est l'argent? dans notre geste, dans les données qu'enregistre le terminal, dans des écritures, dans les signaux numériques qui courent sur les ondes jusqu'au téléphone puis de là jusqu'à l'ordinateur de la banque, dans le disque dur d'un ordinateur central, dans l'ordonnancement de cristaux de silicium? Est-ce encore une chose, ou une quantité, ou un événement? Cette apparente dématérialisation repose sur toute une infrastructure très lourde : sans des administrations, sans l'État qui construit des lignes téléphoniques et fournit de l'électricité, sans des usines de logiciels, sans des dizaines d'employés et des tonnes de ferraille et de circuits fabriqués à Taïwan, rien de tout cela n'existerait. De même, si l'opération que nous avons décrite peut se décomposer en une suite de transmissions de signaux, elle a pour contrepartie tout un système de sécurité, de contrôle, de dissimulation.

Cette évidence devient plus visible avec l'apparition du règlement électronique sur Internet. Il supprime le dernier lien de proximité physique qui rattachait encore l'acte de payer à notre expérience séculaire : aller quelque part, prendre quelque chose, donner quelque chose en échange; il rompt la relation entre la possession d'argent et la détention de quelque chose, fût-ce un rectangle de plastique, il se résume à l'envoi de données qui, lui-même, n'est que la manifestation qu'un ordinateur communique une certaine information : un numéro de carte de crédit, un ordre authentifié par un code destiné à un organisme chargé des règlements électroniques et donc équivalant à une banque... L'opération équivaut donc à prouver que l'on connaît un secret, généralement un numéro confidentiel, sans que cette révélation entraîne une divulgation non autorisée.

La notion ancienne de secret des procédés destinée à empêcher l'imitation, donc la lutte contre la falsification, s'efface maintenant devant deux impératifs : le contrôle d'accès et le contrôle d'identité. Qui a le droit de pénétrer dans telle zone, dans telles données pour les recopier ou les modifier? Qui est qui? Ces deux questions se résument en une seule : qui sait quoi? La technologie la plus sophistiquée nous renverrait alors à la solution d'Ali Baba : « Sésame, ouvre-toi! »

À moins que... à moins que le code numérique ne s'efface un jour devant le code génétique. Les travaux les plus récents sur le paiement sécurisé explorent la piste du corps : quelle sorte d'empreinte infalsifiable portons-nous sur nous qui ne puisse ni nous être arrachée ni être contrefaite mais qui soit en même temps transmissible? Parmi les solutions à l'étude : la pupille de l'œil, qui est aussi particulière que les empreintes digitales. Son image pourrait être filmée et envoyée par télématique à des répertoires de données. Ou encore un curieux stylo : il ne servirait pas à signer en traçant des caractères qu'un faussaire peut toujours reproduire, mais à mesurer les gestes exacts du signataire, à enregistrer son impulsion nerveuse. En cela aussi, chacun est unique : l'écrit est imitable, pas l'acte d'écriture. Si de telles recherches aboutissaient, nous serions devenus notre propre mot de passe, notre identité se confondrait avec notre code intime. Le secret de ce que nous avons ne se séparerait plus du secret de ce que nous sommes.

L'ATOME, SECRET DE L'ULTIME

« Leucippe d'Élée pensait que toutes choses étaient illimitées, et se transformaient les unes en les autres, que tout était vide et rempli de corps… Il est le premier à avoir mis les atomes comme principes de toutes choses », écrit sans doute au début du IIIᵉ siècle Diogène Laërce. Si cela est exact, l'histoire de l'atomisme, doctrine qui affirme que l'Univers est fait de la combinaison d'éléments invisibles et indivisibles, commencerait au Vᵉ siècle de notre ère avec le philosophe Leucippe dont on ne possède pas une ligne. On connaît surtout sa pensée par le mal qu'en dit Aristote, par divers commentaires postérieurs de plusieurs siècles, à travers son disciple Démocrite puis l'école de la pensée grecque et latine qu'on nommera atomiste. Dans la pensée indienne, à travers des tendances du brahmanisme, du bouddhisme ou du jaïnisme, on rencontre vers la même époque des notions similaires. Le concept philosophique d'atome qui hantera aussi, fût-ce à titre d'erreur à réfuter, les théologies du christianisme et de l'islam, existe donc au moins depuis vingt-cinq siècles. Suivant les points de vue, c'est une incroyable intuition des théories physiques modernes, ou la manifestation d'une tendance prévisible de l'esprit humain. Dans le second cas, l'hypothèse selon laquelle la complexité de la réalité se réduit à la simplicité des lois de combinaison, changement, attraction ou répulsion d'unités élémentaires devait naître tôt ou tard.

De l'atome de l'Antiquité, retenons surtout l'étymologie : l'*a-tomos* est ce qui ne peut être divisé, la plus petite partie de l'univers. L'atome des

Explosion de la bombe atomique sur l'atoll de Bikini, le 14 juillet 1946.

philosophes a peu à voir avec celui qui fera l'objet des plus grands secrets civils ou militaires, celui qui nous renvoie aux sciences modernes et dont l'existence apparaît à la fin du XIXe siècle. C'est d'ailleurs en contrariant l'étymologie, c'est-à-dire en découvrant la notion d'électrons, puis celle des atomes comme différents types de configuration entre un noyau et des électrons, que la science du XIXe siècle prépare les grandes révolutions scientifiques de Planck, Einstein et Bohr dans les années 1900. Jusque-là, l'atome n'a pas de lien particulier avec le secret : les recherches posent des questions philosophiques et remettent en cause les notions qui semblent les mieux acquises. Elles provoquent des débats sur la notion de déterminisme, de mouvement, de matière... Mais point d'espions, pas de mystères au contraire de la recherche de pointe largement publiée et discutée. Tout change quand les chercheurs commencent à intervenir sur l'atome dans les années 1930. Le passage au stade expérimental, puis aux applications militaires crée un lien entre l'atome et le secret, un rapport qui est bien au-delà de la dissimulation ou de la confidentialité qui entoure toute arme nouvelle. L'atome ouvre une course dont l'objectif est la domination de la terre, tout ce secteur de recherche devient tabou. Concrètement, il faut dissimuler l'activité de milliers d'hommes. Connaissance de la structure ultime de la matière et possibilité de la destruction suprême deviennent inséparables. La seconde partie du XXe siècle découvre la puissance de deux figures liées au secret : l'espion et le bluffeur. Le premier dérobe la connaissance de l'atome, le second joue au jeu de la menace par l'emploi de la dissimulation et de la révélation. Pour la première fois, la puissance effective d'une arme va importer moins que les connaissances, les croyances ou les illusions qu'on entretient à son sujet.

La domination de la terre

Juste avant la Seconde Guerre mondiale, les travaux des Joliot-Curie, qui imaginent de produire de la radioactivité artificielle, ceux de l'Italien Fermi, qui dégage les principes du bombardement de neutrons, et de quelques autres, sur fond de théorie de la relativité d'Einstein, ont laissé entrevoir la possibilité de la fission en chaîne : un atome d'uranium frappé par un neutron entraîne l'émission d'autres neutrons qui frappent à leur tour d'autres atomes produisant d'autres fissions. Les Allemands Hahn et Strassmann émettent la théorie de la fission de l'uranium qui implique la possibilité de développer une quan-

Le roi Gustave Albert
de Suède remet le
prix Nobel de chimie
en 1935 à Irène
Joliot-Curie. À droite,
Frédéric Joliot-Curie.
Leurs travaux
portent sur la fission,
découverte par Hahn
et Strassmann,
et sur les réactions
en chaîne.

tité d'énergie et de radiation inconnue jusque-là. Donc une force destructrice
nouvelle. En 1939, le physicien hongrois Szilard convainc Albert Einstein
d'écrire au président des États-Unis. Cette lettre, du 2 août 1939, qui révèle à
Roosevelt la possibilité de fabriquer une bombe atomique, lui annonce que
l'Allemagne nazie s'est probablement engagée sur cette voie, et le supplie de

Scène tirée du film, *La Bataille de l'eau lourde*. Frédéric Joliot-Curie, Lew Kowarski et Hans von Halban sont filmés en 1947 dans leur laboratoire, reconstitué pour les besoins du film.

tout faire pour que les États-Unis soient les premiers à se doter de cette arme. Commencent aussitôt les recherches qui aboutiront au fameux projet Manhattan. Elles sont longues puisqu'il faut successivement trouver un moyen d'enrichir l'uranium, découvrir un nouvel élément fissible, le plutonium, construire une première pile atomique, comprendre comment déclencher et maîtriser la fission en chaîne, imaginer la façon de faire réagir des blocs d'uranium dans une bombe sous l'effet d'explosifs conventionnels, etc., le tout pour devancer l'Allemagne qui mobilisait ses meilleurs physiciens. Le IIIe Reich cherchait, grâce à la fameuse « eau lourde » où des atomes d'hydrogène sont remplacés par des atomes de deutérium, à maîtriser la réaction en chaîne, preuve qu'elle tentait de fabriquer un explosif de ce type. Finalement le Reich est vaincu avant que les Américains, qui avaient accueilli de nombreux savants étrangers comme l'Italien Fermi, ne soient en possession de la bombe. Ce qui permettra de constater que les vaincus ignoraient la solution du plutonium, ne possédaient qu'un réacteur atomique rudimentaire et que le Reich aurait probablement perdu la course contre les nombreux physiciens, souvent d'origine européenne, mobilisés dans le projet Manhattan.

Le plus étonnant dans ce projet est la quantité incroyable de ressources, d'argent, et de personnel qu'il mobilisa sans qu'il en transpire rien. Ce qui impliqua rien moins que la construction de deux villes artificielles, Clinton et Oak Ridge, dans le Tennessee, puis l'installation de piles à Hanford dans l'État de Washington, où de véritables usines produisent du plutonium en quantité suffisante. Et au stade final : l'installation d'une équipe dirigée par Oppenheimer et composée de douze prix Nobel, plus une pléiade de chercheurs à Los Alamos au Nouveau Mexique, avec un budget incroyable pour l'époque de 2 milliards de dollars. Le 16 juillet 1945, la première bombe A explose à Alamogordo. Quelques heures plus tard Truman, qui entre-temps a remplacé Roosevelt, reçoit un télégramme chiffré au cours de la conférence de Potsdam en présence de Staline et de Churchill : « Les bébés sont nés normalement. » Truman raconte que Staline, lorsqu'il lui révéla l'existence de la bombe américaine, fit mine de ne pas saisir la portée de la nouvelle et conseilla vaguement d'en faire bon usage contre les Japonais à qui un ultimatum est envoyé sans mention de l'existence de la bombe. En fait, l'URSS a lancé, dès 1942, ses propres recherches.

Au moment d'Hiroshima, le projet emploie, dit-on, 150 000 personnes. La décision d'utiliser l'arme nucléaire contre le Japon a donné lieu à une polémique entre le gouvernement et les savants. Libérés de la crainte de voir les nazis acquérir la bombe, ils réprouvent son emploi sur une ville, et demandent que les ennemis soient au moins avertis des conséquences. Le secret fut-il absolu ? Les services soviétiques et japonais avaient-ils recueilli des informations ? Aujourd'hui encore, il est difficile de répondre. Mais l'ampleur du projet Manhattan a montré ce que signifie un secret d'État et un secret au cœur de l'État. Il n'est plus réservé à des corps spécialisés – espions, stratèges, diplomates – ni à quelques documents – accords, ordres, instructions – dont la nature occulte s'impose à l'évidence. Dans les pays totalitaires, la surveillance, la répression, l'extermination sont dissimulées. Le secret génère l'incertitude : chacun peut se sentir menacé et personne n'est certain de personne. On ignore ce que sait faire et veut Big Brother et l'on se sent encore plus contraint au silence et au double langage. L'ampleur de ce qui peut être tu (des massacres, des famines ou des événements historiques) est telle qu'une foule de gens participent du secret puisque des milliers de témoins se taisent. En un second cercle chaque citoyen renforce le système du secret dans la mesure où il est obligé de répercuter les mensonges de la propagande officielle, de reprendre à son compte des dénis d'une réalité qu'il a pu constater, de taire ce qu'il sait et que sait son voisin mais qu'aucun n'osera dire. Bien entendu, dans un État démocratique, le secret n'est pas de même nature morale et politique : se taire sur les activités du GRU ou feindre de croire que Trotski n'a joué aucun rôle en 1917 n'est pas la même chose que garder le silence sur un programme de

Affiche de *La Bataille de l'eau lourde*, film du Français Jean Dreville et du Norvégien Titus Viebe-Müller, réalisé en 1947.

défense nationale par crainte des agents ennemis. Techniquement, le projet Manhattan prouve que le silence peut recouvrir des pans entiers de l'industrie et être géré par une administration. Surtout, le secret se banalise au sens où la séparation entre gens du secret ayant une activité clandestine et gens ordinaires est remplacée par un système de hiérarchie et de contrôle : l'individu est autorisé parfois à posséder une pièce du puzzle, à accéder à certain niveau de confidentialité, pas à un autre.

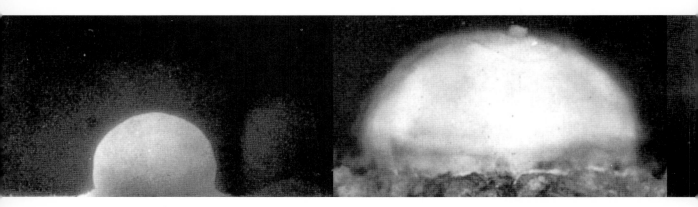

Quatre phases de l'explosion de la première bombe nucléaire à Alamogordo. Dès la période de fabrication de la bombe, un rapport avertit le président des États-Unis : « Les bombes nucléaires ne peuvent absolument pas rester une arme secrète à l'usage exclusif de notre seul pays. »

Très vite après les explosions d'Hiroshima et de Nagasaki créent une une situation inédite : l'existence du secret atomique est devenue publique. Pour la première fois tout le monde sait qu'une puissance possède la clef d'une supériorité absolue. La formule de la bombe devient un objet mythique, à la fois emblème de la science pénétrant au plus intime de la matière et symbole d'un pouvoir immense résumé en quelques équations. Dans la réalité, il n'y a pas une équation magique de la bombe quelque part dans un coffre et, pour la posséder, il faut bien davantage que la copie de quelques pages : il faut des ingénieurs, des connaissances théoriques, un niveau général de la recherche, des moyens matériels, des matériaux (ne serait-ce que de l'uranium ou du plutonium). Mais dans l'imaginaire collectif le traître absolu, l'espion atomique, joue un rôle incomparable.

La figure de l'espion

La guerre froide a commencé et elle impose des notions nouvelles. Par exemple, on croit que la compétition pour la domination de la terre dépend du niveau technologique d'un pays, ou que la recherche est une course de vitesse pour acquérir un avantage avant son rival, deux idées banales aujourd'hui mais qui ne l'étaient pas à l'époque. Une troisième nouveauté, c'est l'apparition de l'espion par conviction : un individu peut jouer un rôle historique immense lorsqu'il se trouve en possession d'informations confidentielles. Il peut trahir au profit d'un camp dont il partage l'idéologie, ou, plus subtilement, il éprouve la tentation de jouer de son secret pour essayer de modifier l'équilibre entre les puissances.

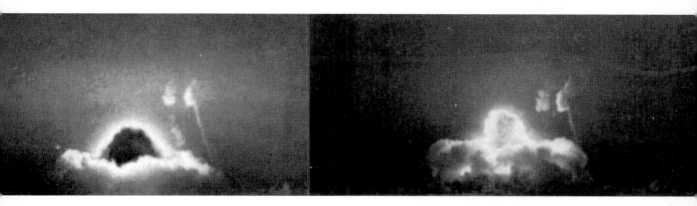

Le premier syndrome est l'affaire Oppenheimer. Dès 1943, le brillant physicien qui dirigea le projet, ancien professeur à Berkeley et au California Institute of Technology, a été soumis à une enquête du FBI. L'Agence fédérale le soupçonne en effet de trahison au profit de l'URSS en raison de ses sympathies pour des mouvements d'extrême-gauche avant-guerre. L'accusation tourne court, mais c'est un signe avant-coureur. Pendant la guerre et immédiatement après, les États-Unis sont persuadés de posséder une supériorité militaire durable. Le contrôle de l'énergie atomique passe aux civils par une loi de juillet 1946, qui interdit par ailleurs l'exportation de matières fissibles et de secrets nucléaires, au moment même où les essais de l'atoll de Bikini montrent que l'US Army entend bien conserver le monopole de la bombe. Quelques semaines plus tôt, Churchill a prononcé le discours de Fulton, considéré comme l'acte de naissance de la guerre froide. Il prône une politique de fermeté face à l'URSS qui n'a pas l'intention de respecter les accords de Yalta, et chacun sait que ce discours est prononcé avec la bénédiction de Truman.

Toujours en cette même période clef, les États-Unis proposent à la Commission de l'énergie atomique de l'ONU un plan dit plan Baruch, du nom de son promoteur, un financier qui avait joué un rôle important dans l'économie de guerre américaine. Baruch propose la création d'une autorité internationale chargée de gérer l'énergie atomique et les ressources stratégiques qu'elle requiert, minerais et industries, puis la destruction du stock de bombes américaines. Le préalable d'un contrôle international, donc d'un droit de regard sur les activités des Soviétiques, est inacceptable pour Staline. Pour lui, tout observateur serait forcément un espion. Le premier plan de dénucléarisation vient d'échouer. Les débuts de la guerre froide, la prise de pouvoir communiste dans la zone d'influence soviétique, les deux camps s'affrontant indirectement dans des pays comme la Grèce, les faucons et les colombes, la logique des blocs, la course aux armements…, les règles du jeu qui va durer quarante-cinq ans sont établies. Il n'y manque qu'un élément : l'équilibre de la terreur. En 1949, les services américains révèlent que les Soviétiques, qui avaient construit un réacteur nucléaire à peu près similaire à celui qu'avait réalisé Fermi en 1938, ont rattrapé leur retard. Ils ont expérimenté une bombe A. Aux États-Unis la stupeur est immense et le soupçon immédiat : seule une trahison peut expliquer ce miracle technologique. Du reste, dès 1946, les Américains avaient démantelé un premier réseau d'espionnage scientifique. Alan Nunn May, membre du groupe anglo-canadien de recherche sur le nucléaire, avait transmis aux Soviétiques de l'uranium 235 en faible quantité et quelques informations. Assez pour prendre dix ans de prison, mais pas assez pour inquiéter l'Amérique.

Chaque modification stratégique des rapports entre les deux Grands correspond à un saut technologique. L'étape suivante est la bombe H, dont Churchill dit qu'elle change « les fondements mêmes de l'humanité », tant sa puissance de destruction excède celle de la bombe A. La fusion thermonucléaire fondée sur le mélange des deux isotopes de l'hydrogène, le deutérium et le tritium à très haute température, semble imiter le principe même de l'énergie solaire. La possibilité de produire des bombes H des dizaines de fois plus puissantes que celle d'Hiroshima semble proche. Mais cette fois l'ambiance a changé : certains anciens du projet Manhattan comme Edward Telle défendent le programme, d'autres comme Fermi ou Oppenheimer, devenu entre-temps président du General Advisory Committee pour l'énergie atomique, s'y opposent.

En janvier 1950, éclate l'affaire Fuchs, le premier grand espion atomique, l'homme qui a peut-être fait gagner des années décisives aux Soviétiques. C'est l'épisode le plus spectaculaire d'une opération qui dure au moins depuis

Explosion thermonucléaire sur l'atoll de Bikini, le 26 mars 1954.

Ethel et Julius
Rosenberg.
La condamnation
à mort des époux
Rosenberg provoqua
une énorme
mobilisation de
l'opinion publique.

1941 et à laquelle le NKVD a donné, sans humour, le nom de code d'Enormoz : deux cents agents ou informateurs soviétiques auraient participé, en Angleterre ou en Amérique, à la transmission des secrets atomiques vers la patrie du socialisme. Le plus brillant de ces agents, Fuchs, était d'origine allemande. Il avait fui le nazisme pour l'Angleterre, où il avait obtenu sa naturalisation, mais était resté membre du parti communiste clandestin. Physicien atomiste, il avait d'abord participé aux recherches anglaises avant d'être intégré à l'équipe du projet Manhattan en 1943, Il transmettait déjà des informations aux Soviétiques depuis deux ans. Prototype du savant agissant par idéologie, Fuchs se justifie ainsi : « Le secret partagé signifiait la fin de la guerre ou du moins la fin de la guerre de destruction totale pour l'humanité. » Il se réclame d'une éthique du savant qui lui fait obligation de ne pas être complice du mal latent de ses inventions, mais il affiche aussi son adhésion au marxisme-léninisme le plus orthodoxe. Il avoue avec une certaine complaisance, ce qui soulage le FBI. En effet, la preuve de la culpabilité de Fuchs résultait de l'interception et du décryptage des messages de l'ambassade d'URSS. En faire état aurait indiqué implicitement aux Soviétiques qu'il fallait changer leurs codes. La National Security Agency, déjà très en pointe dans le domaine de l'interception et de la cryptanalyse, se trouvait confrontée à un problème classique : l'exploitation d'une information décodée, dans la mesure où elle prouve que l'on sait, peut se payer d'une perte d'informations futures.

La prise de Fuchs amène celle de son correspondant, Harry Gold, qui passe lui-même aux aveux et livre, entre autres, le nom de Greenglass, un mécanicien qui était en service à Los Alamos comme sergent. À son tour Greenglass dénonce des agents. Et parmi eux, sa sœur Ethel et son beau-frère, Julius, les époux Rosenberg. Pendant la guerre Julius était ingénieur à l'US Army Signal Corps. Nous sommes maintenant au printemps 1950, et la peur des « espions atomiques » est à son comble. Le sénateur Joseph McCarthy a commencé sa campagne contre le State Department qu'il croit infiltré par les rouges. En pleine politique de *containment* de l'avancée communiste, au moment où une guerre atomique semble plus menaçante que jamais, tous ces éléments pèsent lourd.

Le procès des Rosenberg devient un enjeu symbolique : les aveux de Greenglass et de sa femme les désignent comme les coordonateurs de la fuite des secrets atomiques et, contrairement aux autres, ils refusent d'avouer et de négocier leurs révélations avec le FBI. De surcroît, les aveux de Greenglass, durant le procès, décrivent une scène frappante dans l'appartement des Rosenberg, à New York, au cours de laquelle il aurait dessiné le schéma de la bombe devant Julius Rosenberg qui l'aurait retransmis à Moscou. La valeur technique d'un tel schéma dessiné de mémoire par un non-spécialiste est plus que contestable, mais la scène a une valeur emblématique : les traîtres, citoyens américains, mais rouges – nul ne conteste leurs convictions communistes – livrant le secret. On connaît la suite : tandis que Greenglass s'en tire avec quinze ans de prison, les Rosenberg sont condamnés à mort en dépit d'une campagne d'opinion internationale sans précédent où le pape, le président de la République française, Einstein et quelques milliers d'intellectuels ou d'anonymes réclament leur grâce. Sept recours sont rejetés, y compris par Eisenhower qui a pris la succession de Truman, et les Rosenberg seront exécutés le 19 juin 1953. Ils sont les premiers civils américains exécutés pour espionnage.

Depuis la publication en 1995 d'une quarantaine de télégrammes du résident new-yorkais du NKVD, qui étaient dans les archives du KGB, il est difficile de douter que Julius, connu sous le pseudonyme de « Liberal » ait été un agent soviétique ni qu'il ait retransmis à Moscou des informations techniques. En revanche, il semble moins évident qu'Ethel, même si elle

Fuchs escorté par des hommes de Scotland Yard. Fuchs est le prototype de l'espion atomique de la guerre froide.

était au courant des activités de son mari, ait été à proprement parler un agent, et moins évident encore que les informations transmises par Julius Rosenberg aient réellement donné la bombe à Staline.

L'année même de l'exécution des Rosenberg, Oppenheimer se voit une seconde fois suspecté, alors que l'atmosphère de chasse aux sorcières s'est alourdie. Lewis Straus, qui préside la Commission atomique américaine, l'attaque sur ses convictions politiques et lui fait retirer son autorisation d'accès aux documents confidentiels. Oppenheimer demande la constitution d'une commission d'enquête. L'affaire, rendue publique en 1954, soulève divers épisodes de la vie du savant, ses anciennes amitiés politiques, des indiscrétions qu'il aurait commises dix ans auparavant, son opposition de principe à la bombe à hydrogène. L'opinion est très frappée par la mise en cause de celui qui incarnait à ses yeux le savant idéal et un des pères de la victoire contre le Japon. Le tout se déroule sur fond de maccarthysme, mais aussi de montée des mouvements pacifistes auxquels participent Einstein et Bertrand Russell. La course aux armements s'est accélérée : depuis 1952 les États-Unis disposent d'un explosif thermonucléaire, mais il s'agit d'un engin de 65 tonnes inutilisable sur le plan militaire. En 1953, il semble que les Soviétiques reprennent la tête en produisant une bombe H plus légère, par un procédé différent de celui des Américains, cet exploit devant plus à leurs capacités scientifiques qu'à l'espionnage. En 1954, les USA refont l'équilibre avec un engin mille fois plus puissant que celui qu'ils ont lancé sur Hiroshima. Le public achète des abris, se prépare au pire... L'affaire Oppenheimer prend valeur d'exemple, même si aucun acte d'espionnage ne peut être prouvé et si le savant est réhabilité dix ans plus tard lorsque l'Atomic Energy Commission lui remet un prix. Du reste, le SVR, le service de renseignement russe qui a hérité des archives du KGB, démentira en 1994 qu'Oppenheimer, pas plus que Szilard ou Fermi, ait fourni des renseignements sur la bombe atomique.

Les années de spectaculaires révélations passées, l'espion de la guerre froide se professionnalise. Après les savants atomistes torturés par l'angoisse de la fin du monde, l'espion devient un technicien. Et surtout, le secret atomique diminue ; il ne protège plus une connaissance interdite ni une supériorité militaire décisive, mais une simple avance : un peu de temps, un moment de déséquilibre avant le rétablissement prévisible de la symétrie. Ce que l'on cache est moins important que ce que l'on exhibe.

Albert Einstein et Julius Robert Oppenheimer.

219

Bluffer, menacer

L'autre grande figure de la guerre froide est celle du bluffeur. Au jeu de l'Apocalypse, le bluff porte autant sur les différences psychologiques que techniques entre les adversaires. Sur ce qu'ils ont et croient en commun autant que sur ce qui les différencie. La guerre perd le statut d'épreuve concrète et aléatoire de la volonté politique pour acquérir celui d'hypothèse dont l'horreur paralyse la pensée et semble rendre la réalisation invraisemblable. En même temps sa virtualité stimule le calcul rationnel. Plus la catastrophe nucléaire est décrite comme la tragédie où tout le monde perd, plus elle se prête à des jeux au sens presque mathématique ou logique : les coups y sont joués à partir d'informations et de dissimulations, en fonction de ce que saura, croira ou feindra la partie adverse.

C'est une situation d'autant plus difficile à comprendre que les règles évoluent. Le premier concept est celui de la destruction mutuelle assurée : le grand tout ou rien, notion qui s'impose lorsque les Soviétiques reprennent l'avantage, dans la course à l'espace, cette fois, en lançant Spoutnik en 1957. À partir du moment où il est possible de mettre des fusées sur orbite, aucune zone n'est plus à l'abri. La simple dissuasion reposait sur le présupposé que les Américains ayant la supériorité dans le domaine des bombardiers et sous-marins, la probabilité que leur territoire soit atteint par des engins soviétiques était faible. La nouvelle configuration suppose un raisonnement symétrique et en termes d'échelle : jusqu'où peut-on aller (ou refuser de reculer) sans amener l'adversaire à appuyer sur le bouton – décision irrationnelle puisque le vainqueur d'une guerre nucléaire souffrirait autant que le vaincu, mais néanmoins envisageable ? La bizarre stratégie qui consiste à brandir un pistolet qui tire dans les deux sens suppose déjà une redéfinition de l'arme.

Cela mène à des raisonnements déments illustrés par le film de Stanley Kubrick, *Docteur Folamour* : le meilleur moyen d'assurer la paix est de se retirer la possibilité de céder à la menace et de renoncer à toute autonomie de riposte. Donc de se doter d'un système automatique qui déclenche le suicide nucléaire au cas où l'autre tirerait un seul missile… De se lier les mains. Et bien sûr d'en informer l'adversaire !

Ce que Kissinger nommait la « stratégie ésotérique » de l'équilibre de la terreur engendre bientôt d'autres modes de raisonnement. Dont celui de la France, à savoir qu'il fallait rendre le prix de la conquête ou de la destruction

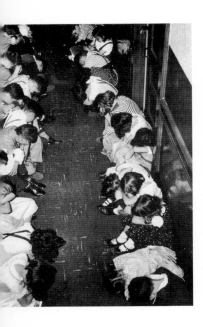

Ci-dessus :
Dans une école américaine à la fin des années 1950, des enfants s'exercent à faire face à une attaque atomique.

Page de droite :
Le philosophe anglais Bertrand Russell lors d'une manifestation contre les armes nucléaires en 1961.

de notre « petit » pays insupportable en termes de pertes à un agresseur plus puissant. Ou encore le traité SALT I, négocié entre 1969 et 1972 et signé par Nixon et Brejnev. Il met en relief la façon dont les adversaires construisent des règles du jeu de plus en plus complexe, notamment avec les notions de première et de seconde frappe, et s'accordent paradoxalement pour estimer leur propre puissance excessive. Les Strategic Arms Limitation Talks de l'ère de la détente tentent de limiter les armements offensifs, en excluant il est vrai les bombardiers et les systèmes avancés, mais surtout les armements défensifs. Dans la logique folle du nucléaire, le bouclier est plus dangereux que l'épée et il est plus urgent d'abaisser sa défense antimissile (Anti Ballistic Missile) que de restreindre sa capacité de faire sauter la planète. Le raisonnement est le suivant : si A possède des moyens de protéger ses villes et ses armes offensives en arrêtant un certain nombre de missiles adverses, il augmente ses chances de survivre, sinon à une première frappe, du moins à la riposte qui suivrait sa propre offensive, la seconde frappe. Du coup, A est tenté de frapper B avant qu'il ne se dote d'un système imperméable. Conclusion : mieux vaut offrir à l'adversaire un maximum de ses propres civils comme victimes potentielles, car, plus il vous sait vulnérable, moins il risque de vous attaquer… Le tout repose sur un postulat : A et B reconnaissent implicitement qu'ils s'espionnent, que leurs satellites s'observent et qu'ils ne peuvent plus techniquement avoir de secret durable l'un envers l'autre.

Les accords SALT I sont vite dépassés, et par les réalités techniques comme les missiles à têtes multiples ou la bombe à neutrons et par les réalités politiques de l'après-Nixon, d'où les nouvelles négociations de SALT II… La théorie évolue encore et les postulats qui semblaient les plus assurés changent rapidement. À partir de 1974 la doctrine américaine dite Schlesinger, du nom du secrétaire d'État à la Défense, introduit des éléments nouveaux dont on verra les conséquences sous Carter et Reagan. C'est la révolution de la précision et du dosage qui intervient dans le domaine de la pensée stratégique. Elle rend pensable l'impensable : un conflit nucléaire gérable. Les missiles permettent de frapper des cités ou des objectifs militaires, et leur précision augmentant, on peut concevoir des dosages soit dans l'escalade de la destruction en dépassant l'alternative de l'holocauste ou de la paix, soit dans l'usage géographique de la frappe atomique qui serait limité à l'Europe. Le mouvement s'accélère : à la fin des années 1970 on discute sérieusement l'éventualité d'une frappe « supportable » qui ne tuerait « que » le dixième de l'humanité ou celle de frappes plus précises sur les moyens offensifs adverses qui permettraient de se préserver raisonnablement de sa riposte. Quant à la crise des euromissiles, elle révèle qu'à partir du moment où les missiles soviétiques à moyenne portée sont installés, une guerre limitée au théâtre européen est pensable ; l'automaticité de la riposte américaine n'est plus garantie et le seul moyen de protéger l'Europe de l'Ouest est d'y installer des armes de moyenne portée et d'amener les Américains à subir un risque insupportable en cas de défaite de leurs alliés. Les paradoxes de l'arme faible, plus effrayante que l'arme forte, ou de la nécessité d'organiser sa propre vulnérabilité engendrent une confusion d'autant plus grande que la thèse d'une guerre limitée est contestée sur le plan technique.

Le dernier grand coup qui transforme des règles à peine établies est l'Initiative de défense stratégique, mieux connue sous le nom de Guerre des étoiles. Le 23 mars 1983 Ronald Reagan annonce que son intention est « d'éliminer la menace des missiles ennemis au-dessus des États-Unis ». L'impensable, à savoir arrêter les missiles adverses pendant les quelques minutes de leur vol, deviendrait possible grâce à des armes de science-fiction : stations sur orbite, lasers, armes à énergie dirigée, etc. La sanctuarisation du territoire américain repose sur la perfection des instruments d'observation et de calcul : les temps de réaction deviennent si brefs qu'il faut aller plus vite que la décision humaine pour que les missiles à peine lancés soient frappés par des armes hypermodernes. Elles sont toujours à concevoir et, par définition, ne peuvent être soumises à une expérimentation réaliste. Les parties doivent non seulement parier sur des armes ultra-précises et rapides, reposant sur des technologies encore à concrétiser, mais aussi supposer une capacité de réaction infaillible. Les experts doutent de la réalité d'un tel programme. Les plus pessimistes annoncent le déclenchement d'une guerre nucléaire préventive par l'URSS qui doit nécessairement saisir sa dernière chance de frapper avant que son adversaire ne devienne invulnérable. Trop sophistiquée, trop chère, la Guerre des étoiles a maintenant été abandonnée.

Entre-temps, ses conséquences diplomatiques ont été spectaculaires. Sous l'ère Gorbatchev, c'est le retrait des missiles de 1 000 à 5 000 km (option zéro) et de ceux de 500 à 1 000 km (option double zéro). Les négociations

START (Strategic Arms Reduction Talks), qui prennent la suite des SALT, sont ouvertes avec, pour objectif, la réduction de moitié des arsenaux stratégiques. La chute du communisme rend cette tentative obsolète. La seule donnée qu'aucun scénario ne remettait en cause, à savoir le nombre de joueurs, est devenue fausse en effet. Il n'y a plus deux superpuissances mais une seule désormais face à la prolifération de l'arme nucléaire, voire, disent certains, à sa privatisation entre les mains de mafias ou d'organisations terroristes capables demain d'acquérir une « bombe du pauvre ».

La guerre entre proclamation et dissimulation

La liste des guerres pensables mais impossibles n'est peut-être pas close mais, de doctrine en doctrine, le lien entre la simulation et toute réalité représentable semble rompu : pendant un demi-siècle, les joueurs ont joué à changer les règles.

Pendant des millénaires le secret militaire a porté sur des faits vrais (nous possédons telle arme, telle division est à tel endroit) et sur des intentions avérées (nous ordonnerons à telle armée de se déplacer vers ce point). C'est ce que nous pourrions appeler une connaissance efficiente : de la vérité ou de la réalisation du secret découlent des conséquences pratiques (les troupes sont ou ne sont pas, manœuvreront ou ne manœuvreront pas au lieu et au moment dit) qui se mesurent en capacité de prendre des décisions justes : attaquer, faire retraite, concentrer ses troupes… Tout l'enjeu du secret portait sur l'art de se réserver la connaissance efficiente et d'en priver l'autre. Nous savons combien cet art est subtil depuis au moins vingt-cinq siècles, c'est-à-dire depuis que Sun Tse en Chine ou Énée le Tacticien en Grèce ont donné des recettes pour abuser l'adversaire : se faire prendre délibérément un espion porteur de fausses nouvelles, infiltrer chez l'ennemi des agents qui l'amèneront à prendre des décisions erronées. Le raffinement de ces procédés pouvait être extrême : dire A pour que l'on en déduise que vous voulez faire B alors que vous projetez C, ne pas profiter d'informations vraies pour en acquérir de plus importantes et en diffuser de fausses. Mais, derrière les feintes, la désinformation ou les leurres, se dissimulaient finalement d'authentiques secrets qui portaient sur des événements du monde réel et non hypothétique.

Traditionnellement, l'arme est un facteur de réduction de l'incertitude : celui qui possède une arme supérieure à celle de son adversaire diminue à son profit les aléas de la guerre (facteur humain, génie des généraux, moral des troupes, hasards tactiques, etc.) qui font que la guerre n'est jamais jouée sur le papier. L'arme est un facteur additionnel au service de la volonté politique qui recourt à la violence pour s'imposer. Plus on entretient l'ignorance adverse, meilleur est le résultat. Du moins, jusqu'à ce que la bombe semble réduire le rôle de la stratégie à une alternative binaire – lancer ou non – et abolisse l'idée de gain que sous-tend tout conflit armé.

Le fait que l'arme commande à la stratégie et non l'inverse, qu'elle ne soit plus le moyen mais l'achèvement de la guerre transforme toutes ces certitudes. L'imprévisibilité relative de l'action adverse, alpha et oméga de la pensée tactique, cède alors le pas à l'exhibition des panoplies corrigées par un facteur psychologique : le pari secret sur le for intérieur de l'adversaire. Du coup, la nature des informations militaires susceptibles d'être confidentielles change : la stratégie consiste aussi à convaincre l'adversaire de la réalité des armes que l'on possède, à persuader l'opinion de faire confiance aux détenteurs des secrets atomiques, et enfin à publier ses hypothèses stratégiques, seule façon de continuer le dialogue avec l'autre joueur. La part de la dissimulation porte moins sur une connaissance technique que sur le fonctionnement de l'ensemble technique (les projets industriels à long terme, la coordination des systèmes d'observation, de transmission et de frappe), moins sur les intentions réelles, comme lorsqu'un stratège établissait un plan d'invasion, que sur la nature réelle du processus de décision. Il est crucial de savoir qui autorise et qui décide quoi, qui réagit comment dans les quelques secondes de la décision. Toute stratégie, tout affrontement de deux intelligences est un jeu à information imparfaite. L'époque nucléaire en a fait un jeu à secret imparfait.

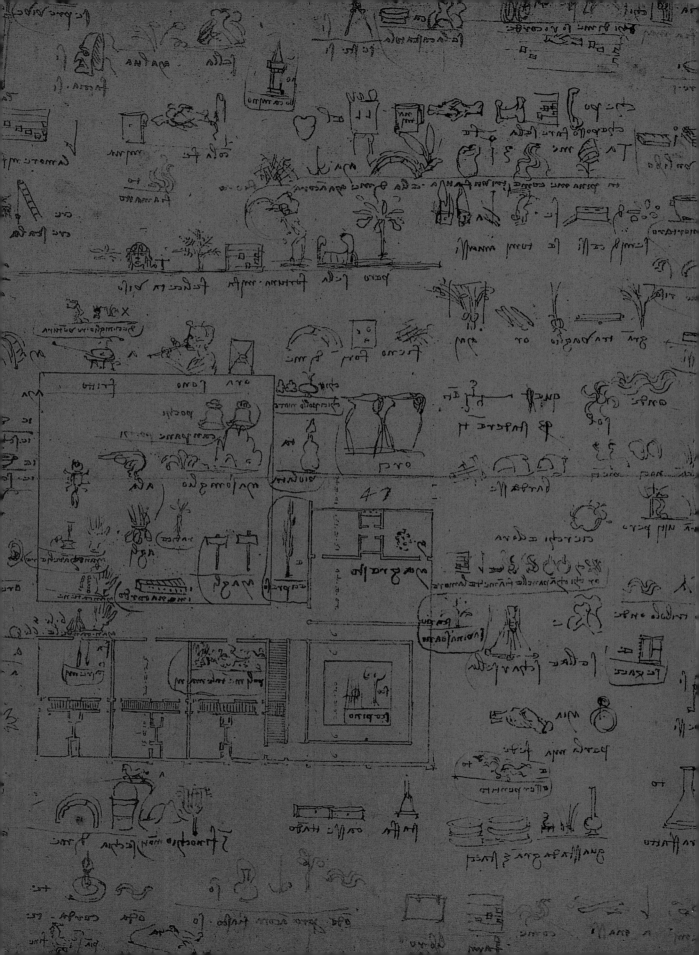

LE CODE SECRET, SECRET DU SECRET

Il voit sans être vu,/Entend sans être entendu/Il connaît sans être deviné…
Il masque ses traces,/Brouille ses pistes,/Nul ne remonte à lui.

Tel est le souverain idéal, selon le philosophe Han-Fei, auteur du *Tao du Prince*, un classique de la pensée politique chinoise, il y a vingt-trois siècles. Ce maître silencieux doit-il pénétrer toutes les arcanes des codes et des cryptogrammes ? La chronique chinoise mentionne force histoires de messages secrets. Parmi les ruses que l'on enseignait aux apprentis stratèges, voici un moyen éprouvé : envoyez quelque agent maladroit dans le camp ennemi de façon qu'il soit pris. Sans aucun doute, on ne manquera pas de le torturer et de vérifier s'il n'a pas avalé un message caché dans une boule de cire, procédé courant à l'époque des Han. Prévoyant cela, vous lui aurez fait transporter une fausse lettre qui fera croire que le meilleur général ou le plus fidèle conseiller du souverain ennemi s'est rallié à vous. Bientôt sa tête volera. Par ce stratagème vous vous serez débarrassé d'un adversaire.

Comme en écho, Kautylia, le Machiavel indien de la fin du IVe siècle avant notre ère, ministre du grand roi Ghandragupta et auteur d'un des premiers traités du gouvernement, conseille au Prince de se doter d'un solide service de renseignement et de faire déchiffrer les « écritures secrètes ». Cela prouve qu'il devait bien y avoir des espions et conspirateurs qui utilisaient la cryptographie pour dissimuler leurs messages et des spécialistes de la cryptanalyse qui savaient en briser le chiffre. D'autres textes laissent soupçonner que la

Léonard de Vinci,
Rébus, Windsor Castle,
Royal Library, RL 12192.

227

science du code secret était alors fort développée : le *Kama-Sutra* mentionne l'art de l'écriture secrète au nombre des soixante-quatre disciplines que doit maîtriser la parfaite concubine.

Les Indiens ? les Chinois ?… qui a inventé le premier code secret ?… les scribes égyptiens qui, il y a quatre mille ans, parsemèrent les inscriptions à la gloire de leurs maîtres défunts de nouveaux hiéroglyphes, compréhensibles des seuls initiés ? Était-ce pour dissimuler l'emplacement de quelque trésor funéraire, ou simplement graphique, pour intriguer le lecteur ? Des tablettes chiffrées, en écriture cunéiforme, et trouvées en Mésopotamie indiqueraient-elles une science du code sophistiquée ? Les archéologues hésitent.

Cacher les choses, cacher les mots

En revanche, nul ne doute que les Grecs n'aient rivalisé d'ingéniosité pour dissimuler leurs correspondances stratégiques. Dès le Ve siècle avant notre ère, les Spartiates employaient le scytale. C'est un simple bâton autour duquel on enroule en spirale un ruban de cuir ou de papyrus. Puis on écrit dans le sens de la longueur. Une fois le ruban défait, les lettres sont séparées, il est donc impossible d'en reconstituer l'ordre sans posséder de scytale ou, du moins, sans connaître le diamètre du bâton. Il existait d'autres procédés. Ainsi, des trous minuscules dans un manuscrit permettaient au correspondant averti de noter les lettres marquées et de reconstituer le message. Ou encore, on tatoue le message sur le crâne rasé d'un messager, puis on attend que ses cheveux repoussent. Le destinataire, averti du procédé, fait raser le crâne du messager et lit le texte. Surprenant, mais long, ce procédé est rapporté par Hérodote. Ou encore, comment un exilé grec prévint ses compatriotes des projets d'invasion de Xerxès : il grava son message sur le bois d'une tablette qu'il recouvrit de cire et qu'il expédia, ainsi apparemment vierge, à ses amis de Sparte.

Polybe aurait inventé au cours du second siècle avant notre ère un système de codage lettre par lettre. Les 25 lettres de l'alphabet grec sont rangées en carrés de cinq sur cinq et chacune est désignée par deux chiffres : celui de sa rangée et celui de sa colonne. Ce procédé permet à la fois de coder le message et de le transmettre à distance par un système de signaux lumineux : deux jeux de cinq torches agitées de façon convenue suffisent à désigner toutes les cases, donc toutes les lettres existantes.

La pierre de Rosette, gravée en 196 av. J.-C. et retrouvée en 1799, porte le même texte en trois écritures différentes : hiéroglyphes en haut, démotique au centre et grec en bas. Londres, British Museum. Champollion n'a pas travaillé autrement que les cryptologues.

Page de droite : Skytale spartiate. Pour leur correspondance stratégique, les Spartiates écrivaient sur un ruban enroulé autour d'un bâton de diamètre précis.

Quant aux Romains, s'ils ne possèdent que des systèmes cryptographiques simples, ils en sont grands utilisateurs. Outre les messages stratégiques qui parcourent tout l'Empire, la correspondance privée, généralement confiée à des esclaves particuliers, représente un trafic important ; il faut en assurer la confidentialité. Les patriciens se méfient de leurs serviteurs indiscrets ou des rivaux politiques qui pourraient s'emparer de leur correspondance ; les généraux craignent que leurs estafettes ne soient arrêtées en route. César écrit en employant un système de substitution relativement rustique. À chaque lettre est substituée celle qui se trouve trois lettres plus loin dans l'alphabet : le A devient D, le B se change en E, etc. De la même façon, on trouve dans la Bible un système dit « Atbash » qui consiste à remplacer la première lettre de l'alphabet par la dernière, la seconde par l'avant-dernière, et ainsi de suite.

Ce sont les premiers principes de la cryptographie. De la cryptographie et de la stéganographie, pour être exact, puisque, si le premier mot désigne la science qui vise à rendre un message incompréhensible, le second est l'art de cacher physiquement ce message. Généralement, cela consiste à en camoufler le support matériel ou à le cacher en le plaçant à un endroit insoupçonnable. Les encres sympathiques qui ne se révèlent qu'à la chaleur, les parchemins dissimulés dans un bâton creux, les boulettes avalées ou les crânes tatoués ressortissent à la stéganographie comme les alphabets secrets sont des procédés de cryptologie.

Il n'y a pas mille façons de réserver les messages à leurs seuls destinataires. Il faut, ou employer un procédé physique et rendre la chose imperceptible, ou recourir à un processus sémantique et obscurcir le sens. Et si l'on opte pour la seconde voie, il y a une alternative : ou bien remplacer un élément du message clair (une lettre, un mot) par un substitut convenu entre l'émetteur et le récepteur (une autre lettre, un autre mot, mais aussi un dessin, un symbole, une note de musique, un geste…) ou bien changer l'ordre des éléments composant le message (là encore, qu'il s'agisse de phrases, de mots, de lettres ou de bits informatiques). Tous les écoliers qui, pour préserver leurs secrets, ont caché des boules de papiers dans des crayons à bille, employé des chiffres au lieu de lettres ou parlé un quelconque verlan n'ont jamais fait que redécouvrir ces trois principes : dissimuler, substituer, transposer. Ajoutons que l'on peut combiner les procédés (tel est le cas d'un microfilm portant un texte codé). Et qu'il existe des systèmes difficiles à classer. Ainsi le mathématicien, médecin et encyclopédiste du XVIe siècle

Jérôme Cardan invente entre autres procédés, une grille trouée. Le message est écrit dans les emplacements libres, la grille retirée et tous les autres espaces de la feuille remplis de lettres n'ayant aucune signification. Contrairement au procédé habituel qui consiste à dissimuler l'existence même du message, Cardan imagine donc de laisser le significatif visible mais indiscernable du « fond ». C'est déjà le principe de *La Lettre volée* d'Edgar Poe : laisser voir ce que l'on veut cacher.

Il faudra donc attendre la technologie moderne de la miniaturisation pour faire des progrès en ce domaine. Le principe du microfilm cher aux romans d'espionnage de la guerre froide, toujours plus petit, va-t-il retrouver une nouvelle jeunesse avec Internet ? En permettant d'expédier des images d'excellente qualité via le courrier électronique. La Toile devient, dit-on, le support préféré des correspondances secrète de la mafia russe : il suffit d'insérer son message dans un micropoint de la photographie que l'on numérise et que l'on expédie. Malgré leur ingéniosité, de tels procédés restent lourds, ne serait-ce que par le matériel qu'ils requièrent, et peu sûrs : ils ne valent plus rien une fois que l'adversaire a compris le principe de la cachette. Aussi le génie humain s'est bien davantage exercé dans l'art de cacher le sens. Le duel séculaire des cryptographes, inventeurs de chiffres et clefs, contre les cryptanalystes, briseurs de sceaux et décrypteurs de mystères, fait paraître terriblement primaires ces histoires d'écritures invisibles. La cryptologie est donc la voie royale : en elle, le principe du secret, alternance de défenses et de viols, trouve sa plus haute expression.

Quelles sont les armes de chacun ? Le cryptologue est l'homme qui complique. Prévisibilité, similitude, régularité sont ses ennemis. Il lui faut d'abord trouver un principe surprenant : si son adversaire pouvait trop facilement reconstituer sa démarche mentale, l'affaire s'arrêterait vite. Remplacer une lettre par la suivante dans l'alphabet ou retransposer en colonnes verticales les lettres qui ont été écrites à l'horizontale est à peu près aussi original que de choisir sa date de naissance comme combinaison de son coffre-fort. Il faut ensuite que le chiffré ressemble le moins possible au clair, et à la langue naturelle, y compris dans sa structure : si, dans un texte codé en français, on rencontre souvent deux ou trois lettres séparées par un espace d'une série de lettres plus longues, on peut parier sans trop de risque que l'on est en présence de la version codée de l'article (*le*, ou *la*, ou *un* pour deux lettres, *les*, *une* ou *des* pour trois…) ou de pronoms. Enfin, le cryptographe doit faire en sorte qu'il n'existe pas le moindre rapport statistique entre clair et codé : la fréquence d'un signe dans le second laisse facilement soupçonner celle d'une lettre dans la langue naturelle. On sait ainsi que le *e*, puis le *s*, puis le *a*, puis le *r* et ainsi de suite… sont les lettres les plus fréquentes de notre langue. Bref, le cryptographe, faiseur d'énigmes, est un curieux artiste dont l'œuvre doit imiter le hasard : elle est d'autant plus ordonnée qu'elle semble aléatoire, d'autant plus pensée qu'elle paraît n'obéir à aucune règle. Mais il souffre d'un handicap puisque toute langue est redondante : elle emploie bien plus de signes qu'il ne serait nécessaire d'un point de vue strictement mathématique pour exprimer une information. Ce qui la rend extrêmement prédictible : quelques lettres d'un mot (« Bonj… Mons… ») nous suffisent pour compléter le sens. Ces notions, auxquelles la théorie de l'information et la cybernétique ont donné des noms plus précis (entropie, redondance, etc.) et des formulations mathématiques, ont été découvertes intuitivement par le cryptologue depuis quelques siècles.

Face à lui, le cryptanalyste semble d'abord bien dépourvu : chercher la fréquence des lettres, imaginer les mots dont l'apparition est probable, tenter de détecter des régularités et surtout procéder inlassablement par essais et erreurs, telles sont ses pauvres recettes. Ce sont à peu près celles que l'on trouvera dans un ouvrage arabe de 855 le *Livre de la connaissance longuement désirée des alphabets occultes enfin dévoilés*, premier traité de cryptanalyse connu. Ce sont aussi les procédés, romanesques par excellence, dont s'inspire la littérature.

Edgar Poe, lui-même bon cryptanalyste, s'amusait à mettre au défi les lecteurs d'un journal où il tenait une chronique de lui envoyer des messages codés qu'il ne sache déchiffrer. Dans sa nouvelle *Le Scarabée d'or*, il décrit la façon de déchiffrer le message indiquant l'emplacement du trésor d'un pirate. Sherlock Holmes, Arsène Lupin, des héros de romans de Jules Verne et probablement quelques dizaines de détectives de romans policiers que nous n'avons pas lus procèdent de la même manière : face à un message chiffré, ils cherchent une lettre ou un mot probable, vérifient, en déduisent un second puis un troisième, remplissent les blancs et finalement comprennent le sens global. Dans les romans, de telles techniques appliquées à des messages brefs sont rapidement démontées en quelques lignes.

Les casseurs de codes

Dans la réalité, les choses se déroulent à une autre échelle : les casseurs de codes travaillent pendant des journées, souvent par équipes entières et sur des textes très longs, ce qui facilite le décryptage. Mais, dans la réalité comme dans la fiction, il n'y a jusqu'à une époque récente que deux façons de déchiffrer : empiriquement par essais et erreurs, logiquement en tentant de comprendre l'algorithme de chiffrement, c'est-à-dire l'ordre logique des opérations de substitution ou de transposition qui composent le chiffrement.

En bonne logique, il semblerait que le chiffreur doive toujours l'emporter. Imaginons un cas extrême : le chiffreur idéal changerait de système de codage à chaque lettre, puisant chaque fois dans un répertoire différent de telle sorte que le cryptanalyste ne puisse détecter aucune régularité ni déduire aucune règle. Et, quand bien même il disposerait d'un temps infini et essaierait tous les sens possibles d'un message codé de x lettres ou éléments, il aurait le choix entre tous les messages possibles composés de x lettres ou éléments, comme dans la nouvelle de Borges *La Bibliothèque de Babel* où les livres sont composés de toutes les combinaisons possibles des lettres de l'alphabet. Pour emprunter une autre image célèbre à l'écrivain argentin, la carte (le système de représentation) serait alors aussi grande que le territoire (le représentable). Mais, dans le monde réel, la carte ne recouvre jamais le territoire. Nous sommes incapables de mémoriser un nombre de codes aussi long. Il faut donc, soit que le codeur limite la complication des opérations auxquelles il aura recours à des procédés transmissibles de vive voix (donc relativement simples), soit qu'il recoure à un support de mémoire comme un livre de code. Il vient alors de tomber de Charybde en Scylla, puisque le point faible de son système est qu'il doit le transmettre au destinataire et qu'un tel texte en clair peut être dérobé, falsifié, copié, perdu… Le cryptogramme parfait existe donc : il suppose un texte de référence commun à l'émetteur et au récepteur auquel chaque texte codé renvoie lettre par lettre (par exemple, ayant besoin d'écrire la lettre *a*, j'indique que le livre convenu la contient à telle page, telle ligne, tel rang, puis je procède de même pour chaque lettre ainsi repérée par son emplacement). Cela équivaut à changer de code à chaque lettre puisque la relation entre la lettre et son équivalent codé est totalement arbitraire : elle repose sur un emplacement, non sur une signification.

Mais un tel système n'est pas adaptable aux besoins d'une correspondance diplomatique ou militaire, ni à un usage fréquent. Les complications que doit susciter le cryptographe sont limitées par des considérations pratiques, celles d'une bureaucratie du secret. Voici donc le cryptanalyste qui retrouve toutes ses chances, comme le confirme l'histoire.

« Qui ne sait pas dissimuler ne sait pas régner », enseignait Louis XI à son fils, annonçant les conseils de Machiavel au Prince. La Renaissance a le goût des complots, de l'occultisme et des inventions, trois raisons pour que l'art des écritures secrètes s'y développe et attire de fortes personnalités. Ainsi, le grand architecte et mathématicien Leon Battista Alberti, mort en 1472, invente le principe de la machine à coder, déléguant en quelque sorte la tâche de tout compliquer à un système de deux disques rotatifs portant les lettres de l'alphabet : en faisant varier leur position on obtient donc divers alphabets de correspondance. Il suffit de convenir d'une lettre indice (je mettrai *x* en face de *a*) ou d'une suite d'opérations (je mettrai *x* en face de *a*, puis, toutes les fois que j'introduirai tel signe dans mon message, je tournerai le disque interne d'un cran à droite…). Cette intuition géniale ne sera guère dépassée avant l'informatique, au moins en son principe. Du coup, Alberti a aussi imaginé de coder le codage, c'est-à-dire de convenir de l'ordre d'utilisation d'une pluralité de codes. L'idée de clef, un message généralement facile à retenir et qui dit comment disposer sa batterie de répertoires, est là en puissance.

En comparaison, on est presque déçu par l'écriture inversée *alla mancina* de Léonard de Vinci, qui se lit dans un miroir, ou par le code du chancelier et philosophe Francis Bacon grâce auquel il aurait avoué, ont prétendu des historiens imaginatifs, qu'il était en réalité l'auteur des pièces de Shakespeare.

D'autres cryptologues, moins illustres, accomplissent des exploits remarquables. François Viète, qui brise les codes de Philippe II d'Espagne pour le compte d'Henri IV dont il est conseiller privé, se voit accusé de sorcellerie par les Espagnols. Mais Viète invente aussi l'algèbre moderne. Le Milanais Jérôme Cardan, mort en 1576, féru d'astrologie et parfois en délicatesse avec l'Inquisition, imagine un procédé où le message contient sa propre clef. C'est aussi un remarquable mathématicien : il est le premier à résoudre des équations du troisième degré et il a l'intuition du calcul des probabilités. Les exemples abondent au XVI⁰ siècle de ces cryptologues partagés entre leur goût des mathématiques et leur attirance pour l'occulte. Trithème, abbé de Würzburg et auteur du premier livre de cryptologie imprimé, est un fou de kabbale et de magie. Blaise de Vignère, qui résume toutes les connaissances de l'époque dans son *Traité des chiffres ou secrètes manières d'écrire* de 1596, est kabbaliste et alchimiste… Parmi les systèmes de codage qu'il imagine, il

en est un, dit « carré de Vignère », réputé inviolable quasiment jusqu'à la Première Guerre mondiale. Réputé seulement car, au début du XIX⁰ siècle, Charles Babbage a déjà réalisé cet exploit mais sans en rien publier. Plus étonnant encore : pour casser le chiffre de Vignère, Babbage a posé le principe d'une machine analytique à résoudre les problèmes en les subdivisant en opérations simples, principe d'où sort toute l'informatique.

Aux XVI⁰ et XVII⁰ siècles, les spécialistes du chiffre sont de plus en plus recherchés et deviennent des sortes de consultants internationaux engagés par telle ou telle cour, voire par le Saint-Siège. Un expert étranger au service d'Élisabeth d'Angleterre, Henry Phelipes, déchiffre les messages secrets qu'échangent Marie Stuart de sa geôle et Babington qui conspire de l'extérieur pour la délivrer. Les deux malheureux ont confié leur correspondance à un agent provocateur infiltré dans la conspiration. Phelipes casse très vite leur code ; aucun de leurs mouvements n'échappe à leurs ennemis. Pire : Phelipes fabrique même de faux messages de Marie Stuart demandant les noms des six gentilshommes complices de Babington. La conspiration une fois démantelée, les lettres codées où la prisonnière donne son assentiment au complot contre Élisabeth servent de preuves devant le tribunal. Et c'est finalement la faiblesse de son chiffre qui coûtera sa tête à la malheureuse Écossaise. Ironie de l'histoire : un autre cryptologue, John Wallis, considéré comme le plus

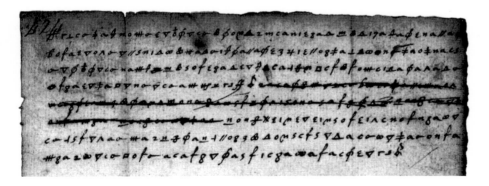

Page de droite : Léonard de Vinci, page écrite *alla mancina, Codex Sur le vol des oiseaux,* Turin, Biblioteca Reale. L'écriture inversée de Léonard de Vinci se lit dans un miroir et n'est donc pas un véritable code mais elle reflète le goût de la Renaissance pour les écritures secrètes.

Ci-contre : Le faux post-scriptum ajouté par Thomas Phelipes au message de Marie Stuart. Londres, Public Record Office.

illustre précurseur d'Isaac Newton, contribuera à l'exécution de Charles I⁰ʳ en 1649. En effet Wallis, qui s'est mis au service de Cromwell, déchiffre plusieurs dépêches du roi à ses partisans et participe ainsi à leur défaite. Peu vindicatif, Charles II engagera plus tard ce brillant mathématicien.

Longtemps la cryptologie est affaire d'hommes d'exception ou de lignées. La charge se transmet souvent héréditairement et il y a ainsi des dynasties d'Argenti à Rome, de Wallis en Angleterre ou de Rossignol en France qui ont accès aux affaires les plus secrètes ; ils sont fort bien payés et comblés d'honneurs. Le déchiffrement est aussi affaire d'organisation et de moyens. Après Louis XIV qui avait compris l'importance de la cryptologie, et suivant l'exemple du fameux Cabinet noir français, l'Europe se couvre de bureaux du Chiffre pour décrypter toutes les correspondances secrètes, travaillant en équipes polyglottes, accumulant des connaissances, perfectionnant des méthodes, examinant des centaines de lettres de particuliers ou de diplomates recopiées ou détournées par des dizaines d'agents. Avec l'absolutisme, avec la naissance de l'État moderne, le secret se révèle au cœur du politique. Foin des histoires d'amants ou d'alchimistes, le code est administré, géré, défendu par des corps de spécialistes : il est devenu la technique essentielle de lutte par l'information.

Survient une révolution : le télégraphe. Pour la première fois, une parole va plus vite qu'un homme à cheval, un ordre est reçu instantanément, un territoire se contrôle d'un point unique. La transmission se libère du transport et promet une nouvelle maîtrise du temps et de l'espace. Arme de guerre d'abord, outil de l'État ensuite et finalement instrument au service de l'économie, le télégraphe entretient un rapport singulier avec la cryptologie. Il n'est d'abord que code puisque le télégraphe de Chappe fonctionne sur le principe de signaux optiques conventionnels (d'où l'importance de réserver à des agents sûrs la connaissance du code). On se souvient comment, dans le roman d'Alexandre Dumas, le comte de Monte-Cristo se venge d'un banquier : il soudoie un agent du télégraphe et fait parvenir à Paris une fausse nouvelle qui provoque la ruine de son ennemi. Même avec l'invention du télégraphe par fil et du code Morse, le télégraphe paie son économie de moyens, son indépendance du facteur humain et son instantanéité d'une incertitude : sans code efficace, comment savoir si le message n'a pas été écouté par l'ennemi ou, facteur dont on ne saisit pas encore l'importance, s'il est bien authentique et émane de l'ami ?

Les machines à secrets

Avec la guerre de Sécession américaine, les militaires comprennent combien, autant que le train, le télégraphe décide du sort de la guerre. À l'évidence l'armée du futur emploiera quotidiennement le code et devra en confier l'usage à des corps d'armée éloignés, bientôt à des éléments isolés, bref à de nombreux utilisateurs quotidiens. Curieux personnage, grand partisan du volapük comme langage universel, le Hollandais Auguste Kerkhoffs tire bien les conséquences de cette mutation dans un livre de 1883, *Cryptographie militaire*. Le système idéal de chiffrement, démontre-t-il, devra non seulement être sûr, portatif, d'usage aisé, rapide, adaptable au télégraphe, mais pouvoir tomber sans inconvénient entre les mains de l'ennemi… Surtout, sa clef devra être modifiable et transmissible sans recours à un support écrit. Bref il ne suffit pas d'une serrure inviolable, il faut aussi une clef transportable. À l'âge de la machine, la réponse s'impose avec évidence : un appareil qui soit une vraie matrice à secrets, inviolable, mais accessible à qui possède le sésame (un mot, quelques lettres). Les idées d'Alberti retrouvent une actualité et on voit apparaître des machines à crypter dès l'Exposition universelle de 1867. Mais la machine est longue à triompher : les États se dotent longtemps de répertoires de codes, mots clefs, mots d'ordre, procédures qu'ils dispersent dans leurs corps d'armée et leurs ambassades. Répandu à une telle échelle, avec les simplifications inhérentes à son utilisation quotidienne, le code est fragile tandis que les instruments de la cryptanalyse, notamment l'analyse statistique du langage, progressent. Espionnage et contre-espionnage pratiquent le déchiffrement, l'écoute, l'infiltration, l'intoxication à une échelle nouvelle.

Tout se complique : car percer un secret est une chose, l'avouer en est une autre. La connaissance acquise par déchiffrement d'une correspondance dérobée n'est pas utilisable sans précaution : a-t-on été intoxiqué ? comment utiliser les informations acquises sans perdre ou sa source ou sa crédibilité ? Ainsi, dans l'affaire Dreyfus, un télégramme chiffré joue un rôle de premier plan. Nos services s'emparent, en 1894, d'un télégramme de l'ambassadeur d'Italie Panizzardi qui tend à établir l'innocence de Dreyfus. Mais comment être certain de n'avoir pas été abusé par un leurre ? Les cryptologues du Quai d'Orsay demandent une vérification. Pour cela, on fournit délibérément des informations militaires à Panizzardi, sachant qu'il ne manquera pas de les retransmettre à son gouvernement sous forme de télégramme chiffré. Ce qu'il fait : du coup, les services français peuvent confirmer le premier message. Mais c'est finalement une version truquée du télégramme, accablant Dreyfus, qui circulera dans la presse, au moins jusqu'à la révision de son procès. Preuve que le jeu de la désinformation peut annuler l'efficacité de l'information acquise par déchiffrement. Il ne suffit pas de savoir, il faut savoir comment faire savoir.

Cette loi se voit confirmée lors d'un épisode décisif de la Première Guerre mondiale : l'affaire du télégramme Zimmermann, du nom du ministre allemand des Affaires étrangères. Après que des sous-marins allemands ont coulé le *Lusitania* en 1915, tuant ainsi un millier de passagers dont plus de cent Américains, l'intervention aux côtés des Alliés gagne des partisans aux USA. Par ailleurs l'état-major du Kaiser veut intensifier la guerre sous-marine pour mettre au plus vite l'Angleterre à genoux, donc sans doute couler d'autres navires américains. Une confrontation semble plus que vraisemblable. Dans cette hypothèse, Zimmermann prévoit un plan de secours destiné à gêner Washington dans son effort de guerre. Ce sera un second front : une alliance avec le Mexique, à qui il promet le Texas et le Nouveau-Mexique, en cas de conflit. Tel est le contenu du fameux télégramme chiffré envoyé à l'ambassadeur d'Allemagne à Washington pour qu'il transmette la proposition à Mexico. Le bureau du Chiffre de la marine américaine parvient à le déchiffrer à grand-peine. Mais se référer publiquement à ce document, ce serait faire savoir à l'ennemi éventuel, l'Allemagne, que son meilleur code doit être changé et se priver d'une arme pour le conflit à venir. Il faudra donc trouver une version avouable de ce document. Les services secrets attendent donc de disposer de la version mexicaine du télégramme, saisie grâce à un agent américain au télégraphe de Mexico, pour livrer à la presse le texte qui entraîne le président Wilson à déclarer la guerre.

Ce succès marque le début d'une époque où les cryptanalystes anglo-saxons et alliés jouissent d'une supériorité indiscutable sur les allemands et les japonais. Pendant la Seconde Guerre mondiale, cette capacité de savoir sans être écouté joue un rôle décisif. Mais, là encore, il ne suffit pas qu'une information soit disponible, encore faut-il qu'elle soit crue et utilisée. On a échafaudé toutes sortes d'hypothèses sur l'étrange manque de réaction américaine aux signaux d'une prochaine attaque nippone contre Pearl Harbor : pourquoi, par exemple, l'exemplaire de la très performante machine à décrypter les codes japonais qui était à la base de Pearl Harbor en est-il retiré en novembre 1941 ? Alors que les Américains ont déchiffré plus vite que les Japonais eux-mêmes le télégramme enjoignant à l'ambassade du Japon à Washington de transmettre une déclaration de guerre, le lendemain, jour de l'attaque, pourquoi la base est-elle prévenue trop tard ? De nombreux indices avaient été rassemblés grâce au déchiffrement du chiffre japonais. Apathie bureaucratique face à un danger pourtant évident ou provocation délibérée ?

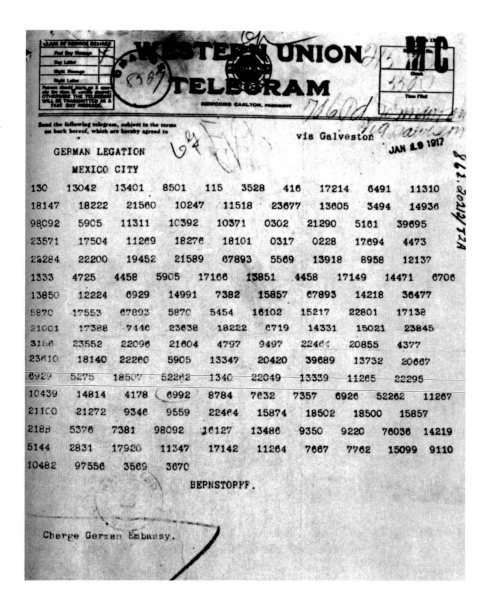

Le télégramme Zimmermann. Le déchiffrement du télégramme Zimmermann par lequel l'Allemagne proposait au Mexique une alliance offensive contre les États-Unis détermina l'intervention de ces derniers au cours de la Première Guerre mondiale.

Les historiens n'ont pas encore tranché, mais aucun ne doute de la supériorité du renseignement américain sur le japonais. Pendant la guerre du Pacifique, cette supériorité est renforcée par un procédé surprenant. Pour ses communications radio, l'US Army fait souvent appel à des Indiens navajos. La langue navajo n'a pas d'écriture, les ethnologues étrangers ne l'ont pas étudiée et on ne chasse guère le bison du côté de Tokyo, trois raisons de croire que cette langue serait aussi impénétrable aux services nippons que l'étaient les hiéroglyphes avant la découverte de la pierre de Rosette. Après la résolution de quelques difficultés sémantiques (comment dire « bombardier » ou « sous-marin » en navajo?… il suffit de trouver une jolie métaphore comme « buse » ou « poisson de fer »), le système se révéla parfaitement fiable.

Le vrai défi pour les cryptanalystes venait d'Allemagne où, dès 1918, les ingénieurs se sont lancés dans la quête de la machine à crypter parfaite, qui

sera, époque oblige, naturellement électrique. Bientôt ce sera la fameuse machine Enigma dont le principe peut être résumé ainsi : un jeu de rotors mobiles dont les différentes positions sont convenues par message codé entre les correspondants. Incroyablement compliquée par le nombre de combinaisons (donc les manières de chiffrer le même texte) qu'elle permet, la machine est pourtant d'un usage enfantin : une fois qu'elle est réglée, on tape son texte clair sur un clavier et les lettres chiffrées correspondantes apparaissent à l'instant. Est-ce la machine parfaite ? Ayant appris à quel point leur code était connu des Anglais (et ceci, ironiquement, par des confidences de Churchill dans un livre de souvenirs publié en 1923), les Allemands s'équipent à grande échelle avec Enigma. Ils décident de procédures sécurisées pour les changements de réglage. L'idée est que le temps qu'un unique message soit décrypté, les réglages des Enigma auraient changé et tout serait à refaire. Certains d'être toujours en avance, les Allemands croyaient gagner la guerre du code comme la guerre des tanks, par la *Blitzkrieg*. L'introduction du facteur temps semble condamner le cryptanalyste le plus doué à un travail de Sisyphe. Pour résoudre cette question les Alliés vont devoir rassembler une énorme puissance intellectuelle, des dizaines de surdoués des mathématiques, de la linguistique, de la philosophie, de l'espionnage mais aussi du bridge ou des mots-croisés (ces derniers ayant été recrutés par un concours pour cruciverbistes).

Machines qui pensent et machines qui travaillent

Outre la matière grise, pour vaincre Enigma, il faut mécaniser l'abstraction et inventer les machines qui pensent pour vaincre les machines qui brouillent. Si bien que l'informatique moderne est sinon fille de la cryptologie, du moins lui est redevable de quelques-uns de ses concepts principaux. À preuve, deux de ses « pères » officiels ont élaboré leurs principales idées en travaillant directement sur le problème du code : le logicien Turing, inventeur de la machine « à computer », et Shannon, fondateur de la théorie de la communication. Et si le troisième père, le mathématicien Wiener, n'a pas contribué à la lutte contre Enigma, il s'est tenu au courant de ces travaux.

Rien n'aurait été possible sans les travaux de quelques pionniers des services secrets polonais. Dès avant-guerre, ils s'étaient attaqués à Enigma et avaient imaginé des pools de machines travaillant de façon coordonnée à

Soldats américains utilisant le code navajo dans la jungle de Bougainville en 1943. Washington, National Archives. Utiliser une langue non écrite inconnue de l'ennemi peut être une des solutions au lancinant problème du code : ne pas laisser de trace physique du système de codage dont l'ennemi puisse s'emparer. D'où l'idée de faire appel à des Indiens navajos pour les transmissions radio pendant la guerre du Pacifique.

Machine Enigma.
Les Allemands
ignorèrent jusqu'au
bout que les
cryptanalystes alliés
pouvaient déchiffrer
tous les messages
codés par la machine
Enigma.

effectuer, dans un temps raisonnable, une série d'essais et erreurs qu'aucune équipe de chercheurs n'aurait réalisée dans le même temps. Ce n'étaient pas encore des ordinateurs programmables, mais c'était déjà un pas gigantesque dans cette direction. Ces machines baptisées « bombes » en raison de leur tic-tac bruyant parviennent aux Alliés après l'invasion de la Pologne.

Très tôt, les Anglais installent à Bletchey Park un service du Chiffre d'une centaine de personnes qui travaille à l'opération dite « Ultra » : casser le code d'Enigma. Dès 1940, des « bombes » britanniques tournent inlassablement, mais cette fois ce sont des modèles perfectionnés par le génial Turing qui a réussi à éliminer un nombre considérable d'opérations inutiles, par pur raisonnement sur les hypothèses impossibles. Mais les bombes ne sont pas les fameuses machines de Turing (qui d'ailleurs n'existèrent que sur le papier), à savoir des dispositifs mécaniques programmables qui résolvent des problèmes divisés en une multitude d'alternatives 1 ou 0. Enigma est vaincue et aucun historien ne doute que le sort de la guerre ne se soit joué en grande partie à Bletchey Park.

Entre-temps le premier « vrai » ordinateur apparaît : une machine électronique universelle programmable, Colossus Mark II, couronnement de l'intuition de Turing, fonctionne en mai 1944. Cet énorme amas de tubes et de fils toujours en panne avait des performances très inférieures à celles d'une calculette d'enfant d'aujourd'hui, mais l'informatique était née, en grande partie de la cryptographie.

Technologies du secret

Désormais, avec l'informatique le code va devenir un enjeu majeur de la vie quotidienne. Il se trouve au cœur de deux changements technologiques : le numérique et les réseaux. Le numérique, d'abord : la transformation de toute information (lettre, son, image, programme, etc.) en suites de 0 et de 1, en bits, octets et kilo-octets informatiques modifie la règle du codage. Il s'agira désormais d'inventer des algorithmes que l'on pourrait décrire métaphoriquement comme des recettes pour brouiller les suites de 0 et de 1 (et non plus changer des lettres ou groupes de lettres d'une manière convenue). Il s'agit donc de haute technologie, donnant lieu à des brevets : un algorithme, ou un système de chiffrement vaudra ce que vaudra sa résistance aux tentatives de casseurs de codes, dotés eux-mêmes de la puissance de calcul d'ordinateurs et procédant par essais et erreurs.

On décrit souvent cette force de résistance en disant que telle clef de chiffrement est capable de résister à tant de tentatives de tant d'ordinateurs de telle puissance tournant pendant tant d'années (ou de siècles). Et cette puissance est globalement proportionnelle à la longueur de sa clef mesurée en bits. À titre d'exemple, Deep Crack, le briseur de code le plus rapide du moment, rassemble 1 800 circuits qui examinent chacun 50 millions de clefs par seconde

Le général Heinz Guderian avec la machine Enigma en action. Londres, Impérial War Museum.

(90 milliards de clefs/seconde au total). Il « craque » une clef de 56 bits en vingt heures. Pour le moment la clef à 128 bits, autorisée très récemment en France, assurerait encore la sécurité. Quant aux réseaux interconnectant les ordinateurs, disons Internet pour simplifier, ils ont suscité un colossal flux d'informations confidentielles, qu'il s'agisse de données politiques, militaires, scientifiques, économiques, voire de transactions marchandes ou de simples correspondances de particuliers via le courrier électronique. Le message secret se banalise : il cesse d'être le privilège du soldat, de l'espion ou du conspirateur pour devenir une valeur marchande (le développement du commerce électronique repose entièrement sur la capacité de faire transiter en toute sécurité des informations sensibles – le cas le plus évident étant celui d'un numéro et d'un code de carte de crédit), et donc une pratique quotidienne pour des millions de gens dont beaucoup vivent dans la crainte d'un Big Brother numérique. La banalisation du code, le transfert d'innombrables données cryptées sur les lignes téléphoniques ont deux implications stratégiques majeures. D'une part, les technologies de surveillance – par exemple celles auxquelles recourt la National Security Agency, premier employeur de mathématiciens du monde et capable d'intercepter des millions de communications – permettent de tout savoir sur chacun. L'individu qui se connecte sur Internet, utilise sa carte de crédit, figure sur de multiples fichiers et se soumet quotidiennement à de multiples contrôles devient transparent et impuissant face aux grandes machines de surveillance. Mais, second facteur, David prend sa revanche sur Goliath : l'escroc féru de Nouvelles Technologies, le « *hacker* » animé par le simple goût ludique de l'exploit, le « *cracker* », plus agressif, et qui prend son plaisir à répandre le désordre dans les systèmes informatiques, les cyberterroristes qui mènent leur guerre par bits interposés en détruisant les systèmes de communication adverse, tous acquièrent un pouvoir inédit. Une ligne téléphonique et un ordinateur suffisent pour lancer contre un gouvernement ou une entreprise des attaques, qui ne requièrent ni bombes, ni commandos suicides, mais n'en sont pas moins redoutables.

La guerre du chiffre a pris d'autres dimensions. La confidentialité des communications, c'est-à-dire la capacité qu'a un intrus de s'emparer d'une information vraie pour remporter la victoire, n'en est plus qu'une partie. Ce n'est après tout qu'une forme sophistiquée d'espionnage qui consiste à s'emparer des secrets de l'autre en l'épiant afin d'agir plus efficacement. Le renseignement n'y est que le support de l'action. Désormais, le code permet non seulement de cacher ce que l'on dit, mais aussi de prouver qui l'on est. « Craquer » un code devient un moyen d'emprunter une identité, d'obtenir un mot de passe, d'effectuer des opérations à la place de quelqu'un. Dans un monde dématérialisé, où tout se fait à distance et par signaux, le code doit donc désormais garantir que l'on est bien en présence, ou plutôt en contact, avec celui que l'on croit.

L'enjeu porte sur la protection ou la lutte contre des activités nocives (espionnage, criminalité). Il concerne aussi la sécurité et partant le développement de transactions impliquant des unités monétaires dématérialisées (commerce électronique, cyberbanques), des biens intangibles (propriété intellectuelle), des données confidentielles (médicales…), etc.

Mot de passe contre passage. C'est une lutte sophistiquée, dématérialisée et purement sémantique entre l'intrus et le défenseur, l'imposteur et le vérificateur. Car il ne suffit plus de garder le secret, il faut aussi garder l'accès : toute base de données, tout ordinateur connecté au réseau sont susceptibles de subir une attaque purement informationnelle, souvent à l'insu de son propriétaire légal. S'ajoute le fait que l'effraction est invisible et indolore et la pénétration immatérielle. Parfois on ne s'apercevra jamais que le secret a été violé. Ou, dans le cas de marquage, de *chips*, etc., on ne saura jamais qu'il existe un moyen de reconstituer vos activités : on laissera alors toujours une trace de tout ce que l'on a reçu et émis, un indice de tous ses mouvements physiques ou virtuels, connexions. Ceci fonctionne dans les deux sens : « prélèvement » d'information, mais aussi pénétration. *Cookies*, chevaux de Troie, virus, bombes à retardement, etc., introduisent frauduleusement soit des machines de guerre (qui opèrent destruction, ravage, désorganisation, falsification…), soit des machines de contrôle (qui permettront de prélever de l'information ou de faire exécuter des instructions).

Des barrières numériques donnent ou non accès. Des machines procèdent à ce que les stratèges du Pentagone appellent IFF (*Identifying Friends and Foes*). Distinguer l'ami de l'ennemi devient un problème technique, voire informatique.

D'où le caractère crucial de l'identification. L'impératif du « prouve qui tu es » des systèmes est l'exact pendant de la revendication d'anonymat du citoyen. Il conditionne la reconnaissance de la valeur probante du document numérique et de la signature électronique, donc toutes sortes de questions liées aussi bien aux libertés publiques qu'au développement du commerce électronique.

Le code inviolable existe-t-il ? Longtemps on a cru que la système mis au point par IBM en 1977, celui du DES (Data Encryption System), l'était et qu'il demanderait plus de deux mille ans de travail aux ordinateurs les plus puissants des années 1960. Si bien que les administrations américaines se sont dotées de ce système, qui vient d'être récemment « craqué ». De plus, le système DES requiert que les correspondants se communiquent leur clef de chiffrement, et que toute clef puisse être volée. De surcroît, dans des conditions tout à fait exceptionnelles, en l'occurrence la mobilisation de dizaines de milliers d'internautes qui ont fourni leurs machines pour une immense attaque collective, DES a pu être « craqué ».

Le grand concurrent de DES est le système dit « à clef publique » ou « asymétrique » (RSA, des initiales de ses inventeurs) et dont l'idée peut être résumée ainsi : rendre le chiffrement irréversible. Pour employer une image, cela équivaut à donner l'adresse de sa boîte postale mais à en garder la clef. A communique à toute personne qui désire lui envoyer un message un algorithme de chiffrement qui lui est personnel. Chacun peut ainsi chiffrer un message destiné à A. Mais le processus n'est pas symétrique : savoir comment chiffrer ne permet pas de savoir déchiffrer, si bien que seul A, qui possède la clef de déchiffrement et ne la communique à personne, peut lire les messages qui lui sont adressés. S'il veut répondre à son interlocuteur B, il emploie la clef de chiffrement de B qui applique le même procédé. Le cryptanalyste qui disposerait du message clair de B, de la clef publique de chiffrement de A et du message crypté de B à A ne pourrait rien découvrir sur la clef de déchiffrement de B, à moins, théoriquement, d'y consacrer son plus puissant ordinateur pendant quelques millénaires. C'est du moins ce que l'on croyait jusqu'à ce qu'en août 1999 un ordinateur au service de la cryptanalyse ait cassé un code RSA dit à 512 bits, ce qui relance la course à la puissance.

Ce système est complété par une procédure de vérification des identités. Toujours sans livrer à quiconque sa clef personnelle, chacun s'identifie par une sorte de jeu de questions et réponses codées : il réalise des performances qui prouvent qu'il possède bien la clef de X ou Y et est donc bien X ou Y.

Pourrait-on aller encore plus loin et imaginer un système dont les propriétés physiques et non sémantiques seraient telles qu'il serait indéchiffrable et mieux encore « inécoutable » ? On ne pourrait intercepter ou copier un message à l'insu des interlocuteurs. Ce serait une façon sophistiquée de réinventer le principe du coffre-fort scellé. C'est ce que tente un système de codage dit quantique qui repose sur l'envoi d'électrons dont la réception ne peut s'opérer qu'une fois et la lecture n'être opérée que par un filtre précis. Cette méthode est encore expérimentale ; encore faudrait-il qu'elle soit applicable à grande échelle. En ce cas les méthodes physiques fondées sur la nature tangible du support l'emporteraient sur les méthodes purement symboliques reposant sur l'emploi de signes et correspondances.

Le pouvoir de crypter se banalise, voire se démocratise sous l'action de quelques « techno-libertaires » qui mettent délibérément à la disposition de qui le demande un système de cryptage de haute technologie capable d'embarrasser toute autorité qui tenterait de violer l'intimité des citoyens. Mais ce pouvoir banal est un pouvoir dangereux : utiliser, diffuser ou exporter un code équivaut souvent à employer une arme. Telle est du moins la doctrine qui a inspiré de multiples tentatives de restreindre l'usage du code. Aux États-Unis ce fut la NSA réclamant l'interdiction des publications scientifiques sur le sujet, les restrictions légales à la vente ou à l'exportation, générale ou dans les pays non agréés par les USA, des systèmes performants, la CIA tentant d'interdire le cryptage des conversations téléphoniques ou encore le président Clinton cherchant à imposer au nom de la lutte contre la grande criminalité la présence de « mouchards » dans les ordinateurs connectés à Internet. Et la France, qui a longtemps restreint l'accès aux systèmes de chiffrement ou leur usage à l'aide de sa législation sur les armes et le matériel stratégique, a connu les mêmes débats. Comme si le privilège régalien n'était plus la maîtrise de la violence légitime, mais celle du secret autorisé. Autrefois l'État nous disait ce que nous pouvions faire, il nous dit maintenant ce que nous pouvons savoir.

BIBLIOGRAPHIE

À LA CONQUETE DES MERS marins et *Marchands des Pays-Bas*, Festival de Lille-musée de l'Hospice Comtesse, oct. 1982/jan. 1983.

À LA RENCONTRE DE SINDBAD, *La route maritime de la soie*, musée de la Marine, 1994.

ARCHARD GUY, *La Communication à Rome*, Petite Bibliothèque Payot, Paris, 1991.

AHBAR AS-SIN WA L-HIND (par J. Sauvaget), Relation de la Chine et de l'Inde – rédigée en 851 –, Les Belles Lettres, Paris, 1948.

AMIET PIERRE, *L'Âge des échanges inter-iraniens (3500-1700 av. J.-C.)*, Réunion des musées nationaux, Paris, 1986.

AMIET PIERRE, BALSAN FRANÇOIS, *Splendeurs de l'Or*, Hachette, 1965.

AMOURETTI MARIE-CLAIRE, COMET GEORGES, *Hommes et techniques de l'Antiquité à la Renaissance,* Armand Colin, Paris, 1993.

ARISTOTE, *Marche des Animaux, Mouvement des Animaux, index des Traités biologiques,* trad. Pierre Louis, Les Belles Lettres, Paris, 1973.

ARISTOTE, *Traité du ciel* suivi du *Traité pseudo-aristotélicien du Monde*, Vrin, Paris, 1990.

BACHELARD GASTON, *La Psychanalyse du Feu*, Gallimard, Paris, 1949.

BACON, *La Nouvelle Atlantide*, Flammarion, Paris, 1995.

BALARD MICHEL (sous la direction de), *Les Civilisations du monde vers 1492*, Hachette, Paris, 1997.

BASHAM ARTHUR L., *La Civilisation de l'Inde ancienne,* Arthaud, Paris, 1988.

BAURAIN CLAUDE, *Les Grecs et la Méditerranée orientale, des siècles obscurs à la fin de l'époque archaïque,* PUF, Paris, 1997.

BELLEC FRANÇOIS, *Océans des hommes,* Ouest-France université, 1987.

BONELLO YVES-HENRI, *Le Secret,* PUF, Paris, 1998.

BOORSTIN DANIEL, *Les Découvreurs,* Robert Laffont, Paris, 1986.

BOTTÉRO J., HERRENSCHMIDT C., VERNANT J.-P., *L'Orient ancien et nous,* Hachette-Littératures, Paris, 1996.

BOUGAINVILLE, *Voyage autour du monde,* Gallimard, Paris, 1982.

BOULNOIS L., *La Route de la soie,* Arthaud, Paris, 1963.

BOUTANG PIERRE, *Ontologie du secret,* PUF, Paris, 1973.

BOXER C. R., *The Portuguese Seaborne Empire/1415-1825,* Carcanet, 1988.

BOXER C. R., *The Dutch Seaborne Empire/1600-1800,* Hutchinson, 1965 ; Penguin Books, 1990.

BRAUDEL FERNAND, *Civilisation matérielle, économie et capitalisme,* Armand Colin, Paris, 1979.

BROC NUMA, *La Géographie de la Renaissance, 1420-1620,* Comité des travaux historiques et scientifiques du ministère de l'Éducation nationale, Paris, 1996.

BROWN LLOYD A., *The Story of Maps,* Brown, Florence, 1977.

BRUJN JAAP R., GAASTRA FEMME S, *Ships, Sailors and Spices (East India Companies and Their Shiping, the XVIth, XVIIth and XVIIIth Century,* NEHA-Series III, Amsterdam, 1993.

CAILLOIS ROGER, *Bellone ou la pente de la guerre,* Nizet, Paris, 1963.

CÉARD JEAN, MARGOLIN JEAN-CLAUDE, *Voyager à la Renaissance,* Maisonneuve & Larose, Paris, 1987.

CES EXPLORATEURS VENUS DU NORD, Revue du Palais de la Découverte, fév. 1997.

CHALLAND GÉRARD, *Anthologie mondiale de la Stratégie des origines au nucléaire,* Robert Laffont, Paris, 1990.

CHINA AND THE MARITIME SILK ROUTE (colloque), Integral study of the silk roads of dialogue, independent seminar, 1994.

COCHE DE LA FERTÉ ÉTIENNE, *Les Bijoux antiques,* PUF, Paris, 1956.

COMPAGNON ANTOINE, SEEBACHER JACQUES, *L'Esprit de l'Europe, tome 2 — Mots et Choses,* Flammarion, Paris, 1993.

DAUMAS MAURICE, *Histoire générale des techniques,* 5 tomes, PUF, Paris, 1996.

DELUMEAU JEAN, *La Civilisation de la Renaissance,* Arthaud, Paris, 1984.

DONADONI ROVERI ANNA-MARIA (sous la direction de), *Civilisation des Égyptiens : la vie quotidienne*, Musée égyptien de Turin, 1988.

EISENSTEIN ELIZABETH L., *La Révolution de l'imprimé dans l'Europe des premiers temps modernes,* Cambridge University Press, 1983, La Découverte, Paris, 1991.

ELLIADE MIRCEA, *Forgerons et Alchimistes,* Flammarion, Paris, 1977.

ELLIADE MIRCEA, *Histoire des croyances et des idées religieuses,* 3 tomes, Payot, Paris, 1976-1983.

ÉLUÈRE CHRISTIANE, *Les Secrets de l'or antique,* La Bibliothèque des Arts, Paris, 1990.

FAÏENCE, Trois Continents, 1998.

FAURE PAUL, *Parfums et aromates de l'Antiquité,* Arthème Fayard, Paris, 1987.

FAVIER JEAN, *De l'or et des épices. Naissance de l'homme d'affaires au Moyen Âge,* Fayard, Paris, 1987.

FAVIER JEAN, *Les Grandes Découvertes, d'Alexandre à Magellan,* Fayard, Paris, 1991.

FEBVRE LUCIEN, MARTIN HENRI-JEAN, *L'Apparition du livre,* Albin Michel, Paris, 1958.

FIGUIER LOUIS, *Les Grandes Inventions modernes,* Hachette, Paris, 1886.

GOMEZ THOMAS, *L'Invention de l'Amérique, rêves et réalités de la Conquête,* Aubier, Paris, 1992.

GOOR J. van, *Trading Companies in Asia (1600-1830),* Hes Uitgevers, Utrecht, 1986.

GRANET MARCEL, *La Civilisation chinoise,* Albin Michel, Paris, 1968.

HAN-FEI-TSE ou LE TAO DU PRINCE (présenté et traduit par Jean Levi), Seuil, Paris, 1999.

HAVARD HENRY, *La Verrerie,* Delagrave, Paris, 1870.

HÉRODOTE, *L'Enquête,* édit. d'Andrée Barguet, Gallimard, Paris, 1964.

HÉSIODE (trad. Cl. Terreaux), *Les Travaux et les Jours. La Théogonie,* Arléa, Paris, 1995.

HOWE SONIA E., *Sur la route des épices. Terre de Brume,* Bibliothèque océane, Paris, 1994.

HUYGHE ÉDITH et FRANÇOIS-BERNARD, *Les Empires du mirages,* Robert Laffont, Paris, 1993.

JACOBS ELS. M., *In Pursuit of Pepper and Tea. The Story of Pepper and Tea,* Netherland Maritime Museum, Walburg Pers, 1991.

JEHEL GEORGES, *La Méditerranée médiévale de 350 à 1450*, Armand Colin, Paris, 1992.

KAPPLER CLAUDE, *Monstres, démons et merveilles à la fin du Moyen Âge*, Payot, Paris, 1980.

KHAWAN RENÉ R. (traduit par), *Les Aventures de Sindbad le Marin*, Phébus, Paris, 1985.

KIRCHER FRANÇOIS (traduits et commentés par), *Les 36 Stratagèmes, traité secret de stratégie chinoise*, J.-C. Lattès, Paris, 1991.

KUPCIK IVAN, *Cartes géographiques anciennes,* Gründ, Paris, 1980.

LA PORCELAINE DANS LE MONDE, Morena/Trois continents, 1998.

LANE FREDERIC C., (trad. Yannick Bourdoiseau et Marie Ymonet), *Venise, une république,* Johns Hopkins University Press, 1973 ; Flammarion, 1985.

LAROQUE FRANÇOIS (études réunies par), *Histoire et secret à la Renaissance,* Presses de la Sorbonne Nouvelle, Paris, 1997.

LAWSON PHILIP, *The East India Company, A History,* Longman Group UK Limited, 1993.

LEROI-GOURHAN ANDRÉ, *L'Homme et la matière,* Albin Michel, Paris, 1943 ; rééd. 1971.

LEROI-GOURHAN ANDRÉ, *Milieu et technique,* Albin Michel, Paris, 1945 ; rééd. 1973.

LEROI-GOURHAN ANDRÉ, *Le Geste et la parole, tome I, Technique et langage,* coll. « Sciences d'aujourd'hui », Albin Michel, Paris, 1964.

LES JUIFS D'ESPAGNE, histoire d'une diaspora 1492/1992, Librairie européenne des idées, 1992.

ROUTES DE LA SOIE, Unesco, 1994.

MAIOCCHI ROBERTO, *L'Ère atomique,* Casterman/Giunti, 1993.

MANDEVILLE JEAN de, *Voyage autour de la terre,* Les Belles Lettres, Paris, 1993.

MANGUEL ALBERTO, *Une histoire de la lecture,* Actes Sud, 1998.

McLUHAN MARSHALL, *Pour comprendre les médias,* Seuil/Mame, Paris, 1964 (1968).

MARTIN HENRI-JEAN (avec la collaboration de DELMAS BRUNO), *Histoire et pouvoirs de l'écrit,* Perrin, 1988 ; rééd. Albin Michel, Paris, 1996.

MATHE ROGER, Bordas, Paris, 1972.

MOLLAT du JOURDIN MICHEL, LA RONCIÈRE MONIQUE de, *Les Portulans, Cartes marines du XIIIᵉ au XVIIᵉ siècle,* Office du Livre, Fribourg, 1984.

MORLIN ÉLISABETH (dirigé par), *Penser la terre. Stratèges et citoyens : le réveil des géographes,* Autrement/série Mutations, n° 152, janv. 1995.

MOSCOVICI SERGE, *La Société contre nature*, 10/18, Paris, 1972.

MULDUR ULGUR, DINCBUDAK NEZIH, *La Monétique*, La Découverte, Paris, 1987.

NEEDHAM JOSEPH, *Science et Civilisation en Chine, une introduction*, Picquier, 1995.

PLINE L'ANCIEN (éd. et choix d'H. Zehnacker), *Histoire naturelle*, Gallimard, Paris, 1999.

POLO MARCO, *Milione/Le Divisament dou monde,* Arnoldo Mondadori, 1982.

PORTUGAL IN THE OPENING OF THE WORLD, Comissao Nacional para as Comemoraçœs dos Descobrimentos Portugueses, 1990.

POUVOIRS DU PAPIER, Cahiers de médiologie n° 4, Gallimard, 2ᵉ semestre 1997.

PSEUDO-CALLISTHÈNE, *Le Roman d'Alexandre*, Les Belles Lettres, Paris, 1992.

PULLMAN BERNARD, *L'Atome dans l'histoire de la pensée humaine*, Fayard, Paris, 1995.

RADVANYI PIERRE, BORDRY MONIQUE, *Histoire d'atomes,* Belin, Paris, 1990.

RONAN COLIN, *Histoire mondiale des sciences*, Seuil, 1988.

ROUTHIER PIERRE, *Voyage au monde du métal. Inventions et aventures*, Belin, Paris, 1999.

ROUX JEAN-PAUL, *Les Explorateurs au Moyen Âge*, Fayard, Paris, 1985.

SEROUSI ROLAND, *L'Histoire de l'Or*, France-Empire, Paris, 1998.

SIGILA, revue transdisciplinaire franco-portugaise sur le secret, 2 : *biffures et amnésies*, Gris France, oct. 1998.

SIGILA, revue transdisciplinaire franco-portugaise sur le secret, 3 : *secrets de l'étranger*, Gris France, print./été 1999.

SIMMEL GEORG, *Le Conflit*, poche, Paris, 1995.

SIMMEL GEORG, *Secret et Sociétés secrètes*, poche, Paris, 1996.

SINGH SIMON, *Histoire des codes secrets : de l'Égypte des Pharaons à l'ordinateur quantique,* J.-C. Lattès, Paris, 1999.

SOBEL DAVA, *Longitude*, J.-C. Lattès, Paris, 1995.

SOURDEL D. et J., *La Civilisation de l'Islam classique*, Arthaud, Paris, 1983.

SPAHNI JEAN-CHRISTIAN, BRUGGMANN MAXIMILIEN, *La Route des épices*, Silva, 1991.

STERN JACQUES, *La Science du secret*, Odile Jacob, Paris, 1998.

TEMPLE ROBERT, *Quand la Chine nous précédait*, présentation par Joseph Needham, Bordas, Paris, 1987.

TRAVERSES, *Le Secret*, revue du Centre de création industrielle, Centre Georges-Pompidou, mars 1984.

TRAVERSES, *Le Verre*, revue du Centre de création industrielle, Centre Georges-Pompidou, mars 1989.

TRYSTRAM FLORENCE, *En route. La France par monts et par vaux*, Gallimard, Paris, 1996.

TRYSTRAM FLORENCE, *Terre! Terre! De l'Olympe à la Nasa, une histoire des géographes et de la géographie*, J.-C. Lattès, Paris, 1994.

VAXELAIRE DANIEL, *Les Chasseurs d'épices*, Payot, Paris, 1990.

VERGE-FRANCESCHI MICHEL, *Henri le Navigateur, un découvreur au XVe siècle*, édition. du Félin, 1994.

VOYAGES AUX PAYS DE NULLE PART (collectif), Robert Laffont, Paris, 1990.

WEINHOLD RUDOLF, *Argile aux cent visages, histoire de la céramique à travers les âges*, Leipzig, 1982; Paris, 1983.

WOOD FRANCES, *Did Marco Polo go to China?*, Secker & Warburg, 1995.

ZORZI ALVISE, *La Repubblica del Leone. Storia di Venezia*, Rusconi, 1979.